FIM DE JOGO

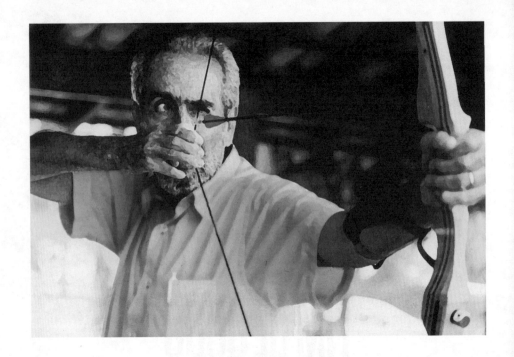

O Arqueiro

GERALDO JORDÃO PEREIRA (1938-2008) começou sua carreira aos 17 anos, quando foi trabalhar com seu pai, o célebre editor José Olympio, publicando obras marcantes como *O menino do dedo verde*, de Maurice Druon, e *Minha vida*, de Charles Chaplin.

Em 1976, fundou a Editora Salamandra com o propósito de formar uma nova geração de leitores e acabou criando um dos catálogos infantis mais premiados do Brasil. Em 1992, fugindo de sua linha editorial, lançou *Muitas vidas, muitos mestres*, de Brian Weiss, livro que deu origem à Editora Sextante.

Fã de histórias de suspense, Geraldo descobriu *O Código Da Vinci* antes mesmo de ele ser lançado nos Estados Unidos. A aposta em ficção, que não era o foco da Sextante, foi certeira: o título se transformou em um dos maiores fenômenos editoriais de todos os tempos.

Mas não foi só aos livros que se dedicou. Com seu desejo de ajudar o próximo, Geraldo desenvolveu diversos projetos sociais que se tornaram sua grande paixão.

Com a missão de publicar histórias empolgantes, tornar os livros cada vez mais acessíveis e despertar o amor pela leitura, a Editora Arqueiro é uma homenagem a esta figura extraordinária, capaz de enxergar mais além, mirar nas coisas verdadeiramente importantes e não perder o idealismo e a esperança diante dos desafios e contratempos da vida.

FIM DE JOGO

DANIEL COLE

ARQUEIRO

Título original: *Endgame*
Copyright © 2019 por Daniel Cole
Copyright da tradução © 2022 por Editora Arqueiro Ltda.

Todos os direitos reservados. Nenhuma parte deste livro pode ser utilizada ou reproduzida sob quaisquer meios existentes sem autorização por escrito dos editores.

tradução: Roberta Clapp

preparo de originais: Melissa Lopes

revisão: Pedro Staite e Rita Godoy

diagramação: Abreu's System

capa: Henry Steadman

adaptação de capa: Gustavo Cardozo

impressão e acabamento: Associação Religiosa Imprensa da Fé

CIP-BRASIL. CATALOGAÇÃO NA PUBLICAÇÃO
SINDICATO NACIONAL DOS EDITORES DE LIVROS, RJ

C655f

Cole, Daniel, 1983-
Fim de jogo / Daniel Cole ; tradução Roberta Clapp. – 1. ed. – São Paulo : Arqueiro, 2022.
304 p. ; 23 cm. (Ragdoll ; 3)

Tradução de: Endgame
Sequência de: Marionete
ISBN 978-65-5565-276-5

1. Ficção inglesa. I. Clapp, Roberta. II. Título. III. Série.

| 22-76234 | CDD: 823 |
| | CDU: 82-3(410.1) |

Meri Gleice Rodrigues de Souza – Bibliotecária – CRB-7/6439

Todos os direitos reservados, no Brasil, por
Editora Arqueiro Ltda.
Rua Funchal, 538 – conjuntos 52 e 54 – Vila Olímpia
04551-060 – São Paulo – SP
Tel.: (11) 3868-4492 – Fax: (11) 3862-5818
E-mail: atendimento@editoraarqueiro.com.br
www.editoraarqueiro.com.br

Caro leitor,

> "Eu não quero recomeçar do zero ao final de cada
> livro, como se fosse um episódio dos *Simpsons*."

Venho dizendo isso desde aquelas primeiras entrevistas intimidadoras para a divulgação de *Boneco de pano*. Mas essa fala parece mais relevante do que nunca ao concluir o terceiro livro da trilogia, integrando toda a história e respeitando o encadeamento que isso exige. Acredito ter atingido uma profundidade nesses personagens e uma dramaticidade em seus relacionamentos que teria sido impossível escrevendo histórias independentes. E, embora eu tenha tentado alcançar novos leitores tanto em *Marionete* quanto em *Fim de jogo*, não há como negar o fato de que os livros terão muito mais significado para quem acompanha a história desde o começo.

É verdade que tenho um lado um tanto geek e adoro perceber referências sutis escondidas em meus filmes e séries favoritos, sabendo que apenas os fãs mais fiéis vão descobrir que elas estão lá. É um recurso que faz um mundo fictício parecer um pouco mais real, e, por isso, os meus livros também são repletos desses elementos.

Este não é o fim de *Boneco de pano*, nem de longe. Eu sempre quis que esses três primeiros títulos fossem sobre uma equipe específica em um momento específico. Eles se sobrepõem. Suas histórias se entrelaçam. São uma trilogia. Mas não é assim que o mundo real funciona – a vida dá voltas e vai afrouxando todo e qualquer nó minúsculo que a gente tenha feito. Já tenho o esqueleto do quarto livro, e estou extremamente entusiasmado com ele e com os novos rumos que a série está tomando.

Afinal, trata-se de uma única e longa história.

Como sempre, um imenso agradecimento aos meus leitores e um pedido de desculpas ainda maior por minha total falta de interação nas redes sociais; simplesmente não é a minha praia. Mas são vocês que me mantêm na ativa. Este livro é para vocês e, sinceramente, espero que gostem de lê-lo tanto quanto gostei de escrevê-lo.

Então, sem mais delongas: senhoras e senhores, a última parte da trilogia Boneco de Pano: *Fim de jogo*.

Daniel Cole

"Não sou nenhum herói...
Eu mataria até o último ser vivo na face da Terra para salvar você."

PRÓLOGO

prologo

Segunda-feira, 4 de janeiro de 2016
11h13

– Era uma vez, há muito, muito tempo… Mas não mais.

Um bairro residencial coberto de neve passava diante das janelas sujas, o sol fraco aquecendo os bancos de couro, enquanto eles trepidavam em direção ao destino.

– Mas é você, né? – insistiu o homem no banco do motorista. – Você é o William Fawkes?

– Alguém tem que ser – suspirou Wolf, com genuíno arrependimento, enquanto os olhos escuros no espelho retrovisor o observavam, ocasionalmente se voltando para a rua adiante. – É bem aqui, à esquerda.

O táxi preto encostou, o motor engasgando ao parar na entrada de uma garagem.

Wolf pagou a corrida em dinheiro, não que isso ainda tivesse importância, e desceu do carro na rua silenciosa. Mas, antes mesmo que tivesse a chance de fechar a porta, o motorista acelerou, espirrando aquela lama gelada nele enquanto o táxi desaparecia virando a esquina. Em vez de se arrepender de ter dado uma gorjeta ao taxista intrometido, Wolf concluiu que provavelmente havia se iludido ao achar que um suborno de 1,34 libra seria capaz de garantir o silêncio do homem por muito tempo. Ele limpou as calças com a manga do casaco preto comprido que havia pertencido a Lethaniel Masse – o responsável pelos homicídios do caso Boneco de Pano –, souvenir de uma vida passada, uma espécie de troféu que servia para que ele se lembrasse de todas as pessoas que deveria ter ajudado.

Enquanto transformava as manchas molhadas em listras de sujeira, notou que ainda estava sendo observado. Apesar de ter perdido quase 13 quilos e deixado crescer uma barba extraordinariamente desgrenhada, o tamanho imponente de Wolf e os olhos muito azuis o traíam diante de qualquer pessoa atenta o suficiente para dar uma segunda olhada nele. Do outro lado da rua, uma mulher o encarava enquanto revirava um carrinho de bebê, onde a criança provavelmente estava escondida em algum lugar debaixo da pilha de mantas. Ela pegou o celular e o aproximou do ouvido.

Oferecendo um sorriso triste na direção dela, Wolf lhe deu as costas, entrando pelo portão. Um Mercedes desconhecido, identificável apenas pelo emblema despontando sob a neve, estava absolutamente largado na entrada de cascalho, e a própria casa, embora lhe fosse familiar, parecia um terço maior desde sua última visita. Sabendo que a porta da frente estaria destrancada como sempre, ele não se deu ao trabalho de bater, tirando a neve dos sapatos antes de adentrar a penumbra desolada que tomava conta da antessala, apesar do céu sem nuvens do lado de fora.

– Maggie? – chamou Wolf, a voz falhando.

Era o efeito de estar de volta àquela casa, de inspirar profundamente o ar lá de dentro, uma mistura de livros caindo aos pedaços, perfume floral, café moído e uma centena de outras coisas que evocavam memórias não solicitadas de tempos mais simples e mais felizes. Pois aquele era o lugar onde ele se sentia mais em casa, comparado a qualquer outro do mundo, a única constante com a qual ele podia contar desde que havia se mudado para a capital.

– Maggie?!

Um rangido no segundo andar quebrou o silêncio.

Conforme subia, passos leves começaram a se precipitar nas tábuas do piso acima dele.

– Maggie?!

Uma porta se abriu.

– Will...? Will!

Assim que Wolf alcançou o último degrau, Maggie se atirou nele, envolvendo-os com os braços, quase levando o reencontro para o andar de baixo.

– Meu Deus! É você mesmo!

Maggie o abraçava com tanta força que ele mal conseguia respirar, e a única coisa que conseguiu fazer foi apertá-la também enquanto ela chorava contra o peito dele.

– Eu sabia que você viria – disse ela, soluçando. – Não consigo acreditar que ele se foi, Will. O que eu vou fazer sem ele?

Soltando-se do abraço, Wolf segurou as mãos dela, distanciando-se um pouco para falar. A mulher sempre impecável estava na faixa dos 50 anos, com a maquiagem escorrendo e as roupas pretas um tanto desleixadas, fazendo com que pela primeira vez aparentasse a própria idade. Ela havia deixado os cachos escuros soltos, embora geralmente os usasse amarrados em um estilo vintage que inevitavelmente tinha voltado à moda.

– Não tenho muito tempo. Onde... onde ele estava? – perguntou, enfrentando a primeira de muitas perguntas difíceis para as quais necessitava de resposta.

Maggie apontou com a mão trêmula para uma moldura de porta despedaçada em uma parte do patamar onde não havia carpete. Ele fez que sim com a cabeça e lhe deu um beijo suave na testa antes de entrar na mais recente expansão da casa, enquanto Maggie ficou para trás, na altura da soleira do cômodo vazio. Wolf analisou com orgulho o último projeto de seu amigo, concluído de acordo com os mesmos padrões exigentes que aplicava a tudo o que dizia respeito a seus netos. Seria o novo quarto deles quando viessem visitá-los, uma maneira de passarem mais tempo juntos agora que ele havia se aposentado.

Uma cadeira de madeira estava caída com as pernas para cima no meio do quarto e, embaixo dela, uma mancha vermelho-escura tinha se espalhado nas tábuas porosas do piso.

Wolf havia se convencido de que, uma vez lá dentro, seria capaz de permanecer impassível, de tratar a situação com a eficiência objetiva com que trataria qualquer outra cena de crime... Mas obviamente estava errado.

– Ele amava você, Will – disse Maggie da porta.

Incapaz de conter as lágrimas por mais tempo, Wolf enxugou os olhos ao ouvir o som de alguém esmagando o cascalho do lado de fora.

– É melhor você ir – alertou Maggie imediatamente, ignorando as batidas educadas na porta. – Will?

Ao ouvir a porta da frente ranger no momento em que alguém entrava, ela correu para as escadas a fim de interceptar o visitante, relaxando a expressão quando um homem loiro com cara de rato veio na direção dela.

– Jake! – Ela suspirou de alívio. – Achei que fosse... Deixa pra lá.

Wolf observou desconfiado enquanto os dois se abraçavam como velhos amigos.

– Trouxe umas coisinhas pra você – disse o homem, entregando a ela as sacolas de compras. – Poderia me deixar um minuto a sós com ele? – perguntou então, acabando com o fingimento de que aquilo seria uma mera visita.

– Pode ir, Maggie – assegurou Wolf.

Parecendo desconfortável, ela desceu as escadas para guardar as compras.

– Saunders – Wolf cumprimentou o ex-colega quando ele entrou no quarto.

– Wolf. Há quanto tempo.

– Bom, sabe como é, eu precisava de um tempo pra mim – debochou ele, ouvindo um carro estacionar do lado de fora. – Não sabia que vocês se conheciam.

– Não nos conhecíamos. – Saunders deu de ombros, permanecendo a uma distância segura, apesar da conversa civilizada. – Não até... tudo isso acontecer. – Ele suspirou profundamente. – Cara, sinto muito mesmo pelo Finlay. De verdade.

Meneando a cabeça em agradecimento, Wolf olhou para o piso manchado.

– O que você está fazendo aqui? – perguntou Saunders sem rodeios.

– Precisava ver com meus próprios olhos.

– Ver o quê?

Wolf baixou a voz por causa de Maggie.

– A cena do crime.

– Crime? – Saunders esfregou o rosto demonstrando cansaço. – Cara, estive aqui no dia. Ele foi encontrado *sozinho*... num quarto trancado... deitado com uma arma do lado dele.

– O Finlay não se mataria.

Saunders olhou para ele com pena.

– As pessoas estão sempre nos surpreendendo.

– Falando nisso, você chegou aqui bem rápido.

– Eu já estava a caminho... quando a gente recebeu a chamada.

Wolf nunca tinha gostado muito daquele detetive espalhafatoso na época em que trabalhavam juntos, mas estava começando a enxergá-lo sob uma nova perspectiva.

– Obrigado por cuidar dela.

– Não é nada.

– Então... tem quantos lá fora? – indagou Wolf, como se estivesse perguntando as horas, o clima na sala mudando imediatamente.

Saunders hesitou.

– Dois na frente. Dois nos fundos. Um está sentado com a Maggie e, se tudo estiver correndo como planejado, tem outro a um metro da gente atrás daquela parede. – Ele se virou para a porta aberta: – Tem alguém aí?!

O som de um pente sendo carregado em um fuzil semiautomático respondeu do patamar.

Ele sorriu se desculpando e tirou um par de algemas do bolso.

– Prometi a eles que você não ia fugir. Por favor, não vai me deixar com cara de pateta.

Wolf assentiu e lentamente se ajoelhou. Erguendo os braços, entrelaçou os dedos atrás da cabeça e olhou pela janela coberta de neve – a última paisagem que seu mentor teria visto antes do fim.

– Desculpa, cara – disse Saunders, dando um passo à frente para prender as algemas ao redor dos pulsos dele. – Suspeito detido!

– Will?! – chamou Maggie da cozinha enquanto sua casa era invadida por policiais armados.

Botas pesadas subiram a escada na direção deles, os passos de Maggie vindo atrás.

– Você me faz um favor? – perguntou Wolf, desviando os olhos de Saunders para ela enquanto o último dos policiais entrava pela moldura quebrada, gritando os comandos de praxe enquanto o prendiam: – Não conta pra ela que eu voltei.

– Mas, Will... – disse Maggie, chorando desesperadamente, sem conseguir colocar um pé dentro do cômodo onde seu marido tinha sido encontrado.

– Tá tudo bem, Maggie. Tá tudo bem – garantiu ele. – Eu não vou mais fugir.

Capítulo 1

Segunda-feira, 4 de janeiro de 2016
11h46

Thomas Alcock estava distraído com a televisão sem som enquanto preparava uma xícara de chá.

– Merda – sussurrou ele, derramando água fervente em toda a bancada e que depois começou a pingar em sua mão. – Porra, puta que pariu!

Ele se contraiu de dor, depois sacudiu a mão sem tirar os olhos da tela.

Na Sky News, um helicóptero sobrevoava o local da devastação ocorrida na capital do país duas semanas antes. Quando ele eclipsava o sol, uma sombra escura varria sem esforços os escombros lá embaixo e pelo menos duas outras lhe fariam companhia a qualquer momento – como abutres ao redor de uma carcaça fresca. Aparentemente, o fechamento do espaço aéreo da cidade, que havia causado sofrimento e confusão incalculáveis durante as festas de fim de ano, tinha sido suspenso, permitindo que o mundo enfim avaliasse a extensão dos danos.

Um desastre tinha sido evitado por pouco, mas não sem um preço.

A explosão, ocorrida dentro de um conjunto de banheiros subterrâneos no topo da Ludgate Hill, havia provocado uma evacuação de rotina dos edifícios ao redor enquanto os engenheiros faziam as verificações necessárias. Depois que um turista com olhos de águia notou novas rachaduras na fachada oeste da Catedral de São Paulo, obras de restauração de emergência foram autorizadas. Mas antes mesmo que o andaime fosse erguido, eles perderam a torre norte, que foi ao chão. E então, ao longo de três dias, coluna após coluna se rompeu, como pernas se dobrando sob o peso, até que o enorme pórtico inevitavelmente desmoronou – um monumento icônico morrendo lentamente em razão de suas feridas.

Era uma imagem surreal: parecia uma peça solta de um quebra-cabeça.

Thomas levou alguns segundos para perceber que a borda colorida em torno da área era na verdade uma montanha de coroas e flores empilhadas contra as cercas: uma homenagem àqueles que nunca ressurgiram de Piccadilly Circus, à detetive Kerry Coleman, a todos os desaparecidos na

Times Square – um gesto comovente mas fadado a durar pouco por conta do clima congelante.

Ele bebeu um gole de chá.

O pisca-pisca pulsava sobre as legendas amarelas, enquanto o que restava da árvore de Natal no outro cômodo o lembrava de que ainda estava tudo lá, as pilhas de presentes fechados cobertas com as folhas do pinheiro. Acariciando Echo distraidamente, a mente de Thomas se voltou pela enésima vez a pensamentos egoístas: como ele estava grato por ninguém que ele conhecia estar entre os mortos ou feridos, como se sentia afortunado por sua namorada ter voltado inteira e, embora fosse vergonhoso, como, em segredo, ele esperava que os horrores do mês anterior, culminando em um incidente de segurança nacional e na morte prematura de um amigo querido, tivessem sido o suficiente para fazê-la chegar ao próprio limite, para convencê-la a deixar tudo para trás, para valorizar o que ainda lhe restava e ficar satisfeita com o que tinha.

O celular de Emily Baxter começou a zumbir alto do outro lado da mesa da cozinha.

Thomas correu para alcançá-lo e atendeu irritado, num sussurro:

– Telefone da Emily... Acho que não. Ela ainda tá dormindo. Quer deixar... Quarta-feira... nove da manhã... Eu aviso a ela... Tá bem. Tchau.

Ele colocou o celular em cima das luvas de cozinha para o caso de tocar novamente.

– Quem era? – perguntou Emily da porta, assustando-o.

Ela estava usando um dos folgados casacos de moletom dele caído por cima da calça de pijama xadrez. As roupas confortáveis eram uma mudança bem-vinda aos trajes habituais da inspetora-chefe de 35 anos. Thomas se sentiu novamente nauseado ao olhar para ela, notando o preço que o trabalho tinha cobrado da mulher que amava. Seu lábio superior estava cheio de pontos. Dois de seus dedos estavam presos um ao outro, se projetando para fora da tipoia que ela usava relutantemente para apoiar o cotovelo machucado, enquanto o cabelo castanho-escuro despenteado escondia a maior parte dos arranhões e feridas que ainda cobriam seu rosto.

Ele deu um sorriso forçado, bem pouco convincente, e indagou:

– Quer comer alguma coisa?

– Não.

– Nem uma omelete?

– Não. Quem era no telefone? – perguntou ela de novo, olhando fixamente para o namorado, ciente de que qualquer mínimo conflito seria demais para ele.

– Era do seu trabalho – suspirou ele, zangado consigo mesmo. Ela esperou que ele explicasse. – Um tal de Mike Atkins ligando pra informar que você tem uma reunião com ele e com o pessoal do FBI na quarta-feira de manhã.

– Ah – respondeu ela, atordoada, coçando a cabeça de Echo depois que ele pulou na bancada para chegar perto dela.

Thomas não suportava vê-la tão frágil e oprimida. Ele se aproximou e a abraçou, mas tinha dúvidas se ela havia notado que estava em seus braços enquanto permanecia ali inerte.

– A Maggie ligou hoje? – perguntou ela.

Ele a soltou.

– Ainda não.

– Vou passar lá… daqui a pouco.

– Eu te levo – ofereceu Thomas. – Posso ficar sentado no carro ou ir tomar um café enquanto vocês…

– Estou bem – insistiu ela.

A resposta curta acabou deixando Thomas um pouco mais otimista. Em algum lugar, escondida nas profundezas da superfície quebrada, a acidez típica de Emily estava presente.

Ela ainda estava ali. Só precisava de tempo.

– Certo. – Ele acenou com a cabeça, sorrindo gentilmente.

– Eu vou… – Ela concluiu seu pensamento apontando para cima. – Mas estou bem – murmurou ela enquanto se dirigia para o corredor, com Echo em seu encalço. – Estou bem.

A cerca viva poderia se parecer com qualquer outra não fossem os lampejos de fios alaranjados aparecendo e desaparecendo atrás dela.

A primeira missão de Alex Edmunds como investigador particular tinha sido um caso banal, que o levou a um terreno baldio e cemitério de carrinhos de compras em frente ao Sainsbury's, um supermercado local. Mas agora, com o objeto perfeitamente sob sua mira e a única saída bloqueada por sua equipe, o prazeroso frisson da perseguição começou a voltar.

Ele entrou em ação…

Seu alvo saiu em disparada, mais rápido do que ele esperava, fugindo direto em direção à armadilha.

– PI 2! – gritou ele no walkie-talkie de brinquedo. – PI 2, se prepara pra interceptar!

– Eu tenho que fazer isso?

– *Por favor!* – respondeu Edmunds, ofegante, antes de ver seu plano se desenrolar como uma coreografia bem ensaiada, sua noiva aparecendo do nada na frente deles, bloqueando o caminho com o carrinho de bebê.

Derrapando até parar, a recompensa deles hesitou por um instante e então escalou o que parecia ser a árvore mais alta de Londres, derrubando a neve dos galhos de cima enquanto subia para fora de alcance.

– Merda! – exclamou Edmunds, fazendo uma careta enquanto olhava na direção do céu.

– PI 1, furões conseguem subir em árvores – informou a voz distorcida de Tia enquanto ela empurrava Leila no carrinho. – E agora? – perguntou ela, não sendo mais necessário o walkie-talkie.

– Tá... Tá tranquilo – disse Edmunds, confiante. – Ele tá cercado.

– Tá? – insistiu ela, tirando a gaiola de trás do carrinho e a colocando no chão gelado.

– Sim, vou subir – anunciou Edmunds, decidido, esperando que ela protestasse.

Ela não disse nada.

– Vou subir nessa árvore gigante – enfatizou ele.

Ela acenou com a cabeça.

– Então tá. – Ele acenou de volta. – Fica a uma distância segura pro caso de eu cair... e morrer.

– Que tal... em casa? – sugeriu Tia.

– Claro. – Ele deu de ombros, um pouco surpreso por ela estar disposta a perder toda a diversão. Ele se aproximou da árvore e se segurou em um galho grosso acima de sua cabeça. – Mas é divertido, né? Passar um pouco mais de tempo juntos?

Tia não respondeu.

– Eu disse... – Ele tentou novamente depois de deslizar pelo tronco da árvore. – Ah, você foi embora.

Ela já estava na metade do caminho.

– Bom, *eu* acho divertido – murmurou Edmunds para si mesmo. – Tudo bem, Sr. Scabs – gritou ele em direção aos galhos. – Seu reinado de terror termina aqui!

Wolf roncava alto.

Ele havia passado mais de três horas confinado numa sala da Delegacia de Polícia de Hornsey, e durante duas horas e meia desfrutou do sono mais reparador que tivera em semanas. Quando uma porta bateu no corredor, ele acordou com um susto. Levemente confuso com o ambiente desagradável que o cercava, sentiu as algemas tilintando contra a cadeira de metal às suas costas e aquilo serviu como um lembrete de sua manhã agitada. Um pouco irritado com a falta de consideração de quem havia batido a porta, ele agora estava bastante apertado para fazer xixi, andando por alguns minutos de um lado para outro naquele espaço restrito para tentar acordar sua nádega esquerda dormente.

Enquanto ele se alongava, o som de sapatos com saltos ecoou no corredor vindo em sua direção. A porta se abriu e um homem elegante na casa dos 50 anos entrou na sala, seu terno feito sob medida em contraste com as paredes acinzentadas.

– Humpf. – Wolf cumprimentou o estranho bem-vestido. – Achei que fosse uma mulher.

O homem de cabelos grisalhos pareceu confuso, e rugas profundas se formaram na pele grossa de sua testa.

– Mas você não é – completou Wolf, prestativo.

Um sorrisinho apareceu no rosto do homem.

– E eu estava me preocupando desnecessariamente com a possibilidade de suas habilidades de detetive terem sido abaladas enquanto você estava desaparecido.

Ele puxou uma cadeira e se sentou.

– Por falar nisso – começou Wolf, subitamente se lembrando de algo. – E não quero soar mesquinho nem nada, mas eu ainda tinha quinze dias de férias pra tirar quando aquela situação toda do Masse... *aconteceu*. Não sei se tem alguma maneira de...

O homem abriu um sorriso perplexo, interrompendo-o no meio da frase, seus dentes brancos como neve praticamente brilhando contra a pele alaranjada.

– Sim, acho que você tem razão. Outra hora a gente resolve isso.

Wolf meneou a cabeça, estufando as bochechas quando um silêncio tenso se instaurou.

– Não está me reconhecendo, né, Will?

– Ééé...

– Esse é o comissário Christian Bellamy – anunciou uma voz lamentavelmente familiar da porta quando a comandante Geena Vanita entrou na sala.

Ela estava usando uma combinação que, para os padrões dela, até que não era das piores: um blazer preto por cima de uma quantidade louvável de peças destoantes. Talvez ele estivesse vendo muitos programas matinais, talvez fosse apenas o que vinha passando pela sua cabeça, mas, se fosse categorizar aquele traje, teria optado por "roupa para o enterro de um Teletubby".

Ela continuou falando.

– Desculpa. O quê? – perguntou Wolf, perdendo completamente tudo o que ela tinha dito em seguida, sua mente vagando por assuntos muito mais urgentes: o enterro seria do Dipsy, por overdose de heroína.

– Eu disse que era só uma questão de tempo até a gente pegar você – repetiu a mulher baixinha.

– Você com certeza se lembra da parte em que não me pegaram de fato, né? – perguntou Wolf. – Porque eu me lembro nitidamente de ter me entregado.

Vanita deu de ombros, já elaborando a declaração que daria na coletiva de imprensa para anunciar a captura.

– Tanto faz. Eu digo que foi X, você diz que foi...

– Propaganda descarada? – sugeriu ele.

– Olha, nós não somos seus inimigos, Will – interrompeu Christian, antes que eles continuassem se alfinetando. Mas, ao perceber a evidente rixa entre os dois, ele decidiu reformular sua fala: – *Eu* não sou seu inimigo.

Wolf deu uma risada de desprezo.

– A gente já se encontrou antes, sabia? – prosseguiu Christian. – Tudo bem que faz muito tempo. E... – Pela primeira vez, sua postura naturalmente relaxada fraquejou. – Nós dois perdemos um amigo muito querido essa semana. Não pense que você foi o único.

Wolf lançou um olhar cético para o homem.

– Então... – começou Vanita – ...William Oliver Layton-Fawkes. – Ele se encolheu. – Agora que você foi pego...

– Que eu me entreguei! – interrompeu Wolf, irritado.

– ... você está diante de uma pena de prisão bem longa pra tentar se redimir da sua lista considerável de infrações.

Wolf notou que Christian franziu o cenho em desaprovação na direção de sua subordinada conforme ela continuava.

– Ocultação de provas, falso testemunho, desobediência a intimação judicial, vias de fato...

– Está mais para lesão corporal – contestou Wolf.

– A lista é infinita – concluiu Vanita, cruzando os braços, cheia de satisfação. – Você conseguiu escapar de inúmeras confusões ao longo dos anos, mas dessa vez parece que finalmente chegou a hora de pagar os pecados. Tem alguma coisa a dizer?

– Tenho.

Ela aguardou com expectativa.

– Você se importa de coçar o meu nariz? – perguntou ele.

– Como é que é?

– Meu nariz – repetiu Wolf educadamente, as algemas tilintando às suas costas. – Você se importa?

Vanita e Christian se entreolharam, e ela riu.

– Você por acaso ouviu alguma palavra do que eu disse, Fawkes? – indagou ela.

Os olhos de Wolf começaram a lacrimejar.

– Você vai ficar muito tempo na cadeia...

– Vamos, por favor – disse Wolf, tentando sem sucesso esfregar o nariz no próprio ombro.

Vanita se levantou.

– Não tenho tempo pra isso.

Ela já tinha chegado à porta quando Wolf recomeçou a falar.

– Léo... Antoine... Dubois.

Vanita parou, um pé já fora da sala. Muito lentamente, ela se virou.

– O que tem ele?

– Primeiro o nariz – arriscou Wolf.

– Não! Que que tem o Dubois?

– Perdoem a minha ignorância – interrompeu Christian –, mas... *quem*?

– Léo Dubois – começou Vanita, lembrando-se do fiasco que foi a operação envolvendo diversas agências, na qual ela tivera o prazer de não pensar ao longo de anos. – Foi um caso importante pro departamento... assassinato, tráfico de pessoas, tráfico de drogas. O Fawkes estava envolvido, ou seja, uma confusão sem precedentes. – Ela se voltou para Wolf quando ele bocejou ruidosamente. – O que você sabe sobre o Dubois?

– Paradeiro atual, nomes e fotografias de toda a rede de contatos dele, números das contas, nome do navio a caminho da nossa costa com o porão lotado de prostitutas...

Inconscientemente, ela deu um passo para dentro da sala.

– Ah! Documentação dos veículos – prosseguiu –, serviços de lavagem de dinheiro... e tenho quase certeza de que ele hackeou a conta da Netflix de alguém.

– As promessas desesperadas que um homem que foi capturado é capaz de fazer – disse Vanita, balançando a cabeça.

– Um homem que se entregou – lembrou-lhe Wolf.

Christian permaneceu quieto, notando uma mudança abrupta em sua colega.

– Acho que te julguei muito mal, Fawkes – comentou Vanita num tom teatral. – Meu lado cético sempre suspeitou que você tinha fugido simplesmente pra salvar a própria pele depois de contratar os serviços de um serial killer. Mas, ao que parece, esse tempo todo você realmente se encarregou de derrotar sozinho um verdadeiro senhor do crime! – Ela riu de si mesma por tal constatação. – Isso é ridículo! Não pode esperar que alguém acredite...

– Espero que você acredite – interrompeu Wolf – que, a partir do segundo que saí daquele tribunal, comecei a tomar as medidas necessárias pra retomar a minha vida e me preparar pra esse momento, pra fazer uma oferta que você não poderia recusar.

– Ah, só que eu posso recusar, sim – retrucou Vanita, aparentemente se esquecendo de que não era de fato a pessoa de patente mais alta naquela sala. – Quer dizer que em momento nenhum o Dubois reconheceu o homem que passou meses tentando prendê-lo? Ele não desconfiou de nadinha?

– Ele era bastante desconfiado – respondeu Wolf. – Mas não há nada como ter seu rosto estampado em todos os jornais para inspirar um pouco de verdade em uma história... Vou precisar que você coce o meu nariz agora.

Ela abriu a boca para se negar a fazê-lo.

– Só coça o nariz dele, por favor? – gritou Christian, ansioso para que pudessem continuar.

Parecendo indignada, Vanita tirou uma caneta chique do bolso e a estendeu na direção de Wolf, sem fazer nenhum esforço para esconder seu descontentamento.

– Um pouquinho pra direita – instruiu Wolf. – Mais um pouco. Ah, isso, aí mesmo. Você está na profissão errada, sabia? Na verdade, é só uma constatação que não tem nada a ver com as suas habilidades para coçar, é um fato mesmo.

Recostando-se na cadeira, ele sorriu vitorioso quando Vanita largou sua caneta favorita na mesa para que outra pessoa pegasse depois.

– O que você quer, Fawkes? – perguntou ela entredentes.

– Nenhum tempo na prisão.

Ela deu uma gargalhada.

– O que você fez é de conhecimento público. Em parte, pelo menos. Sendo bem realista, o melhor que pode esperar é ficar numa ala onde gostem de policiais.

– Ah, então é com o público que estamos preocupados? Por isso a implacável perseguição que você conduziu para me encontrar – debochou Wolf com um sorriso. – Na verdade, estava devagar demais para chamar de "implacável", e não era bem uma "perseguição", e sim uma "pesquisa rolando por aí".

Vanita ficou mais tensa.

– Um mês. Nada de segurança máxima, presídio comum – propôs ele.

– Um ano – rebateu Vanita, extrapolando um pouco as funções de seu cargo; no entanto, Christian não se opôs enquanto observava a negociação na mesa, como um espectador em uma partida de tênis.

– Dois meses – sugeriu Wolf.

– Seis!

– Três... mas com uma condição.

Vanita fez uma pausa.

– Fala.

– Ninguém conta pra Baxter que eu voltei. Quem vai falar com ela sou eu.

Mais do que feliz em evitar qualquer interação com sua inspetora-chefe irascível, Vanita considerou tirar uma semana da sentença de Wolf em agradecimento; em vez disso, deu um fingido aceno relutante com a cabeça.

– E... – continuou ele – ... talvez este seja o momento oportuno pra contar a vocês que, durante o período que passei infiltrado na equipe do

Dubois, participei do espancamento coletivo de um traficante sexual rival, que acabou na UTI com ferimentos graves e risco de morte.

– Meu Deus, Fawkes! – disse Vanita, balançando a cabeça.

– Mas ele se recuperou completamente! – acrescentou Wolf depressa.

– Ok. Tenho certeza de que a gente pode resolver isso.

– Aí a gente voltou e atirou nele.

– Mais alguma coisa?! – perguntou Vanita com um suspiro, sua paciência chegando ao fim.

– Sim. Vou precisar que vocês suspendam a minha pena por enquanto – disse Wolf, muito sério.

– Mas é claro que vai! – respondeu ela sarcasticamente. – E, só pra saber, por quanto tempo você quer a suspensão?

– Pelo tempo que for necessário.

– Para?

– Para trabalhar num último caso – declarou ele, sem qualquer arrogância nem malícia na voz.

– Estou perdendo meu tempo aqui com você, Fawkes – declarou Vanita, levantando-se novamente para sair.

– Espera aí – interrompeu Christian, falando pela primeira vez em minutos.

Olhando para seu superior, Vanita obedeceu e se sentou outra vez.

– Que caso é esse, Will? – perguntou Christian.

Wolf se voltou para o comissário.

– O assassinato do sargento Finlay Shaw.

Ninguém falou nada por alguns minutos enquanto assimilavam aquele pedido bizarro. Christian pigarreou e levantou a mão no momento em que Vanita estava prestes a responder.

– Will, foi suicídio. Você sabe disso... Sinto muito, mas não tem investigação nenhuma para você participar.

– Você era amigo dele? – perguntou Wolf.

– O melhor amigo dele – respondeu Christian com orgulho.

– Então me responda o seguinte – disse Wolf, olhando-o nos olhos. – Acha que existe mesmo um cenário possível no qual o Finlay deixaria a Maggie por qualquer motivo que fosse?

Percebendo que não fazia mais parte da conversa, Vanita ficou quieta. Ela nem saberia dizer se Finlay era casado.

Christian suspirou pesadamente e balançou a cabeça.

– Não. Nenhum. Mas as provas são… Não tem o que questionar.

– Certamente, como amigo dele, você não vai achar ruim que eu investigue isso até que não reste mais nenhuma dúvida, certo? Depois serei todo de vocês – prometeu Wolf.

Christian parecia dividido.

– Não acredito que você está realmente considerando isso – disparou Vanita.

– Pode ficar quieta um instante?! – retrucou Christian, antes de se voltar para Wolf. – Você faria mesmo a Maggie passar por isso?

– Ela vai entender… se eu conduzir a investigação.

Christian ainda parecia inseguro.

– Vamos lá, o que têm a perder? – perguntou Wolf, deixando escapar seu desespero pela primeira vez. – Eu confirmo se foi suicídio. Vocês pegam o Dubois.

Ele observou o comissário repassando as opções em sua cabeça.

– Está bem. Vai em frente.

Vanita se levantou e saiu furiosa da sala, deixando os dois homens sozinhos.

– Vou mandar trazerem o arquivo do caso para você, junto com uma cópia assinada do nosso… acordo. – Christian sorriu com um brilho nos olhos. Ele deu um tapa afetuoso nas costas de Wolf, como Finlay costumava fazer, sem dúvida deixando um hematoma do qual seu mentor teria se orgulhado. – Então, por onde a gente começa?

– A gente?

– Acha que eu vou deixar você fazer isso sozinho? Isso aqui tem a ver com o Fin!

Wolf sorriu. Ele estava começando a gostar daquele amigo de longa data de Finlay.

– Então, por onde a gente começa? – perguntou Christian novamente.

– Pelo começo.

Capítulo 2

Segunda-feira, 5 de novembro de 1979
A Noite da Fogueira
17h29

Christian abriu os olhos, apenas para ser cegado pela luz brilhante pendurada no teto. Virando de lado, sentiu o piso emborrachado abaixo dele. Levantou a mão em direção ao queixo dolorido, batendo no próprio rosto com uma luva de boxe pesada. Pouco a pouco, começou a recordar: ele e seu parceiro estavam lutando... Terrivelmente em desvantagem, ele tentou um *uppercut* imprudente... e errou. Lembrava-se de seu oponente finalizando com um gancho de esquerda... e, depois, a escuridão.

O rosto desagradável de Finlay apareceu acima dele. O escocês de 24 anos parecia um tronco de árvore, sua cabeça raspada quase tão assimétrica e nodosa quanto um. Ele tinha um nariz achatado, que tendia a mudar de direção a cada visita ao ginásio.

– Levanta, molenga – provocou ele, com seu irritante sotaque de Glasgow.

Gemendo, Christian se sentou no centro do ringue.

– Você deveria estar me ensinando, não me enfiando a porrada!

Finlay deu de ombros, os músculos se movendo sob sua pele, estranhamente lembrando Christian de seu encontro na noite anterior, a jovem detetive mudando de posição sob os lençóis durante o sono no momento em que ele escapuliu do quarto dela.

– Eu *estou* te ensinando – disse Finlay com um sorriso. – Da próxima vez, vai se esquivar.

– Você é um babaca, sabia?

Finlay o ajudou a levantar, rindo.

– Como está a minha cara? – perguntou Christian, preocupado, já que pretendia levar sua atraente colega de trabalho para sair de novo depois do trabalho.

– Tá linda – sorriu Finlay. – Um pouco mais parecido comigo.

– Cacete! Era melhor ter acabado comigo logo – disse Christian, que levou um soco na altura dos rins em troca do comentário.

Quase três anos mais novo que seu parceiro, Christian era o oposto do melhor amigo: um jovem bonito e popular. Ele usava o cabelo castanho-claro na altura dos ombros, como as estrelas da televisão. Era inteligente quando queria, porém preguiçoso e mais preocupado em correr atrás de mulheres do que de criminosos, verdade seja dita. Os dois homens tinham algumas coisas em comum, no entanto: pais militares, uma habilidade fantástica de atrair problemas e uma aversão pelo novo chefe.

– Vamos logo. O turno começa daqui a uma hora – murmurou Finlay, tirando as luvas com os dentes. – Vamos ver que bobagem o chefe reservou pra gente essa noite.

– Eu sei que isso pode parecer uma grande bobagem – disse o inspetor-chefe Milligan, em meio à névoa suspensa de fumaça que mimetizava o clima da capital escocesa do lado de fora.

As cinzas presas à ponta do cigarro finalmente se partiram, caindo em suas calças.

– Talvez pareça bobagem... porque *é* bobagem – sugeriu Christian.

Milligan limpou as cinzas, formando uma mancha esbranquiçada no tecido, e se virou para Finlay.

– O que ele está falando?

Finlay deu de ombros.

Milligan se voltou para Christian.

– A gente não consegue te entender, filho. De onde você é mesmo?

– Essex! – respondeu Christian.

Milligan o observou com desconfiança por um momento antes de continuar.

– Vocês dois vão vigiar o estaleiro esta noite. E ponto.

– O French e o Wick não podem fazer isso? – reclamou Finlay.

– Não – respondeu Milligan, que já estava ficando entediado com a companhia deles. – Eles foram pra parada de caminhões.

– Onde as coisas *realmente* vão acontecer – disse Christian, bufando.

Milligan ou o ignorou ou não entendeu o que ele disse.

– Isso é uma perda de tempo – afirmou Finlay.

– Nesse caso, então, seus dois preguiçosos de merda, vocês vão ser pagos pra dormir a noite toda num estacionamento. Todo mundo sai ganhando! Estão dispensados.

– Mas...

– Vocês... estão... dispensados.

Às 19h28, Finlay parou do lado de fora de uma das entradas laterais do estaleiro. Estacionados a poucos centímetros dos portões de metal, eles tinham uma vista desimpedida dos armazéns iluminados, de uma parede de contêineres de carga multicoloridos arrumados como tijolos de Lego gigantes e de uma empilhadeira solitária abandonada durante a noite, seus reflexos tremelicando no escuro ao longo do rio Clyde.

As primeiras gotas atingiram o para-brisa, borrando as cores, distorcendo as formas como tinta escorrendo em uma tela. Eles viram a chuva se intensificar e virar uma tempestade enquanto saboreavam seus hambúrgueres do Wimpy e as primeiras cervejas quentes da noite – uma tradição das noites de vigília, mais ou menos como o Ford Cortina sem a insígnia da polícia usado pelo departamento. Depois de onze anos de serviço, o veículo detonado era provavelmente tão reconhecível para um criminoso de Glasgow quanto uma viatura com as sirenes tocando, mas quem eram eles para contestar a sabedoria daqueles que ocupavam posições mais altas na cadeia alimentar?

– Por que é que nós dois – começou Christian, entre uma mordida e outra – sempre ficamos com os trabalhos de merda?

– Política – respondeu Finlay. – Nessa carreira às vezes você precisa saber qual é o saco que tem que puxar. Você vai aprender... Além disso, tenho certeza de que o Milligan é um racista escroto.

– Eu sou de Essex!

Finlay decidiu mudar de assunto.

– Como vai a cabeleireira?

– Ela descobriu sobre a massagista.

– Ah – disse Finlay, dando outra mordida em seu hambúrguer antes de continuar: – Cliente dela?

– Irmã.

– Ahhhh. Então, como vai a massagista?

– Não gostou de saber da detetive.

– Certo. Então, como vai...

– Tá indo bem – interrompeu Christian. – Vou sair com ela de novo na quinta. Acho que aquele filme *Mistress of the Apes* tá passando no cinema.

Finlay ergueu as sobrancelhas, mas não expressou suas preocupações acerca da péssima escolha de filme para um encontro. Ele enfiou a mão no bolso da camisa e orgulhosamente tirou uma fita cassete.

– Não! Por favor! Status Quo de novo, não! – reclamou Christian. – Por favor, Quo, não!

O aparelho barulhento engoliu a fita e sibilou um prelúdio de estática pelos alto-falantes...

Era Quo.

Uma hora se passou.

– Sean Connery? – perguntou Christian, abrindo um pouco uma das janelas para evitar sufocar enquanto fumavam um cigarro atrás do outro ao longo da noite.

– Como assim, você achou que era o Sean Connery?

– Todas as suas imitações são exatamente iguais!

Finlay pareceu bastante ofendido.

– Fique sabendo que já me disseram que tenho um ouvido muito bom para sotaques.

– Não duvido – concordou Christian. – O que estou dizendo é que é a sua boca que está te deixando na mão.

– Tá bem. Tenta adivinhar esta aqui então... – disse Finlay, irritado.

Escutando atentamente, Christian fechou os olhos enquanto botava o cérebro para funcionar.

Finlay repetiu um pouco mais devagar.

– Sean Connery?

– Ah, vai se foder!

Os ponteiros do relógio do painel marcavam nove da noite quando as primeiras explosões coloridas começaram a iluminar o céu.

– O que é o que é? Começa com F.

– Fogos de artifício? – perguntou Finlay em um tom entediado, sentindo-se razoavelmente confiante, visto que "fio", "farol" e ele mesmo já tinham sido objeto da brincadeira.

Os vários estrondos e estalos quase os alcançavam pela fresta da janela.

– Sim... fogos de artifício – suspirou Christian, enquanto procurava no porta-luvas por alguma outra distração.

Finlay olhou ao redor do carro.

– O que é o que é? Começa com...

Os dois se assustaram com um forte estrondo contra o teto do carro, passos pesados dobrando o metal fino acima da cabeça deles. Uma figura alta pisou no capô antes de trepar nos portões de metal. Finlay e Christian assistiram boquiabertos enquanto aquele invasor usando *mullet* escalava, aterrissando acrobaticamente do outro lado da cerca. Tirando um alicate de corte da mochila, ele quebrou as correntes e começou a arrastar os imensos portões, abrindo-os.

De repente, a chuva começou a cintilar, e um par de faróis iluminava a cena, vindo de algum lugar atrás deles. Dando-se conta de que estavam preocupantemente visíveis, Finlay e Christian afundaram em seus bancos, observando cinco figuras de preto passarem a centímetros da janela do passageiro, seguidas por uma van igualmente preta. O som do motor era abafado pela chuva enquanto o veículo avançava lentamente em direção ao estaleiro.

Finlay tateou às cegas em busca do rádio. Por cima do painel, ele podia ver o grupo se espalhando enquanto se aproximavam do armazém maior. Desajeitado, levou o microfone à boca.

– Crystal? – sussurrou ele, já tendo escutado a voz de sua operadora favorita atravessando as ondas do rádio naquela noite. – Crystal!

O som de pneus girando no asfalto molhado se sobrepôs ao da chuva enquanto a van acelerava agressivamente em direção ao armazém, ganhando velocidade suficiente para quebrar as imensas portas de enrolar. O grupo que vinha a pé entrou correndo pela abertura ao som de tiros de armas automáticas.

Eles ouviram um clique de estática no rádio:

– É você, Fin?

– Sim. Estamos no estaleiro Goven e precisamos de reforços imediatamente.

Houve uma explosão em algum lugar lá dentro. Claramente, o microfone o havia captado, porque o tom tranquilo da operadora na mesma hora se tornou diligente.

– Reforços a caminho. Desligo.

Finlay tinha acabado de colocar o rádio no lugar quando uma segunda explosão arremessou o homem de *mullet* pela janela do primeiro andar, seu corpo iluminado por holofotes estatelado no chão.

– Uau! – disse Christian, rindo, já ensaiando em sua cabeça a história que ia esfregar na cara dos colegas.

Então, embora fosse difícil acreditar, o homem todo quebrado sacudiu um dos braços e fez força para se levantar. Ele resgatou sua arma de uma poça e voltou mancando para dentro.

– Parece que tem alguém dedicado – disse Christian, terminando seu hambúrguer.

– Como você pode estar comendo agora? – perguntou Finlay, irritado.

Christian deu de ombros inocentemente.

– Vamos lá, então?

– Sim. Por que não? – disse Finlay, abrindo o vidro para prender a sirene no teto do carro.

Os fogos de artifício à distância ainda choviam sobre a cidade no momento em que ele ligou o motor e "Rockin' All Over the World", do Status Quo, tocou novamente a toda. Ligando as sirenes, eles aceleraram em direção ao armazém, sem nenhum plano de fato, exceto a esperança de que a presença de uma unidade policial pudesse indicar a chegada iminente de outras.

– O *mullet* voltou! – avisou Christian quando o homem saiu cambaleante lá de dentro, a arma em punho disparando contra o Ford Cortina que se aproximava.

– Enfia a *porra* do pé no acelerador! – gritou Christian enquanto o carro ganhava inúmeros novos buracos.

– Tô fazendo isso! – gritou Finlay enquanto girava o volante, o que levou o carro a derrapar, atingindo o atirador com a traseira sem querer.

Houve um ruído surdo nauseante quando o corpo inanimado rolou em direção ao rio. O veículo deu um cavalo de pau e parou, seu único farol sobrevivente iluminando o cadáver ensanguentado a seis metros de onde havia sido atingido. Nervosos e sem fôlego, Christian e Finlay olharam um para o outro, percebendo que talvez tivessem tentado dar um passo maior que a perna... Sob as gotas de chuva explodindo contra o capô danificado, eles viram a figura desengonçada se reanimar mais uma vez.

– Que porra é essa?! – sussurrou Christian, horrorizado.

Com os braços trêmulos, o homem de cabelos compridos se ergueu sobre as mãos e os joelhos.

Finlay acelerou o motor ameaçadoramente.

– Acerta ele de novo! – gritou Christian.

Apesar de estar com uma fratura óbvia e repulsiva no braço, o homem encharcado cambaleou para ficar de pé. Balançando ligeiramente, ele encarou os dois rostos preocupados olhando boquiabertos para ele através do para--brisa rachado. E então, sem hesitar por um segundo sequer, ele se virou e mergulhou na água escura.

– Humpf – murmurou Finlay, os olhos ainda fixos no rio. – Cara, seja lá o valor que estão pagando àquele sujeito, não é suficiente.

Eles desceram do carro e passaram pelas portas destruídas. Um silêncio assustador havia se instalado no armazém enquanto eles espiavam lá dentro. Era possível ver a van preta entre os escombros na doca de carregamento, as rodas traseiras ainda girando inutilmente a trinta centímetros do chão. Uma escada de metal na parede de trás levava a uma porta aparentemente pesada.

– Parece que não tem ninguém – sussurrou Christian.

Prendendo o cabelo em um rabo de cavalo, ele correu até a van. Uma rápida olhada nos bancos da frente vazios revelou que o acelerador havia sido travado por um bastão. Ele acenou para o parceiro.

– Vamos subir? – sugeriu Finlay.

– Vamos – concordou Christian.

Eles subiram a escada até uma porta oval de metal que parecia ter sido tirada de um submarino, um jato de ar frio assobiando por um único buraco de bala no vidro.

– Câmara pressurizada – disse Finlay, franzindo o cenho e passando a mão no ar que escapava.

Ele teve que se esforçar para abrir a porta, ouvindo outra batida em algum lugar do armazém quando eles entraram em um corredor asséptico. Havia dois corpos caídos contra paredes opostas. Um deles era claramente um membro da equipe invasora, o outro estava vestido da cabeça aos pés com um macacão de proteção.

– Fica atrás de mim – sussurrou Finlay.

Ele tirou a arma da mão do primeiro cadáver e depois saiu verificando sistematicamente as portas abertas, como havia sido treinado para fazer. Encontrou balanças industriais, contadores de dinheiro, carrinhos de carga.

Os dois seguiram em frente, caminhando contra o ar pressurizado que continuava a vazar, quando houve uma forte explosão em algum lugar abaixo deles.

Os dois ficaram paralisados.

– Isso não foi um bom sinal – sussurrou Christian.

Finlay balançou a cabeça.

– Vamos logo.

Eles correram para o final do corredor, onde uma segunda escotilha bloqueava o caminho. Segurando a longa maçaneta, Finlay a abriu. Christian cruzou a porta e tropeçou quando uma massa de ar passou por ele, as pressões desequilibradas tentando se equalizar. Esforçando-se para manter a pesada porta aberta, Finlay conseguiu passar, antes de deixá-la bater violentamente atrás de si.

– Não se preocupa comigo... Estou bem – disse ele sarcasticamente, mas o parceiro não respondeu.

Christian olhava perplexo para os sacos de pó branco arrumados em pilhas de um metro e meio de altura e para os tijolos de dinheiro cuidadosamente organizados ao lado deles. Finlay se aproximou e entregou a arma a Christian. Ele abriu um buraquinho em um dos sacos, lambeu o dedo e cuspiu no chão.

– Heroína.

– Quanto tem aqui? – indagou Christian.

O máximo que ele havia visto antes era um quilo.

– Não sei... Toneladas.

Houve outro estrondo sob os pés deles. Ao notar o brilho ardente dançando do outro lado da parede, Finlay se aproximou da porta para investigar, sentindo o ar quente que entrava pela abertura. Espiando pelo pequeno vidro, pôde ver uma passarela de metal que cruzava o nível superior do armazém. A porta deformada balançou livremente quando ele cruzou a soleira e se aproximou aos poucos das chamas crepitantes.

No momento em que entrou, precisou proteger os olhos do calor que irradiava daquele inferno. O que antes era um laboratório de última geração agora não era mais que uma coleção de tanques e cilindros acendendo um por um, cremando os diversos corpos espalhados pelo andar abaixo deles: a equipe do laboratório, a equipe invasora e os que pareciam estar vestidos de segurança.

Percebendo que as solas de seus sapatos estavam derretendo no metal, Finlay correu de volta para a sala e fechou a porta quebrada o melhor que pôde.

– Deu merda? – perguntou Christian, parecendo preocupado.

– Incêndio.

– Grande?

– Muito grande.

– Puta merda.

– Parece que a gente perdeu um grande tiroteio. Tá todo mundo morto.

Eles se voltaram para a maior conquista da carreira deles.

– Qual é a prioridade? – perguntou Christian a seu superior. – As drogas ou o dinheiro?

Finlay parecia dividido enquanto bolhas se formavam na parede atrás dele.

– As drogas ou o dinheiro, Fin?

– As drogas. Vamos pegar as drogas.

Christian pareceu tentado a argumentar quando o som de vidro quebrando o levou a agir.

– Vi um carrinho numa das salas.

Finlay acenou com a cabeça e correu para a porta pressurizada. Fez um esforço absurdo e a manteve aberta o suficiente para permitir a passagem de Christian, seus olhos secando enquanto o ar quente soprava. Logo depois, Christian voltou, empurrando um dos cadáveres em cima do carrinho, sua mão arrastando no chão.

– Ele era traficante de drogas! – disse, na defensiva, ao ver a expressão de desaprovação de Finlay. – Agora é um batente de porta.

Sem qualquer cerimônia, Christian despejou o cadáver na entrada e tentou ignorar o ruído de revirar o estômago que ecoou depois que Finlay soltou a porta em cima do corpo para ajudá-lo a abastecer o carrinho. Noventa segundos depois, eles empilharam o último saco, o suor escorrendo pelo rosto deles enquanto o armazém se transformava em uma fornalha.

– Vai! Vai! Vai! – gritou Finlay no momento em que Christian se permitiu uma última olhada em direção à montanha de dinheiro sob a luz laranja, com o fogo vindo atrás deles pelo armazém em colapso.

Christian e Finlay tossiam e expeliam um catarro preto quando o primeiro de seus colegas veio correndo em direção ao incêndio. Eles haviam se exaurido movendo os sacos para uma distância segura do fogo e estavam sentados no chão assistindo a fogos de artifício explodirem acima da fogueira. Finlay não falou nada quando notou as mãos do parceiro tremendo, a queimadura no próprio braço esquerdo latejando dolorosamente sob a chuva fria.

A porta de um carro bateu.

– Chegou a hora – disse a Christian, levantando-se.

Assumiram seus lugares, um de cada lado daquela apreensão histórica, polegares para cima e um sorriso largo, o telhado do armazém tombado atrás deles. A icônica fotografia em preto e branco circulou na imprensa nacional por dias – uma vitória para a imagem da Unidade de Roubos, da Polícia de Strathclyde como um todo... prova de que ainda existiam heróis.

Capítulo 3

Quarta-feira, 6 de janeiro de 2016
9h53

– Um homem morreu, inspetora-chefe!

– Muitas pessoas morreram... depois do que aconteceu – respondeu Baxter calmamente, antes de ganhar um tom venenoso –, e, por alguma razão, o *seu* pessoal parece determinado a fazer todo mundo perder tempo se preocupando com a única pessoa que merece estar morta de verdade!

Sua reunião com o FBI estava indo tão bem quanto o esperado. A confusão monumental que havia ficado na esteira de seu último caso era problema de outra pessoa: um suspeito executado, um agente da CIA desaparecido, uma cena de crime encoberta por uma nevasca e uma grande área do centro de Londres completamente destruída.

– Você tem alguma informação do paradeiro do agente especial Rouche?

– Até onde sei – respondeu ela calmamente –, o agente Rouche está morto.

O aquecedor barulhento da sala de interrogatório soprava um ar desconfortavelmente quente enquanto as perguntas incessantes continuavam.

– Você chamou uma equipe de busca para ir à casa do agente Rouche.

– Chamei.

– Então não confiava nele?

– Não.

– E não tem mais nenhum vestígio de lealdade a ele agora?

Ela hesitou por um breve instante.

– Absolutamente nenhum.

* * *

No momento em que a reunião na sala ao lado foi encerrada, Wolf se levantou e se dirigiu até a porta.

– E aonde você pensa que vai? – perguntou Saunders.

– Quero vê-la.

– Não tenho certeza se você está entendendo *exatamente* o que significa "estar preso".

– Fizemos um acordo – disse Wolf, voltando-se para Vanita.

– Tudo bem. – Ela o dispensou com um aceno de mão. – Essa confusão toda não pode mesmo piorar.

– Surpresa!

O sorriso forçado de Wolf começou a doer diante do silêncio prolongado. O cheiro rançoso exalado pelo oficial que tinha saído da sala de interrogatório ainda pairava no ar enquanto Baxter, do outro lado da mesa, olhava fixamente para ele. Embora ela tenha ficado em silêncio, seus olhos escuros e enormes traíam os inúmeros sentimentos conflitantes por trás da calma que expressava externamente. Era como esperar um caça-níqueis parar de girar.

Movendo-se desconfortavelmente na cadeira, Wolf tirou o cabelo ondulado dos olhos e pegou a pasta que tinha no colo. As algemas tilintaram contra a mesa de metal quando ele a colocou à sua frente.

– Aposto 5 libras que ela vai meter a mão nele – disse Saunders a Vanita enquanto observavam em relativa segurança por trás do espelho falso.

Ela fechou os olhos e murmurou algo em híndi, vendo-se naquele momento cercada pelas três maiores dores de cabeça de sua vida.

– Tô fora.

Alcançando o outro lado da mesa, Wolf desligou o microfone da sala e baixou a voz para um sussurro.

– Eu, é… Entendo que provavelmente não sou sua pessoa favorita nesse momento, mas nem tenho palavras para dizer como é bom te ver. – Ele lançou um olhar irritado para o espelho, desejando que o público lhes desse alguns minutos de privacidade. – Tenho estado muito preocupado… com tudo o que está acontecendo. Eu deveria ter… Talvez eu pudesse ter feito alguma coisa.

Baxter não moveu um músculo enquanto Wolf se atrapalhava com as palavras.

Ele pigarreou e prosseguiu:

– Fui na casa dele. Falei com a Maggie.

A expressão de Baxter vacilou.

– Não fica chateada com ela. Eu a fiz prometer não te contar. Resumindo: fiz um acordo... com o comissário. Eles vão me permitir realizar um último trabalho... Meu último trabalho. Vão me deixar encontrar a pessoa que fez isso com ele... com o Finlay.

A respiração de Baxter acelerou, as pálpebras tremulando sobre os olhos cheios d'água.

– Sei o que estão dizendo – continuou Wolf, com cautela. – Examinei o inquérito e entendi por que estão dizendo isso. De fora, tudo parece fazer sentido. Mas você sabe tão bem quanto eu que estão errados. – Sua voz começou a falhar. – Ele não a teria deixado. Ele não teria deixado você... Ele não teria deixado *a gente*.

Baxter agora tinha lágrimas rolando pelo rosto.

Wolf empurrou a pasta sobre a mesa na direção dela. Na primeira página fotocopiada estava escrito à mão: "Cópia para Baxter."

– Só dá uma olhada nisso aqui – disse ele suavemente.

– Não – sussurrou Baxter, quebrando seu silêncio.

Wolf folheou até chegar a uma página com anotações quando ela se levantou.

– Mas aqui diz que...

– Não consigo! – gritou ela, antes de sair apressada da sala.

Esfregando o rosto cansado, Wolf fechou a pasta. Ele ficou de pé e a jogou na lata de lixo destinada a documentos confidenciais atrás dele. Caminhando até a mesa, ligou o microfone novamente para se dirigir à grande janela espelhada.

– Só para o caso de vocês terem deixado passar: ela disse "não".

Baxter saiu da estação de metrô e entrou em um supermercado.

Havia um pouco de neve aqui e ali ao longo da Wimbledon High Street, compactada em volta das bases dos postes de luz congelados ou encolhidas em áreas recuadas sem luz. Ao chegar à entrada de seu prédio, ela automaticamente pegou a chave da casa de Thomas, um hábito que deixava claro qual era o local que agora considerava seu lar. Subiu as escadas com duas sacolas de compras pesadas, mas parou quando chegou ao último andar, vendo a porta de seu apartamento totalmente aberta. Colocou as sacolas no chão e se aproximou com cautela. Uma mulher de cabelos curtos saiu, fechando o zíper do casaco sobre um uniforme de enfermeira veterinária.

– Holly! – disse Baxter, suspirando de alívio.

– Emily! – A mulher a cumprimentou com entusiasmo, embora soubesse que era melhor não tentar fazer contato físico com a reservada amiga da escola. – Não sabia que você estava vindo.

– Nem eu.

– Tive um tempinho livre antes do meu turno, então…

– Café? – ofereceu Baxter, já que tinha acabado de comprar.

– Adoraria, mas estou atrasada. Nos vemos depois?

– Claro.

Afastando-se para permitir que a amiga passasse, Baxter pegou as sacolas de compras e entrou no apartamento. Ela meio que esperou que Echo viesse derrapando pelo corredor e esbarrando na estante para recebê-la, até que se lembrou de que ele estava na casa de Thomas junto com a maioria dos pertences dela.

Era estranho estar de volta.

Logo na antessala, sentiu-se em um hospital: um cheiro de antisséptico misturado a um fedor que empesteava o ambiente. Havia uma variedade de emplastros e curativos espalhados pela bancada da cozinha ao lado de frascos de medicamentos pela metade. Ela carregou as sacolas até a geladeira para começar a guardar as compras quando ouviu passos pesados vindos do quarto.

Baxter congelou, uma caixa de cuscuz marroquino com legumes semi-pronto na mão.

A porta do quarto se abriu lentamente.

De repente, um homem seminu veio cambaleando até ela, um olhar faminto em seus olhos. Feridas horríveis haviam sido esculpidas profundamente em seu peito, com crostas e pus onde seu corpo não estava conseguindo se curar. As ataduras grossas ficaram esticadas por cima de seu ombro enquanto ele erguia os braços ávidos na direção dela.

– Que lindo – disse ela, jogando um pacote de bombons na bancada da cozinha.

– Estamos deixando respirar – explicou Rouche, abrindo a sacola vorazmente. – Obrigado! – acrescentou, como uma criança que se esqueceu dos bons modos.

– Achei que estivesse dormindo – disse Baxter.

Ele caminhava lentamente, com a mão nas costelas e estremecendo a cada passo.

– Esse cuscuz de novo, não! – reclamou ele ao ver a caixa na mão dela.

– Para de choramingar! É bom pra você – afirmou ela com um sorriso sarcástico.

Ela se agachou para colocá-lo na geladeira, permitindo que seu sorriso se desfizesse naqueles poucos segundos longe da vista dele. Rouche parecia pior do que nunca. Sua pele pálida estava molhada de suor. Cada movimento parecia exigir intenso planejamento e concentração para não se machucar ainda mais, e suas pálpebras pesadas sugeriam que ele havia passado mais uma noite sem conseguir dormir de tanta dor. Até seu cabelo grisalho parecia um pouco mais ralo e branco do que antes.

Com o sorriso de volta no lugar, Baxter se levantou.

– Como foi com a Holly?

Na noite da nevasca, Baxter havia gritado com Rouche para que ele ficasse consciente, forçando-o a se levantar e se afastar da cena de seu próprio crime. A menos de vinte metros do homem que matara, ele desmaiou sob um salgueiro-chorão que tinha tombado nas margens do lago do St. James's Park, sem que nenhum dos incontáveis funcionários do serviço de emergência tivesse notado sua presença no meio da tempestade de neve.

Horas se passaram até que ela pudesse retornar em segurança para buscá-lo. Com a ajuda de Thomas, prestativo porém em pânico, ela conseguiu com grande dificuldade levar Rouche até o carro. Enquanto Baxter cuidava dele na parte de trás do Range Rover, Thomas os tirou da cidade, levando-os até o apartamento dela em Wimbledon. Não tendo mais ninguém a quem recorrer, ela arriscou tudo ao telefonar para uma amiga com quem não falava desde que foi embora no meio de uma despedida de solteira mais de um ano antes. Sem hesitar, Holly foi para lá direto do trabalho, mesmo desconhecendo os detalhes. Enfermeira veterinária do London Animal Hospital, ela passou a noite inteira ao lado de Rouche, deixando-o confortável o suficiente para que pudesse descansar e limpando sua extensa coleção de feridas terríveis.

– *O quê?* – perguntou Rouche, ocupado demais comendo.

– Com a Holly. Como foi? – perguntou Baxter novamente.

– Ela disse que os antibióticos não estão funcionando e que eu vou estar morto em quinze dias se continuar piorando assim – informou ele, bastante animado, devorando os bombons. – Como foi com o FBI?

– Eles querem a sua cabeça.

Rouche parou de mastigar e engoliu o que tinha na boca.

– Será que podem esperar algumas semanas?

Baxter tentou esboçar um sorriso, mas não conseguiu.

– Eles não vão parar de me procurar – disse ele com sinceridade.

– Eu sei.

– Olha, Baxter, eu...

– Nem ouse dizer isso – interrompeu ela.

– Mas se eles me encontrarem aqui...

– Não vão encontrar.

– Mas se me encontrarem...

– Não vão! Assunto encerrado! – retrucou ela. – Volta pra cama. Vou preparar o cuscuz agora só porque você tá sendo um mala.

Ela o observou com carinho enquanto ele se arrastava em direção à porta do quarto. Abrindo a geladeira, ela hesitou, balançou a cabeça e então pegou um frango *tikka masala* para ele.

De volta à casa de Thomas, Baxter ouviu a porta da frente bater.

Ao perceber que seria inútil se esforçar para que a fumaça saísse pela janela da cozinha, ela decidiu simplesmente virar a panela inteira no canteiro de rosas. Seus grandes planos de preparar um jantar surpresa para ele haviam seguido o mesmo caminho da maioria de seus planos mais recentes.

– Olá! – cumprimentou ele, franzindo o cenho em direção à árvore no canto da sala ao passar, que soltou outras diversas folhinhas nos poucos segundos em que estava olhando para ela. – Estou sentindo um cheiro – ele começou a tossir – *bom*. O que vamos comer?

– Cuscuz marroquino com legumes – informou Baxter, esperando que o micro-ondas não apitasse enquanto ele estivesse na cozinha.

Ele pareceu um pouco decepcionado. O micro-ondas apitou.

– Como foi sua reunião com o FBI? – perguntou ele.

– Péssima.

– Ah... Bom, e como estava o Rouche hoje?

– Péssimo.

– Ah... E o resto do dia? – insistiu ele, esperançoso.

A mente de Baxter divagou: Wolf algemado; ela chorando em uma cabine do banheiro; o fedor das feridas corroendo seu amigo; ela consolando Maggie ao passar na casa dela à tarde...

– Péssimo – respondeu ela, à beira das lágrimas novamente.

Deixando cair sua mochila no chão, Thomas correu para abraçá-la.

Exausta, ela encostou a cabeça no peito dele e o micro-ondas apitou novamente.

– Quer um peixe com batata? – perguntou ele, acalmando-a.

– Seria ótimo.

Ele a apertou entre os braços e se dirigiu para a porta.

– Abre um vinho pra gente. Volto em quinze minutos – disse ele. Baxter sorriu e o seguiu pela sala até chegar às folhinhas sobre o papel de embrulho. Ele parou no corredor. – Sei que hoje foi difícil. Mas já foi. Acabou, né?

Ela acenou com a cabeça.

– Sim, acabou.

Thomas sorriu para ela.

Quando a porta se fechou, Baxter voltou para a cozinha e se serviu de uma taça. Ela se sentou à mesa e puxou da bolsa a pasta toda amassada, resgatada da lixeira da sala de interrogatório, e começou a ler.

Estava *quase* acabando.

Capítulo 4

Quinta-feira, 7 de janeiro de 2016
8h08

Wolf tentava ignorar os cochichos e olhares intermináveis em sua direção enquanto esperava do lado de fora da antiga sala do inspetor-chefe Simmons, no Departamento de Homicídios e Crimes Hediondos. Por mais tempo que passasse olhando para o nome de Baxter na porta, sempre parecia estranho – uma pegadinha que ele e Finlay poderiam ter armado naquela época.

O que a diretoria tinha na cabeça? O que Baxter tinha na cabeça?

– Bom dia, William! – cumprimentou Janet, a faxineira. – Tá frio lá fora.

Um pouco surpreso, Wolf concordou com a cabeça. Pelo visto, o fato de que ele estivera fugido nos últimos dezoito meses havia passado completamente despercebido por ela. Ele se permitiu aproveitar aquele momento fugaz de normalidade, sentado do lado de fora da sala da chefe, batendo papo como se nada daquilo tivesse acontecido. Escondeu as algemas o melhor que pôde enquanto ela trocava um saco de lixo ao lado dele.

– Como o Gary está indo na faculdade? – perguntou ele.

– Ah, ele saiu do armário!– respondeu ela alegremente.

– Legal – disse Wolf, sorrindo de volta. – E o que ele está estudando mesmo? – indagou ele, esperando fazer o momento durar um pouco mais.

Porém, antes que ela pudesse responder, a porta da sala se abriu e ele foi convidado a entrar.

Usando outro terno elegante, Christian já estava sentado à mesa. Ele deu uma piscadela para Wolf enquanto este se sentava ao seu lado.

– Suas informações deram resultado – anunciou Vanita, sentando-se atrás da mesa de Baxter. – Tem uma operação pra prender o Dubois e a tripulação em andamento agora mesmo, e a guarda costeira francesa já interceptou o navio... Nosso acordo está de pé.

– Vamos tirar as algemas do pobre rapaz, então? – sugeriu Christian.

Ela pareceu sentir um mal-estar físico ao entregar a chave. Christian fez as honras e depois teve que fingir um ataque de tosse para disfarçar a risada enquanto observava Wolf usar as algemas para prender a bolsa roxa de Vanita à mesa.

– Estão cuidando da documentação – informou ela a Wolf, que ergueu os olhos inocentemente – e deve estar tudo pronto pra você assinar amanhã. Deverá se reportar a mim todos os dias, de manhã e à tarde. E, visto que esse arranjo não pode durar indefinidamente, vou impor um prazo de cinco dias pra você me trazer alguma coisa concreta.

Wolf pensou em discutir.

– Por mais que seja duro admitir – prosseguiu ela –, você é um bom detetive, Fawkes. Se ainda não tiver encontrado nada até lá, então não tem nada para ser encontrado.

Ele olhou para Christian em busca de orientação, o homem mais sábio e mais experiente assumindo o papel de Finlay. Ele assentiu.

– Cinco dias – concordou Wolf.

* * *

Sob um céu completamente branco que ameaçava nevar novamente, Baxter estava usando seu ridículo gorro com pompom e luvas combinando. Ao bater na frágil porta do galpão, ela deslocou a placa feita à mão, que caiu na grama molhada. Houve um estrondo lá dentro antes que o rosto confuso de Edmunds espiasse para fora, surpreso por ter visitantes em seu quintal.

– Baxter! – sorriu ele, abraçando-a.

– A Tia me deixou entrar – explicou ela, cruzando a porta do centro de controle do investigador particular Alex Edmunds.

Edmunds levantou o banquinho que havia chutado para que ela se sentasse.

– Eu ofereceria um café ou algo do tipo, mas a mangueira congelou há mais ou menos uma semana – explicou ele. – Quer ir lá pra dentro?

– Não, estou bem aqui – garantiu Baxter. – Eu vim mesmo por motivos profissionais.

– Ah… Ainda está afastada do trabalho, não está?

– Sim. Por duas semanas – disse ela, sem dar mais detalhes. Ela olhou ao redor para as fotos de um furão de aparência zangada pregadas sobre mapas de Manhattan e fotos de uma cena de crime com um carro incendiado e duas figuras fantasmagóricas dentro. Sentindo-se mal, virou o rosto. – O caso do Sr. Scabs foi encerrado, então? – perguntou ela, ciente do ridículo primeiro trabalho de Edmunds.

– Na verdade, nesse exato momento, ele continua "foragido"… Mas eu vou pegá-lo – disse Edmunds, confiante, esfregando o enorme hematoma na coxa. – Por motivos profissionais, é? – questionou, ansioso para sair do assunto de sua incapacidade de apreender um pequeno mamífero. – Está aqui para me prender?

– Não – disse Baxter, entregando-lhe a pasta amassada. – Estou aqui para te contratar.

Depois de tirarem os sapatos na antessala, Wolf, Christian e Saunders receberam os obrigatórios beijos com batom de Maggie.

Apesar dos protestos de Wolf, o envolvimento de Saunders na investigação original significava que ficariam presos a ele por enquanto. No entanto, no trajeto até Muswell Hill, ele soubera que, na noite da morte de Finlay, Saunders havia se recusado categoricamente a sair do lado de Maggie até que Baxter chegasse para substituí-lo, o que fez com que a opinião de Wolf sobre ele subisse um degrau.

Wolf tirou o casaco e o pendurou na cadeira da cozinha, enquanto Maggie preparava alguns drinques para acompanhar aquela conversa protocolar. Quando Christian e Saunders finalmente subiram as escadas, ele ficou para trás a fim de falar com ela.

– Se precisar de alguma coisa, pode nos chamar. Não quero você lá em cima hoje.

Ela assentiu e ele a abraçou com força, mais para se sentir melhor do que para reconfortá-la. Seguindo seus colegas até o patamar da escada, Wolf se aproximou do portal quebrado, encontrando dois rostos familiares já esperando por eles lá dentro.

– Mas que merda é essa? O que vocês estão fazendo aqui? – perguntou Saunders.

– Olha a boca! – gritou Maggie lá de baixo. – Ela me fez prometer não contar pra vocês!

Wolf percebeu a centelha de um sorriso nos lábios de Baxter.

– Eu sabia que você viria – disse Wolf, mas ela não respondeu. – Edmunds – cumprimentou ele friamente.

– Wolf – respondeu ele, ainda mais frio.

– Edmunds, este é o comissário Christian Bellamy, um velho amigo do Finlay – disse Baxter. – Christian, este aqui é o Alex Edmunds, investigador particular – prosseguiu, apresentando-o com orgulho.

Os dois homens apertaram as mãos.

– Saunders – disse Saunders, estendendo a mão.

– Eu sei – retrucou Edmunds, confuso. – A gente se conhece.

Saunders pareceu perdido.

– Trabalhamos juntos por, sei lá, uns seis meses… Nos homicídios do caso Boneco de Pano – lembrou-lhe Edmunds.

Ele ainda parecia perdido.

Edmunds apertou a mão dele, achando que era a coisa mais fácil a fazer.

– Tudo bem, Saunders – disse Wolf, recuando para lhe dar espaço –, é com você.

Pegando seu caderninho, Saunders hesitou por um instante e depois foi até a porta danificada para fechá-la.

– No dia primeiro de janeiro, à meia-noite e trinta e cinco, o detetive

Blake e eu recebemos um chamado de reforços do agente Randle por conta de uma suspeita de suicídio. Chegamos à meia-noite e cinquenta e seis e encontramos – ele pigarreou – o corpo de um homem de 60 anos, posicionado de bruços no meio deste cômodo, com um único ferimento de bala na têmpora esquerda e uma pistola .9mm no chão ao lado dele.

Ninguém disse nada, cada um tomado pelos próprios pensamentos, enquanto a mancha escura nas tábuas do chão dominava o quarto.

Saunders virou a página.

– Depois que as fotos foram tiradas, a arma foi embalada como prova. A perícia afirma que apenas as impressões digitais da vítima estavam presentes, condizentes com o fato de ele ser canhoto, e o resultado da balística confirmou que aquela era a arma de onde a bala tinha saído. Ao chegar ao local, o agente Randle teve que forçar a entrada na propriedade. Ao se deparar com uma porta do segundo andar trancada, ele também a abriu à força, causando o dano visto na moldura. – Saunders virou outra página. – O corpo foi encontrado sozinho em um quarto trancado e com a única janela fechada por dentro... Conclusão: suicídio.

Wolf se aproximou para inspecionar a janela, o plástico de fábrica ainda cobrindo a fechadura que nunca havia sido aberta.

– Nenhuma carta de suicídio? – perguntou ele.

– Não que a gente saiba – respondeu Saunders. – Como acontece em sete a cada dez casos de suicídio.

– Onde a Maggie estava quando tudo isso aconteceu? – perguntou Edmunds, que ainda não tinha terminado de ler o inquérito.

– Com amigos – respondeu Saunders. – Numa festa em Hampstead.

– O Finlay odiava ano-novo – disseram Wolf e Baxter ao mesmo tempo. Ele sorriu. Ela não.

– Então, quem ligou pra avisar? – perguntou Edmunds.

– O Finlay. Ele usou o telefone fixo da antessala. – Saunders voltou a consultar seu caderno. – Ligou, mas ficou mudo. À meia-noite e sete, houve a confirmação de que não era uma ligação acidental e uma unidade foi enviada.

– Ele não disse nada?

– Não – respondeu Saunders. – Mas só Deus sabe o estado em que ele devia estar àquela altura.

Ele olhou para o comissário, ansioso.

– Ele parecia bem pra mim – disse Christian com um sorriso triste. – Estive com ele no começo da noite – explicou. – A gente deu uma bela desfalcada numa garrafa novinha de uísque.

Baxter se lembrou das fotos da cena do crime, a garrafa de bebida barata tombada no chão – o presente de aposentadoria que ele havia ganhado do pessoal do departamento.

– Sobre o que vocês conversaram? – perguntou Edmunds a Christian. – Se não se importa em responder.

– Sobre o que amigos de longa data conversam quando se encontram no final do ano? Relembramos nossas aventuras, quem ganhou cada luta, as garotas que partiram nossos corações. – Ele sorriu. – Perdi uma ligação dele logo depois da meia-noite, e nunca vou me perdoar. Poucos minutos depois, recebi isto aqui…

Christian ergueu o celular:

Cuida dela por mim

– No mesmo instante entrei em pânico, peguei um táxi e voltei pra cá o mais rápido que pude. Cheguei poucos minutos depois que eles derrubaram a porta – disse ele, olhando para o chão como se ainda pudesse ver Finlay caído ali.

– Ele usou o celular pra tentar ligar pra você – disse Edmunds com uma expressão intrigada. – Te mandou mensagem pelo celular. Mas foi lá embaixo ligar pra polícia do telefone fixo… Por quê?

– Acho que ele não queria que a Maggie encontrasse ele daquele jeito – respondeu Christian, com a voz embargada.

– E seria mais fácil rastrear a chamada do fixo – acrescentou Saunders. – O Finlay saberia disso.

– Me fala sobre a porta – disse Wolf, olhando para os pedaços de gesso arrancados da parede ao redor.

– Este era pra ser o quarto novo dos netos deles, então não tinha fechadura na porta.

– Mas você disse…

– Eu sei o que eu disse – interrompeu Saunders. – Selante. Ele selou a porta ao redor do batente e no chão, por isso foi tão difícil entrar. Olha, Wolf, com todo o respeito, isso não vai levar a lugar nenhum. Ele foi encontrado dentro de um cômodo totalmente fechado, praticamente segurando a arma. Foi suicídio, cara.

– Não é suicídio até eu dizer que é suicídio – disparou Wolf, ciente de que Maggie estava no andar de baixo.

Saunders ergueu as sobrancelhas para os outros.

– Você não está se ouvindo, Wolf? – perguntou Baxter. – Parece um maluco.

Obviamente aquilo era um insulto, mas pelo menos ela estava falando com ele.

– Ele se matou. Eu entendo do meu trabalho, Wolf – disse Saunders, confiante.

Crescendo para cima de seu colega nada imponente, Wolf parou na frente dele.

– Will! – disse Christian, no mesmo tom que Finlay sempre usava para acalmá-lo.

Depois de um momento tenso, ele recuou e se virou.

– Se você não quer ficar aqui, Saunders, vai embora.

Imprudentemente, Saunders empurrou Wolf pelas costas enquanto se afastava.

– Acha que eu não me importo?! – gritou ele. – Acha que eu não quero estar errado?!

Wolf tinha uma expressão perigosa no rosto ao se virar para encará-lo.

– O Finlay e o meu pai trabalharam juntos. Você não sabia disso, né? – disse Saunders. – Então, quando ele e a minha mãe se separaram, e ele decidiu ir pra garagem e deixar o motor do carro ligado, adivinha quem veio me dar a notícia, quem passou a noite inteira comigo, quem me disse que não era minha culpa... Eu me importo, *sim*, porra!

Wolf acenou com a cabeça em uma espécie de pedido de desculpas.

– Desculpa perguntar o óbvio – interrompeu Baxter. – Mas de quem era a arma?

Saunders pegou o caderninho do chão.

– Não faço ideia – respondeu ele. – Uma Beretta .92. Número de série raspado. Como já disse, as únicas impressões digitais eram do Finlay. Falei com um colega do Departamento Antiterrorismo que calcula que a arma tenha uns 30 e tantos anos. Ela foi usada em várias outras ocasiões, tinha três balas ainda no pente... Pode ter vindo de qualquer lugar.

– Mas, por algum motivo, o Finlay decidiu guardar ela todos esses anos – disse Edmunds, pensando em voz alta.

– Estou contando com a discrição de todos vocês – começou Christian. – Mas ninguém chega à minha idade e à do Finlay sem colecionar alguns suvenires pelo caminho. Na nossa época, as coisas não eram registradas com tanto rigor como agora.

Outro silêncio se abateu sobre a sala enquanto cada um deles tentava encontrar um caminho em torno daquele iminente beco sem saída.

– Certo. Posso falar uma última coisa? – disse Saunders, parecendo se sentir mal. – A autópsia mostrou vários problemas leves de saúde. Nada com que se preocupar, coisas normais de gente idosa.

Todos olharam na direção de Christian com curiosidade.

– O que foi? – perguntou ele.

– E nenhum outro ferimento que não pudesse ser atribuído a pancadas e lesões do dia a dia – continuou Saunders. – Causa da morte: um único tiro na cabeça, bala retirada do crânio – concluiu ele, constrangido. – Então, qual é o próximo passo? – perguntou a Wolf.

Na breve pausa que se seguiu, eles ouviram Maggie vagando pela cozinha, sem dúvida preparando-lhes outra rodada de bebidas.

– Eles não vão liberar o corpo até que a gente chegue a uma conclusão – disse Baxter. – Quanto mais essa situação se arrastar, mais difícil tornaremos isso tudo pra Maggie.

– Vai levar o tempo que for preciso – disse Wolf. Baxter bufou e balançou a cabeça. – A arma – murmurou ele, distraído. – É nela que estão as respostas, de um jeito ou de outro. O Finlay a guardou esse tempo todo por um motivo. A gente precisa descobrir qual foi.

– E qual é o seu plano? – perguntou Saunders.

– Você pega a arma e a bala recuperada na autópsia. Pede pra perícia fazer todos os testes possíveis. Qualquer informação que eles conseguirem pode ajudar – instruiu Wolf. – Baxter, você se concentra na Maggie. Ela vai se abrir com você. Mesmo uma mudança sutil no Finlay pode ser significativa de alguma forma. O de sempre: qualquer coisa que estivesse lhe passando pela cabeça, qualquer caso antigo que tenha ressurgido nos pensamentos dele… E, o mais importante, você precisa descobrir onde ele vinha escondendo a arma esse tempo todo.

Ela assentiu.

– Já comecei a examinar alguns dos arquivos de casos antigos do Finlay, mas seria bom ter ajuda – disse ele a Edmunds, que olhou para Baxter, mas ela não questionou a lógica da delegação das tarefas. – E, Christian, a gente te mantém informado. Vamos procurá-lo pra preencher as lacunas que podem ter ficado nos relatórios oficiais, tudo bem por você?

O comissário assentiu.

– Farei tudo que puder pra ajudar.

– Tá faltando a arma do crime em algum dos casos antigos do Finlay – afirmou Wolf. – Vamos descobrir qual é.

Capítulo 5

Quarta-feira, 7 de novembro de 1979
17h49

– Fin! Pra esquerda – sussurrou Christian. – Pra *outra* esquerda!

Eles foram de fininho até a porta descascada do Flat 19, onde uma fechadura brilhante havia sido colocada para trancar a porta detonada.

O prédio inteiro fedia a lixo e urina acumulados há mais de uma semana. Até a luz parecia relutante em entrar pela janela rachada no final do corredor.

Apoiando-se em seu braço queimado, Finlay praguejou um pouco alto demais. Christian olhou para ele irritado.

– Você precisa ir ver isso – sussurrou ele do outro lado da porta. – Deixa eu dar uma olhada.

– Agora?! – sussurrou Finlay, fazendo uma cara de reprovação.

– Por que você sempre faz isso?

– Faço o quê?

– Tenta dispensar todo mundo que te dá conselhos médicos.

– Todo mundo quem?

– Todo mundo, todo mundo!

Christian segurou a manga curta da camisa de seu parceiro.

– Sai daqui! – murmurou Finlay, dando um tapa na mão dele. – Belo relógio.

– O que posso dizer? – perguntou Christian, admirando com um sorriso seu novo adorno. – Eu estava em clima de comemoração.

Ainda se deleitando com a glória de seu temporário status de celebridade, Christian se banqueteava com cada gota da adulação derramada sobre ele, enquanto Finlay desdenhava de tudo aquilo com uma mistura de humor e autodepreciação, ansioso por um retorno à normalidade.

– Pra que você precisa de um troço chamativo desses? – perguntou Finlay, mostrando seu modesto relógio. – Comprei o meu no supermercado e funciona muito bem.

– Está quatro minutos atrasado.

– Ah – disse Finlay, puxando a mão de volta enquanto Christian admirava sua luxuosa aquisição.

– Foi Oscar Wilde quem disse "Mostrar as horas é a última serventia do relógio de um cavalheiro"?

– Não faço a menor ideia do que isso significa.

– Não… Nem eu – admitiu Christian, e os dois riram.

– Vamos lá? – sugeriu Finlay.

Enquanto o armazém em chamas estava desabando no estaleiro, um carro havia sido roubado nas proximidades de Whiteinch, e a descrição do agressor ferido correspondia à do suspeito com o *mullet*. O Austin Princess roubado tinha sido encontrado no Mathieson Terrace, em Gorbals, com sangue e impressões digitais suficientes decorando o interior para manter a perícia ocupada por semanas. Mas a proximidade do veículo a vários dos endereços mais famigerados da cidade tinha, pelo menos, dado a Finlay e Christian um lugar por onde começar a procurar.

Usando alguns meios nada oficiais para obter informações, não demorou muito para que eles descobrissem a localização daquele homem tão peculiar: Brendall Towers, na Cumberland Street, uma ocupação gigantesca onde viciados desperdiçavam a própria vida e garotas de programa conduziam seus negócios.

Afastando-se um pouco da porta nada convidativa, Christian se aqueceu, alongando o pescoço e sacudindo os braços.

– De primeira, hein – prometeu ele a Finlay, que olhou do parceiro para a porta e de volta para o parceiro.

– Terceira… O perdedor paga a conta hoje à noite?

– Combinado. – Christian respirou fundo. – Polícia! – gritou, chutando a fechadura com toda a força, mas a porta nem se mexeu. Mancando um pouco, ele ignorou a expressão entediada de Finlay e se pôs a chutá-la novamente. – Polícia... *Porra*! – reclamou ele, caindo contra a parede.

– Será que ele já ouviu você chegando? – brincou Finlay, que se adiantou com o cassetete levantado.

Ele estava prestes a golpear a madeira quando pensou em tentar a maçaneta, que girou livremente em sua mão enquanto a porta se abria.

– Cala a boca! – retrucou Christian, mancando atrás do parceiro.

A sala imunda parecia ainda mais nojenta por conta do cadáver esparramado no chão. Deitado de bruços, com o reconhecível penteado totalmente à mostra, ele tinha uma faca de caça enfiada em suas costas.

– Mas que pena – debochou Finlay, enquanto olhava ao redor da quitinete apertada.

Havia sinais claros de luta: móveis em pedaços, vidro quebrado no chão. Moscas zumbiam ao redor de uma frigideira enegrecida sobre o fogão.

Christian pareceu meio decepcionado.

– Ele não é imortal no final das contas.

– Parece que não. Farei as honras, então, tudo bem? – disse Finlay, apalpando o cadáver do homem. Ele puxou uma carteira do bolso de trás. – Ruben de Wees – anunciou, desdobrando a carteira de motorista estrangeira. Ele se aproximou de Christian, que estava perto da janela para apreciar a vista das latas de lixo e dos funcionários da cozinha em uma pausa para fumar. – Ele era holandês, pelo visto...

Christian fez um ruído desinteressado.

– Até que bateu as botas, ou melhor, os tamancos – acrescentou Finlay, observando o amigo balançar a cabeça enquanto tentava não rir.

– Certo – disse Christian, farto da vista nada inspiradora. – Vamos passar um rádio e... – Ele fez uma pausa. – É... em algum momento você checou o pulso dele?

Confuso, Finlay se virou.

O corpo havia sumido, uma trilha de manchas de sangue desaparecendo pela porta.

Ele se virou para Christian horrorizado.

– Ele tinha uma *porra* de uma faca gigantesca cravada nas costas! – argumentou, enquanto eles passavam pela porta e saíam para o corredor, seguindo as manchas de sangue até a escada.

– Tô aqui pensando... – disse Christian, ofegante, claramente se divertindo enquanto eles desciam as escadas. – Vamos tentar uma estaca de madeira no coração da próxima vez!

Em algum lugar lá embaixo, uma porta pesada se fechou.

Menos de dez segundos depois, Finlay e Christian irromperam da escuridão para o cinza ofuscante, sendo cuspidos pelo prédio para dentro de um beco. O suspeito ressuscitado estava a apenas vinte passos de distância, enquanto cambaleava em direção à High Street com a faca de caça ainda no mesmo local.

– Com licença, Ruben?! – Christian chamou por ele. – Essa deve ser uma das tentativas de fuga mais tristes que a gente já viu!

Exaurido, o holandês reuniu forças para mostrar o dedo do meio a eles.

– Olha a falta de educação – retrucou Finlay, rindo.

Eles começaram a caminhar lentamente atrás do sujeito enquanto ele diminuía um pouco a velocidade a cada passo agonizante, cambaleando para a rua movimentada em meio a um pertinente coro de gritos e pânico. Sem pressa, Finlay e Christian emergiram do beco para restaurar a calma.

– Afastem-se, por favor!

– Deixem a gente passar.

– Alguém poderia chamar uma ambulância?

Eles balançaram a cabeça com pena quando o homem começou a rastejar, seu braço quebrado se arrastando pela calçada, enquanto o tráfego na rua principal passava normalmente. O relógio digital de Finlay apitou, anunciando ser alguma hora e quatro minutos, quando o holandês caiu no chão.

– Fique à vontade – disse Finlay ao parceiro, apontando para o suspeito. Mas, quando Christian deu um passo à frente, o homem conseguiu ficar de joelhos, tateando cegamente até agarrar o cabo da lâmina profundamente fincada em suas costas.

– Eu definitivamente deixaria isso onde está! – sugeriu Christian, ignorando o sorriso malicioso de Finlay enquanto ele dava outro conselho médico desmedido.

O homem gritou de dor quando, pouco a pouco, começou a puxar a lâmina.

– Ei, ei, ei! – gritou Christian, correndo para contê-lo, mas era tarde demais.

O homem atacou Christian, que caiu de costas na calçada com as mãos sobre um corte profundo na barriga.

– Fica aí, Christian! – ordenou Finlay, enquanto o holandês cambaleava ainda de pé, com um fluxo constante de sangue escorrendo do canto da boca.

Finlay ergueu seu cassetete.

– Para trás! – avisou o holandês à multidão que assistia.

Ele olhou para trás, na direção da movimentada via principal, percebendo que conseguiria atravessar na frente do ônibus que estava encostando na calçada...

... mas não viu o Citroën 2CV que o ultrapassava.

Houve um baque oco quando os pneus guincharam, embolando o corpo inerte do homem sob as rodas e o achatando, dando-lhe uma forma não humana.

Finlay levou alguns segundos para processar o que havia acontecido. Agindo no automático, ele foi para o meio da rua a fim de parar o trânsito, e acompanhou o atordoado motorista do Citroën até o meio-fio. Ele se agachou ao lado de Christian.

– Você tá bem?

– Sim, não foi nada – respondeu Christian, pálido, mas com um sorriso.

Dando um tapinha nas costas dele, Finlay voltou para o carro. Alcançando o chassi, ele algemou um dos braços torcidos do homem ao para-choque de metal.

– O que está fazendo? – perguntou Christian. – A cabeça dele tá virada pro lado contrário!

Acendendo um cigarro, Finlay se sentou na beira da calçada, os olhos fixos no prisioneiro falecido enquanto as sirenes se aproximavam ao longe.

– Sim... mas não quero correr nenhum risco.

Finlay sentiu um calafrio ao ver o médico suturar a ferida de Christian. A forma como a pele se arqueava bem perto de onde a agulha em gancho a perfurava era hipnotizante, apesar de fazê-lo se sentir mal.

– Semana agitada pra vocês, hein – comentou o médico, sua voz abafada pela grossura do bigode. – Isso já é o suficiente – disse ele, cortando o fio restante antes de admirar sua obra. – Lindo.

Christian observou o estrago. Aparentemente, "lindo" significava ter algo que parecia um trilho de trem colado na barriga.

– Obrigado, doutor – disse Christian, desanimado.

– Vamos dar uma olhada em você agora, então? – sugeriu o médico, voltando-se para Finlay. Ele tirou a atadura suja que o próprio Finlay tinha colocado e que havia grudado em vários lugares da queimadura ao longo de dois dias. O médico fez uma careta: – Da próxima vez que você tiver uma queimadura de terceiro grau, considere dar um pulo no hospital.

Tirando as luvas, o homem de bigode rabiscou alguma coisa num papel.

– Vou chamar uma enfermeira pra limpar isso – informou ele, apontando para a imensa sutura de Christian – e fazer alguma coisa com *isto* – acrescentou ele, olhando para Finlay com desaprovação.

Christian examinou seu impressionante ferimento.

– Vai ficar uma baita cicatriz – comentou ele com um sorrisinho.

– Esta é a melhor semana da sua vidinha medíocre, né? – disse Finlay, quando a cortina se abriu e uma bela e jovem enfermeira entrou, bandeja na mão, cachos escuros saindo da touca branca.

Paralisado, Finlay achou que ela parecia a personificação do outono: cabelo castanho-escuro, lábios rosados e olhos azuis. Christian lançou a ele um olhar de aprovação, mas ele nem sequer notou, incapaz de desviar os olhos dela.

– Então, qual de vocês dois é o Finlay? – perguntou.

Ela soava como a Rainha.

– Vamos lá. Pergunta fácil. Finlay? Alguém?

– Sim. Eu… Sou eu – disse ele, tentando esconder o forte sotaque de Glasgow.

Christian olhou para ele, achando esquisito.

Ela pegou o que precisava da bandeja, sorriu docemente e, em seguida, lhe deu um tapa acima da orelha.

– Ai! – reclamou ele.

– Ordens médicas – disse ela, sem se desculpar. – Da próxima vez, não faça as coisas de qualquer jeito. Isso só dá mais trabalho pra gente.

– Merda!

Ele fez uma careta, sem saber como ela tinha conseguido fazer aquilo doer tanto.

– E sem palavrões! – acrescentou ela. – Ordens da enfermaria.

Sentando-se na maca ao lado dele, ela tinha cheiro de morango e chocolate, forçando Finlay a fingir um resfriado quando puxou o ar um pouco descaradamente.

– Você não está reconhecendo a gente? – perguntou Christian, enquanto ela limpava o braço de Finlay.

– Deveria?

– Acho que não. Fizemos só a maior apreensão de drogas da história da Escócia… Não foi lá grande coisa.

Ela olhou para Finlay, curiosa.

Ele prendeu a respiração, lamentando ter comido a torta de queijo com cebola no almoço.

– O incêndio no estaleiro – disse ela, lembrando-se da matéria de capa do *Herald*. – Alguma coisa tipo… em quinze minutos, vocês dois recuperaram o equivalente a cinco anos de produção de heroína.

– Eles exageraram – disse Christian com modéstia.

– Ah, é?

– Sim… Na verdade, demoramos só uns dez! – disse ele e sorriu, fazendo-a rir.

Ela sorriu para Finlay. Era a coisa mais linda que ele já tinha visto. Segurando o braço dele, ela enrolou uma atadura em volta dos curativos novos.

– Ele é uma figura, o seu amigo, né?

– Ele é – respondeu Finlay bruscamente, suspeitando que as definições deles dois de "uma figura" não eram muito parecidas.

– Pronto, Fin – anunciou ela. – Já acabamos.

Voltando sua atenção para Christian, ela deu um sorriso irônico quando ele se deitou obedientemente na maca.

– Sou todo seu! – declarou ele, empolgado.

– Foi um prazer! – disse Finlay. – Um prazer conhecê-la, eu quis dizer.

A enfermeira olhou para ele, um pouco surpresa ao ser confrontada com um aperto de mão formal. Christian bufou impaciente enquanto ela tirava as luvas para pegar a mão áspera de Finlay.

– Foi uma *honra* conhecer você! – disse ela, um brilho malicioso nos olhos. – Eu sou a Maggie.

Capítulo 6

Quinta-feira, 7 de janeiro de 2016
14h21

Wolf fez um barulho estranho, como se estivesse bufando e roncando ao mesmo tempo.

Edmunds olhou para ele por cima da pasta do caso. Depois de alguns minutos, seus olhos se voltaram para o que estava fazendo. Mas então Wolf começou a dar umas risadinhas, lendo o relatório oficial do caso de Ruben de Wees com seu imperdoável corte de cabelo e a recusa em morrer. Observando-o com impaciência, Edmunds tinha no rosto uma expressão da qual até Baxter teria se orgulhado.

– Desculpa – disse Wolf. – O Finlay me contou essa história mil vezes, mas eu sempre começo a rir.

Revirando os olhos, Edmunds voltou às páginas amareladas enquanto Wolf se alongava, preenchendo o silêncio com uma série de suspiros e bocejos enquanto observava a sala de reuniões do Departamento de Homicídios e Crimes Hediondos. As duas grotescas reconstruções do Boneco de Pano, usando fotografias presas nas paredes, haviam sido tiradas de lá havia bastante tempo, mas, fora isso, muito pouco tinha mudado. Mesmo a rachadura na parede de vidro ainda estava lá.

– Nunca pedi desculpas por ter te machucado, né? – perguntou Wolf.

Desistindo, Edmunds arremessou a pasta em cima da mesa.

– Não. Não pediu, não.

Wolf abriu a boca… mas no final só deu de ombros. Edmunds riu, ressentido.

– Vamos lá. Fala logo – disse Wolf, virando a cadeira para dar a Edmunds toda a atenção. – Me fala tudo o que pensa.

Ele observou Edmunds mastigar as palavras em sua cabeça.

– Você acha que eu sou uma pessoa má? Está tendo algum tipo de… questionamento *moral*? – indagou Wolf, como se não tivesse certeza de estar usando a palavra corretamente. – Muito bem. Sim, eu sem querer contratei os serviços de um serial killer demente. – Ele ergueu as mãos em sinal de rendição. – Assumo a culpa. E atrapalhei a sua investigação de propósito para me proteger? Bom... sim, acho que fiz isso também. Quase matei o serial killer na porrada quando ele já estava rendido? Aham. Mas... – Ele pareceu perdido. – Do que eu estava falando mesmo?

Edmunds balançou a cabeça e pegou a pasta de volta.

– Se isto faz você se sentir melhor – continuou Wolf –, assim que tudo acabar, a Vanita vai me prender. O homem malvado vai pagar pelos seus pecados.

– Não é isso – murmurou Edmunds.

– Como assim?

– Eu disse "Não é isso"! – respondeu ele rispidamente. – Quer dizer, é. Acho que você é um escroto de merda que merece apodrecer na cadeia pelos poucos bons anos que ainda te restam... Mas não é isso.

Wolf ficou impressionado com quanto ele soava como Baxter. Edmunds fechou os olhos e soltou o ar com força.

– O caso Boneco de Pano era meu – explicou ele, um pouco envergonhado. – Fui *eu* que virei os arquivos de cabeça pra baixo procurando pelas vítimas anteriores do Masse. Fui *eu* que provei que os crimes faustianos eram reais. Fui *eu* que vi quem você realmente era... *Eu* fiz tudo isso.

Wolf ouvia pacientemente.

– Você já tinha tido o seu grande caso – prosseguiu Edmunds. – Foi uma confusão sem precedentes, de fato, mas você, William Fawkes, perseguiu e capturou o Cremador. Você, o Masse e a investigação do Boneco de Pano eram o *meu* momento... e você tirou isso de mim.

Edmunds sentiu um peso sair de suas costas. Era a primeira vez que admitia em voz alta que a raiva que lhe queimava por dentro tinha um quê de egoísmo maior do que ele professava.

Wolf assentiu, nem um pouco surpreso com a confissão.

– Você é o mais inteligente de todos nós.

– Não preciso da sua aprovação.

– Porque você saiu – continuou ele. – Esse trabalho é... – Ele estufou as bochechas – Não é bom pra ninguém. É uma droga, um vício que você sabe que pode te matar a qualquer momento. Você fica tão obcecado com a adrenalina que deixa de perceber que isso destrói todos os outros aspectos da sua vida até que não reste mais nada.

Nenhum dos dois falou por um tempo, a verdade nas palavras de Wolf levando seus pensamentos de volta para Finlay e a certeza de que, fosse por alguma armação ou simplesmente porque ele quis, o trabalho havia contribuído de alguma maneira para sua morte prematura.

– Eu gostaria de ter tido coragem de cair fora antes que fosse tarde demais – disse Wolf, com sinceridade. – Agora já era.

– É fácil falar isso quando você não é o idiota correndo atrás de um furão no estacionamento do supermercado pra poder ganhar seu primeiro pagamento.

– E investigando o possível homicídio de um colega pra ganhar o segundo – lembrou-lhe Wolf.

Edmunds viu o rosto de Wolf ficar sombrio conforme seus pensamentos se voltavam para Finlay e o inquérito do caso que, alguns minutos antes, tinha achado tão engraçado. Ele havia passado os dezoito meses anteriores fantasiando sobre rastrear Wolf, arrancá-lo do buraco em que estivesse se escondendo e atirá-lo num tribunal para que ele respondesse por seus atos. Imaginara seus colegas e a mídia reconhecendo-o como um herói, exatamente como deveriam ter feito esse tempo todo, deixando Wolf se tornar apenas uma espécie de fantasma em sua cabeça. Mas agora, vendo-o buscar desesperadamente por algum sentido, por demônios que provavelmente nem existiam, ele enxergava apenas um homem que tinha perdido tudo.

– O que foi? – perguntou Wolf ao notar que Edmunds o encarava.

– Nada.

Ambos voltaram ao trabalho.

– Desculpa por machucar sua cabeça – murmurou Wolf.

– Deixa isso pra lá.

Saunders tentava respirar pela boca.

O ar no laboratório forense sempre tinha um leve odor de metal e morte. Os utensílios brilhantes e o chão manchado de alvejante pareciam um pouco imaculados demais, como se um banho de sangue tivesse sido limpo às pressas.

– Merda – disse Joe, o legista careca, derramando café em si mesmo ao entrar. – Vai ficar manchado.

Saunders o observou limpar um pequeno borrão em um avental sujo de sangue seco, massa encefálica e Deus sabe o que mais antes de perceber que tinha visita.

– Droga – reclamou ao ver Saunders.

– Boa tarde pra você também.

– Perdão. Eu esperava que fosse a indecifrável inspetora-chefe Baxter – disse Joe, sorrindo. – Podia ter ficado com o avental sujo – lamentou em voz alta.

Saunders não quis nem imaginar como seria.

– Não alimente esperanças, meu caro – disse ele a Joe. – Até onde eu sei, tem uma fila na sua frente.

Ignorando o comentário, Joe largou o café e começou a vasculhar a caixa que Saunders havia tirado do depósito de evidências criminais.

– Meu tipo de trabalho favorito! – exclamou. – Retrabalho! Então, vocês querem que eu confirme de novo que todas as provas corroboram com a hipótese de suicídio?

– Não – disse Saunders. – A gente quer que você encontre qualquer coisa que sugira que *não foi* suicídio.

– Dentro de um quarto trancado?

– Sim.

– Sem nenhum sinal de luta?

– Sim.

– E com a arma na mão dele?

– Sim! Só descobre alguma coisa pra gente.

De repente, Joe pareceu imerso em pensamentos, como se algo o estivesse incomodando.

– O que foi? – perguntou Saunders, esperançoso.

– O que você quis dizer com "tem uma fila na sua frente"?

O único tempo que Christian teria para conversar seria durante o deslocamento entre uma reunião e outra. Wolf e Edmunds estavam esperando por ele no hall dos elevadores e tiveram que pular as trocas de gentilezas enquanto atravessavam o saguão apressados.

– Então o holandês invencível foi a única pessoa a escapar do armazém? – perguntou Edmunds.

Christian sorriu com a lembrança. Ele havia contado aquela história tantas vezes ao longo dos anos quanto Finlay.

– Pelo que sei, foi – respondeu ele, enquanto sua comitiva mantinha as portas abertas para eles. – Sem que a gente se desse conta, o laboratório inteiro já estava em chamas. Tinha uma planta do lugar por aí. Será que está no inquérito? Basicamente, todas as saídas, exceto duas, estavam inacessíveis, e tenho certeza de que a gente teria visto alguém tentando fugir pelo nosso lado.

– A equipe infiltrada tinha armas automáticas – disse Edmunds. – Mas várias outras foram recuperadas do incêndio. A gente quer descobrir quais armas pertenciam a quem. Tem ideia de alguma coisa que possa ajudar?

– Nenhuma, eu acho – disse Christian, dando de ombros. – Eu chutaria que todos os holandeses estariam usando os mesmos equipamentos. Eles pareciam bem armados, se não me falha a memória.

– Mas você acha que é possível que… – prosseguiu Edmunds.

– Olha – interrompeu Christian, para o horror de seus asseclas, que pararam para olhá-lo. – Acho que estão fuçando no lugar errado. Eu estava lá. Estava com o Fin o tempo todo. Eu saberia se ele tivesse saído de lá com alguma coisa além de uma queimadura feia no braço. Não tinha motivo nenhum pra ele esconder alguma coisa daquele trabalho. Vocês pegaram o caso errado… Sinto muito.

– Senhor. – Um jovem com um sorriso bajulador se aproximou deles. – Realmente precisamos…

Christian olhou feio para ele.

Praticamente fazendo uma reverência, o homem abriu um sorriso como se tivesse acabado de receber uma guloseima e recuou.

– Wolf, um segundinho em particular? – disse Christian.

Edmunds se afastou.

– Queria te dar um toque: aquele documento que a Vanita está elaborando tem tantas possibilidades e lacunas que estou achando que não vai valer nada.

– Tenho certeza de que é só um descuido da parte dela – brincou Wolf.

– Por aí. Bom, com a sua permissão, vou pedir que alguém "bem informado" passe um pente-fino nele.

Wolf assentiu em agradecimento, recebendo um tapinha nas costas, e Christian se dirigiu para sua próxima reunião.

Evitando o segundo andar da própria casa, Maggie começou a desfazer as decorações de Natal. Antes de partir, Edmunds e Saunders tinham feito a imensa gentileza de levar a árvore agonizante para fora, compartilhando muito mais palavrões (cortesia de Saunders) e sangue (cortesia de Edmunds) do que o estritamente necessário. Enquanto Maggie embrulhava cuidadosamente os ornamentos mais frágeis, Baxter descolava as decorações restantes do teto.

– Como você está, querida? – perguntou Maggie.

– Bem.

Ela continuou arrumando a caixa, parecendo um pouco mais com o que era normalmente, seus cachos escuros amarrados do jeito que Finlay mais gostava.

– Eu disse que ele ia voltar – disse Maggie e sorriu.

– Você disse.

– Por sua causa.

Baxter arrancou um pedaço de tinta do teto junto com o boneco de neve cintilante.

– Ele voltou por causa do Finlay, ninguém mais – afirmou Baxter com firmeza.

– Vocês, detetives. – Maggie deu risada. – Tão bons em descobrir coisas em todo mundo, mas tão cegos quando se trata uns dos outros.

– Onde eu coloco isto? – perguntou Baxter, mudando de assunto enquanto jogava o boneco de neve e o pedaço de teto em uma caixa de sapatos.

– Na garagem, por favor.

Enquanto carregava as caixas pela casa que de repente parecia muito grande e vazia, Baxter se perguntou se Maggie iria querer continuar lá quando tudo aquilo acabasse. Ao entrar na garagem fria, ela parou brevemente para admirar a velha Harley-Davidson de Finlay. Usando uma vassoura para arrancar uma teia de aranha preocupantemente grande, ela posicionou a pilha de caixas contra a parede dos fundos e se levantou para voltar quando avistou algo que reconheceu.

Apoiada no topo de outra caixa aberta, a velha fotografia chamou sua atenção: Finlay, Benjamin Chambers e Wolf de algum jeito conseguindo se divertir em uma festa de fim de ano no trabalho. A tristeza tomou conta de Baxter ao olhar para os rostos felizes dos dois amigos que eles haviam perdido no caminho. Espiando dentro da caixa, ela se deu conta de que ali estavam as coisas que ficavam na mesa de trabalho de Finlay, esvaziada um mês antes, quando ele se aposentou. Então tirou a caixa da pilha e a colocou no chão para examinar os itens um por um: todas as porcarias acumuladas ao longo daqueles anos.

Havia outras fotos: dos netos na escola, de Finlay e Maggie no Vaticano, uma fotografia em preto e branco de Finlay e Christian ainda jovens posando ao lado de uma torre de pó branco enquanto um prédio queimava ao fundo.

Ela as colocou de lado.

Encontrou desenhos coloridos, material de escritório, um certificado confirmando que ele tinha (finalmente) sido aprovado no treinamento da Polícia Metropolitana sobre como agir de maneira politicamente correta, e uma carta, datada de 1995, informando que ele supervisionaria um estagiário chamado William Layton-Fawkes. Sorrindo, ela então desdobrou um pedaço de um cartão rasgado, rabiscado com a caligrafia familiar de Finlay:

Como você ainda não entenden isso, porra!

Eu não só amo você. Eu amo você incondicionalmente, eternamente e irremediavelmente.

Você é minha.

E nenhum desses desgraçados, nenhuma das merdas horríveis que aconteceram entre a gente, nem mesmo essa merda de prisão vai nos separar, porque ninguém nunca, nunca vai tirar você de mim.

Franzindo a testa, ela leu o bilhete novamente e sentiu o desespero por trás das palavras. Embora se achasse um pouco culpada por ter visto algo tão pessoal, Baxter não conseguia se livrar da desconfiança irritante de que aquela declaração de amor cheia de obscenidades não havia sido escrita para Maggie.

Quase desejando não ter encontrado aquilo, ela dobrou o papel ao meio, pegou a fotografia em preto e branco e enfiou os dois no bolso de trás da calça.

Capítulo 7

Sexta-feira, 8 de janeiro de 2016
7h05

— Que horas são, Sr. Wolf?

Wolf gemeu e puxou o cobertor áspero sobre a cabeça. Ele ouviu a porta da cela ser destrancada, seguido pelo som de passos se desviando dos obstáculos que eram as roupas sujas e as pastas que ele havia deixado espalhadas pelo chão.

O intruso pigarreou.

Tirando lentamente o cobertor da frente dos olhos, ele foi saudado por um rosto familiarmente enrugado sorrindo para ele: George era o educado carcereiro da Delegacia de Polícia de Paddington Green, o lar temporário de Wolf enquanto durasse o caso, uma cela de 1,80 por 3 metros.

– Achei que não fosse querer perder o café da manhã – disse George, entregando a ele uma bandeja com ovos viscosos e um pouco escuros, e torradas com sabor de papelão.

– Ah, é? – perguntou Wolf, suspeitando que havia algo muito, muito errado com a galinha responsável por aqueles ovos.

– Não brinca com a comida – disse o homem, olhando para a bagunça que o hóspede havia feito em seu espaço limitado. – Acha que consegue dar uma arrumadinha antes de sair?

– Não dá tempo – murmurou Wolf, com a boca cheia de torrada enquanto se levantava para vestir as calças.

George desviou o olhar.

– Isso aqui não é um hotel, você sabe, né?

– Eu sei – disse Wolf na defensiva, jogando ao carcereiro suas toalhas úmidas antes de fazer uma careta com o café amargo. – Duas limpas, por favor, quando você puder.

– Imediatamente, *senhor*.

Vasculhando as pastas no chão, Wolf encontrou a que procurava. Colocou na cama e pegou uma camisa branca amassada.

– Sabe passar roupa? – perguntou, otimista.

– Não sou sua mãe.

– Não custava tentar – disse Wolf com um sorriso, atirando a camisa em uma pilha e tropeçando na bagunça até o corredor.

– Será que não estamos nos esquecendo de alguma coisa? – gritou George atrás dele, seguindo-o até o lado de fora, com uma pasta na mão.

Ainda ajeitando as roupas, Wolf voltou correndo até a porta. Trocou a xícara de café pela pasta e então deu um beijo na bochecha enrugada de George.

– *Eca!* – reclamou o carcereiro, enxugando o rosto. – Eu não sou sua mãe!

Wolf abriu um sorriso.

– Te vejo mais tarde!

– Que horas você deve chegar?

– Você não é minha mãe! – lembrou-lhe Wolf, desaparecendo no final do corredor.

Irritado, George recolheu o café da manhã pela metade. No caminho de volta, hesitou e então, com um suspiro pesado, pegou a pilha de camisas que precisavam ser passadas.

– Cadê o Christian? – perguntou Wolf, sentando-se. – Ele deveria estar aqui.

Um advogado de aparência presunçosa sorria para ele, o que, conforme a experiência havia lhe ensinado, nunca era um bom sinal. Vanita fechou a porta e se juntou a eles à mesa.

– O *comissário* – disse ela de maneira incisiva – está ocupado com outra coisa.

Wolf folheou a papelada à sua frente.

– Ele queria que outra pessoa desse uma olhada nisto – informou ele.

– Não vejo necessidade e, obviamente, ele também não, visto que não está aqui – respondeu Vanita. – O próprio Sr. Briton redigiu o documento.

– É com isso que estou preocupado – disse Wolf, recostando-se na cadeira para olhar para o homem sentado à sua frente. – Meu pai me deu um conselho muito bom. Gostaria de saber qual é?

– Não – respondeu Vanita.

– Nunca confie num homem que sorri antes das onze da manhã – compartilhou Wolf mesmo assim, empurrando os papéis para longe. – Não gosto de advogados.

– Tudo bem – disse o homem, sorrindo.

– Portanto… Eu não gosto de *você*.

– Tudo bem, também.

Wolf se inclinou para a frente.

– Quer ouvir a história sobre a última vez em que estive numa sala de audiências com vários advogados hipócritas sorrindo pra mim?

O sorriso desapareceu.

– Não vou assinar nada até ter uma segunda opinião – declarou Wolf.

Vanita claramente havia antecipado aquela resposta.

– Então, lamento informar que o nosso "acordo" está suspenso.

Ela olhou para o advogado de cabelo liso, que recolheu os documentos e ficou de pé, para causar um efeito dramático.

– A Polícia Metropolitana agradece as informações que você deu sobre Léo Dubois – disse ela, abrindo a porta para dois policiais uniformizados, que entraram na sala com as algemas a postos.

– Veja, Sr. Fawkes, é muito simples – começou o advogado, sua arrogância voltando com a chegada dos policiais. – Sem assinatura não tem acordo. Se não tem acordo, você é um fugitivo novamente. E, sendo um fugitivo, você vai ser preso imediatamente e tentar a sorte no tribunal.

– Ou então – disse Vanita, fazendo a policial boazinha, um papel que não lhe caía nada bem – você assina na linha pontilhada, passa os próximos dias investigando a morte do sargento Shaw e a sua investigação sobre o Dubois continua valendo como moeda de troca... Não me parece uma decisão difícil.

Ela tirou uma linda caneta nova do bolso da blusa e a estendeu. O advogado deslizou a papelada de volta para ele, aberta na página de assinatura.

Vanita o tinha nas mãos e todos sabiam disso.

Wolf pegou a pesada caneta-tinteiro da mão dela e a enfiou na boca enquanto relia a incompreensível última página mais uma vez antes de assinar seu nome.

– Feliz? – perguntou ele, oferecendo-lhe de volta a caneta babada.

– Fica pra você – disse ela, recolhendo o documento assinado, seus pertences e seu radiante advogado antes de sair da sala.

Como os outros não eram esperados antes da metade da manhã, Baxter foi a primeira a chegar à casa de Maggie. Ela havia usado o tempo extra para ajudar na limpeza, uma desculpa para procurar meticulosamente pela casa algum lugar onde Finlay pudesse ter escondido alguma arma de sua dedicada esposa.

Às 10h38, ela ouviu a portinha da caixa de correio sendo fechada e foi buscar a pilha de correspondências no capacho. O jornal de Finlay tinha sido enfiado ali, junto com um cardápio da pizzaria Domino's, três cartões – com certeza prestando condolências – e um envelope com letras vermelhas em negrito estampadas na frente:

ÚLTIMO AVISO. FAVOR NÃO IGNORAR.

Colocando o restante da correspondência no aparador, Baxter levou a carta ameaçadora para a cozinha. Ponderou por um momento e chegou à conclusão de que não estaria fazendo seu trabalho se não examinasse todas as pistas possíveis.

– Uma xícara de chá, Maggie? – perguntou ela na direção do corredor.

– Por favor!

Equilibrando o envelope com o lado da cola sobre o bico, Baxter ligou a chaleira elétrica e começou a preparar os chás.

A cola estava totalmente grudada ao papel, e ela teve que puxar com cuidado para remover o extrato do cartão de crédito coberto com letras vermelhas. A única transação era uma transferência de outro cartão, e ela quase engasgou ao ler o valor devido na parte inferior da página.

– Meu Deus, Finlay! – murmurou ela, sentindo um embrulho no estômago.

Com uma determinação recém-descoberta, Baxter começou a vasculhar cada centímetro dos cômodos do andar de baixo, já que a única explicação lógica era que havia uma justificativa para a quantidade impactante de dívidas que o amigo havia acumulado, de acordo com aquela esclarecedora solicitação de pagamento. Puxando uma cadeira para verificar o espaço no topo dos armários da cozinha, ela encontrou apenas fiapos e aranhas mortas. Descobriu um banquete inteiro de alimentos fora da validade ocupando as prateleiras de cima, e nada mais. Desceu da cadeira e forçou as bases do armário, fazendo subir uma nuvem de poeira.

Ela então foi para a antessala e inspecionou o cesto de lenha antes de olhar embaixo da sapateira. Confiante de que já havia vasculhado toda a sala de estar, abriu a porta da garagem fria. Ignorando as caixas que ela e Maggie haviam empacotado, passou pela Harley-Davidson intocada para chegar à pilha adjacente.

Voltou até a motocicleta. Maggie sempre a odiara.

Agachando-se, Baxter passou as mãos pelos protetores de escapamento customizados em preto acetinado, o encosto de vinil, sem encontrar nada fora do lugar. Ela subiu no banco e inspecionou os mostradores analógicos antes de tatear as curvas de metal da moto em busca de alguma coisa... qualquer coisa.

O banco balançou levemente embaixo dela.

Descendo num pulo, ela passou a ponta dos dedos ao longo do estofamento até localizar uma trava. Depois de ouvir um clique com satisfação, conseguiu levantar completamente a parte superior do banco para exibir o interior do compartimento.

Um por um, a equipe chegou à casa, todos reivindicando um lugar na cozinha lotada para tomar alguma coisa e comer um croissant recém-saído do forno. Saunders tivera a consideração de trazer outra sacola de compras com itens básicos, que organizava nos armários enquanto Edmunds enterrava a cabeça em um arquivo, como de costume.

Christian entretinha todo mundo com uma história sobre uma vez em que Finlay e ele passaram dois dias sem saber o paradeiro de seu estagiário, Maggie rindo junto como se nunca a tivesse ouvido antes. Baxter ouvia por alto, enquanto aguardava ansiosamente por um momento oportuno para compartilhar sua descoberta com os demais.

A porta da frente fez barulho, interrompendo Christian, e Wolf apareceu na porta da cozinha. Ele deu uma piscadela para Baxter, provavelmente com a intenção de irritá-la, o que, é claro, aconteceu. Porém, determinada a privá-lo desse tipo de satisfação, ela apenas deu um sorriso simpático de volta, o que pareceu confundi-lo por completo.

Abraçando Maggie, Wolf voltou sua atenção para Christian.

– Obrigado pelo lance mais cedo.

– De nada.

– Eu estava sendo sarcástico. Era mais um "Onde diabos você estava?!". Christian parecia confuso.

– Hoje de manhã... com a Vanita – esclareceu Wolf.

– Sim, eu sei. Eu mandei o Luke... o meu advogado – disse Christian, franzindo o cenho. – Falei com a Geena sobre isso, foi a primeira coisa que fiz hoje... Ele não estava lá?

Wolf balançou a cabeça.

Christian inflou as bochechas.

– Aquela mulher é um pé no saco. Você assinou?

– Não tive escolha.

– Vou dar um jeito nisso.

Com a conversa chegando ao fim, ficou impossível ignorar o motivo que trouxera cinco detetives de homicídios do passado e do presente à cozinha de seu velho amigo. Pegando a deixa, Maggie pediu licença para ir se encontrar com uma amiga para tomar um café.

No momento em que ouviu a porta da frente se fechar, Wolf foi direto ao ponto:

– A polícia de Strathclyde está enrolando pra liberar os arquivos de alguns dos casos antigos – disse ele a Christian. – Acha que consegue pôr um pouco de pressão?

– Vou ligar pra eles hoje ainda.

– E você, Saunders? – perguntou Wolf.

– A arma voltou pro laboratório, junto com o restante das provas. Faz uma hora que eu liguei pra lá. Até agora, não tem nada que sugira qualquer coisa diferente.

– Fala pra eles continuarem procurando – instruiu Wolf. – O Edmunds descobriu uma coisa interessante…

Naquele momento, Baxter puxou o maço de papéis de trás dela e o jogou em cima da mesa, as letras maiúsculas em vermelho contra o papel branco, silenciando Wolf com a mesma eficácia de um pedaço de pano ensanguentado.

– O Finlay estava quebrado – anunciou ela.

Até mesmo Edmunds ressurgiu de seu arquivo diante da urgência da última descoberta.

– Tem pelo menos cem mil em dívidas aí – explicou ela.

Algo a fez olhar na direção de Wolf, mas logo se arrependeu: ele parecia completamente sem chão.

– Pelo que entendi – continuou Baxter –, a Maggie não faz ideia.

Christian pigarreou antes de perguntar:

– Ela… precisa saber?

– Eles estão falando de tomar a casa. A maior parte parece ter a ver com o tratamento de saúde dela. Teve também a obra, é claro, e ainda o carro novo que tá lá fora.

Wolf pegou uma das contas vencidas e se virou para Christian.

– Você sabia disso?

Ele fez que não com a cabeça.

– Alguém já deu uma olhada no seguro de vida do Finlay? – perguntou Edmunds.

– Eles vão pagar em caso de suicídio? – perguntou Christian.

– Depende – respondeu Edmunds, observando a pilha de dívidas à sua frente. – Depois de um certo tempo, provavelmente, sim.

Wolf amassou a conta e a jogou no chão.

– Isso não prova nada.

– Para com isso, Wolf – murmurou Baxter.

– Ele podia...

– Para, Wolf.

– Mas e se...

– Will! – gritou Baxter, frustrada. Ela o encarou pela primeira vez desde seu retorno. – Chega. Você precisa aceitar. Você *precisa* deixar ele ir.

Olhando em volta para as expressões derrotadas no rosto dos colegas, Wolf agarrou o casaco em cima da bancada e saiu da casa furioso, batendo a porta da frente.

– Quanto? – perguntou Maggie em um sussurro tenso, a xícara de chá chacoalhando contra o pires em suas mãos trêmulas.

A casa estava silenciosa quando ela voltou e encontrou Baxter esperando por ela, uma pilha de papéis ameaçadora na mesa da cozinha.

– Muito.

– Quanto, Emily?

– Muito. Não importa. Dei uma olhada nos documentos do seguro de vida dele... e tenho quase certeza de que vai pagar tudo.

Maggie olhou fixamente para o nada.

– Ele sempre me disse que o nosso plano de saúde cobria tudo.

– Ele quis que você tivesse o melhor.

– Eu preferia tê-lo aqui.

Baxter se recusou a chorar de novo. Ultimamente parecia que ela havia passado metade de suas horas acordada chorando.

– Você... você acha que foi por isso que ele... por que ele...?

Baxter concordou com a cabeça e precisou secar os olhos.

Maggie começou a folhear distraidamente a pilha, chegando à velha fotografia de Finlay e Christian na frente do armazém em chamas.

– Desculpa. Não era pra isso estar aí – disse Baxter, sentindo-se culpada por tê-la pegado sem permissão.

Maggie devolveu a foto com um sorriso, lembrando-se de como ela havia enfaixado o braço do marido na primeira vez em que se viram. Mas então ela franziu o cenho e pegou um pedaço de cartão velho com a caligrafia desajeitada de Finlay:

Como você ainda não entendeu isso, porra?

Baxter saltou da cadeira e estendeu o braço sobre a mesa, mas Maggie segurou o papel um pouco além do alcance da policial, franzindo cada vez mais as sobrancelhas enquanto continuava a ler.

– Maggie, não! – disse ela, derrubando seu chá enquanto lutava para libertar suas pernas compridas da banqueta.

Mas era tarde demais.

Os olhos de Maggie percorreram as linhas e então ela dobrou o bilhete, devolvendo-o a Baxter.

– Sinto muito, muito mesmo… Espera, você está sorrindo! – exclamou Baxter, confusa.

– Estava só pensando: seriam 4 libras de punição pelos palavrões e um tapa na orelha se ele ainda estivesse aqui.

– Ele… escreveu isso pra você? – perguntou Baxter.

– Ah, muito provavelmente não. Nunca vi isso antes.

– Mas… – Baxter estava perplexa com o aparente desinteresse de Maggie na demonstração apaixonada de seu marido por uma terceira pessoa. – Você não está… *chateada*? Não que eu queira que você esteja.

– Não, querida.

– Nem curiosa?

– Não, querida. Seja lá o que isso for, tenho certeza de que há uma explicação perfeitamente razoável… Vou pegar um pano pra secar isso – disse ela, levantando-se da mesa.

– Mas está escrito com a letra dele! – Baxter deixou escapar, incapaz de se conter.

– Ah, sem dúvida.

– Então, como você pode não querer saber?

Maggie riu e segurou as mãos de Baxter, sentindo que sua amiga precisava ouvir que Finlay ainda era o homem que ela acreditava que ele fosse. Reassumindo sem esforço o papel maternal do qual havia sido privada na última semana, Maggie recebeu de braços abertos esse retorno fugaz à normalidade.

– Emily, se tem *uma* coisa nessa vida da qual eu tenho certeza... pela qual eu apostaria minha vida sem um segundo de hesitação... é que o Fin me amava tanto quanto alguém pode amar outra pessoa. – Ela apertou as mãos de Baxter com força e sorriu. – Então, que tal outro chá?

Capítulo 8

Sexta-feira, 9 de novembro de 1979
11h10

Christian bufou de frustração.

Ele se sentou e deu um tapa no próprio rosto para evitar que voltasse aos seus devaneios.

– Não consigo tirar aquela enfermeira da cabeça – disse ele enquanto Finlay dirigia pela Cochrane Street em Glasgow, a garoa se acumulando no vidro, a cena deprimente levando seus pensamentos para outro lugar. – Qual é mesmo o nome dela? Megan? Mandy?

– Maggie – respondeu Finlay rispidamente, elevando a quantidade de palavras pronunciadas naquele dia para dois dígitos.

– Maggie! – Christian meneou a cabeça. – Claro. A bela Maggie e sua bela bunda!

Tenso, Finlay precisou morder a língua enquanto eles seguiam em direção ao endereço rabiscado em um pedaço de papel sobre um guia de mapas cheio de orelhas.

– Opaaaaa! Que gata! – comentou Christian, olhando boquiaberto para alguém na rua, como sempre tratando a viagem como uma espécie de safári urbano pervertido.

Finlay estava de saco cheio.

– Ela é muito mais do que uma "bela bunda".

Intrigado, Christian olhou de volta para a mulher pela qual haviam passado.

– Ela não! – retrucou Finlay, irritado. – A Maggie!

Christian parecia totalmente perdido.

– Está falando de... peitos e coisas assim?

– Você é mesmo um idiota, né?!

– O que que deu em você?

– Nada.

O trânsito foi ficando mais lento até eles pararem em um cruzamento.

– Ah! Peraí – disse Christian. – Já entendi! Você gostou dela!

Finlay o ignorou.

– Gostou, não gostou? – Ele deu uma gargalhada, enfurecendo Finlay ainda mais e com isso ganhando um soco rápido nos rins. – Desculpa. Eu não deveria rir – disse ele, esfregando a lateral do corpo. – Só acho que você deveria usar os seus pontos fortes.

– Que seriam?

Christian sorriu.

– Bom... Se ela aparecer com um cão-guia e uma bengala, *quem sabe* você tem uma chance.

Aquele comentário justificou um belo soco no estômago.

Com dificuldade de respirar, Christian se curvou e, no momento em que apoiou a cabeça no painel, o para-brisa estalou acima dele.

Sem entender nada, Finlay olhou para o encosto de cabeça do banco do carona, completamente destruído, depois para as inúmeras rachaduras que serpenteavam o vidro, todas surgindo de um único orifício circular.

– Fin! – gritou Christian, puxando o parceiro para baixo enquanto mais três balas atingiam a lataria da viatura, uma atrás da outra.

Houve gritos na rua enquanto as pessoas corriam para se proteger.

Finlay e Christian se entreolharam abaixados sob o painel.

– Tira a gente daqui! – gritou Christian.

Ajeitando-se no banco da melhor forma possível, Finlay engatou a marcha a ré. Ele pisou fundo no acelerador, jogando-os contra a van atrás deles; a colisão quebrou o para-brisa já enfraquecido sobre o capô e o painel.

Houve mais dois estalos metálicos quando o tiroteio recomeçou.

– Vai, Fin!

As engrenagens rangeram, as rodas giraram contra o asfalto molhado enquanto Finlay os tirava do engarrafamento e os levava para o outro lado da pista. Mal conseguindo controlar o carro danificado, eles passaram por cima do meio-fio e dispararam pela George Square, colidindo contra a estátua de bronze de Thomas Graham.

Com a cabeça sangrando, Christian pegou o rádio no chão coberto de vidro. Ao levantar o microfone para falar, viu as entranhas do equipamento balançando inutilmente na outra extremidade do cabo.

– Acho que estamos por conta própria.

– Bom, a gente não pode ficar aqui – disse Finlay.

Ele tentou forçar a abertura da porta, o metal amassado se recusando a ceder, enquanto a saída de Christian estava bloqueada pela base da estátua.

– Por aqui! – gritou Christian, usando a trégua temporária do tiroteio para escalar pelo buraco onde antes havia o para-brisa e por cima do capô.

Finlay seguiu seu parceiro pela praça descampada, cercada de prédios por todos os lados. A torre com cara de igreja da câmara municipal contra o céu escuro parecia um mau presságio, enquanto cada um deles se protegia atrás de uma árvore.

– Precisamos achar um telefone! – disse Finlay, ofegante.

– Do outro lado da praça – respondeu Christian assim que o tiroteio recomeçou. – Que *porra* de semana é essa? – gritou em meio ao barulho.

– Carma – respondeu Finlay, enquanto o atirador fazia uma pausa, lançando ao parceiro um olhar que poderia muito bem ser um dedo acusador.

– Não. – Christian riu. – Não acredito nessas coisas.

Tiros ecoaram entre os edifícios mais uma vez.

– Por que você não vai lá e fala isso pra ele? – gritou Finlay de volta.

Os galhos acima deles tremiam no ritmo dos estampidos ensurdecedores, as folhas mortas caindo feito uma neve castanho-avermelhada ao redor deles.

– Ei! – sussurrou Christian.

Finlay estava olhando para as inúmeras janelas que davam para o local enquanto os poucos civis restantes se escondiam, tentando ficar em segurança.

Um silêncio assustador se abateu sobre a praça.

– Ei! – chamou Christian, mais alto desta vez.

– O que foi? Estou pensando.

– Escuta... Ele está atirando em rajadas de oito. Aí tem uma pausa enquanto recarrega.

– Ah, que ótimo.

– Eu consigo – afirmou Christian.

– Não... Não consegue, não.

Prendendo o cabelo num rabo de cavalo, Christian olhou ansiosamente para a cabine telefônica do outro lado da praça.

– Eu vou até lá – disse ele, decidido, posicionando-se enquanto o tiroteio recomeçava.

A poeira do concreto espirrava ao redor deles conforme as balas desperdiçadas enchiam o espaço vazio.

– A gente vai ficar onde está! – gritou Finlay. – Os reforços vão chegar!

Houve uma nova pausa.

– Na próxima leva – sussurrou Christian.

– Você não vai conseguir!

O atirador começou a disparar mais uma vez, sua pontaria melhorando conforme estilhaços de casca voavam dos troncos, bem ao lado da cabeça deles.

– Foram cinco! – contou Christian. – Seis!

– Christian!

– Sete!

Finlay arriscou expor seu braço para tentar agarrar o amigo impulsivo.

– Oito!

Christian se levantou e correu pela área aberta.

– Seu idiota... – praguejou Finlay, observando, e então outro estalo agudo preencheu o ar.

Houve um berro de dor e Christian caiu no chão molhado.

– Christian! – gritou Finlay, incapaz de se mover sem correr o risco de ter o mesmo destino. – Christian?!

– Nove!

– Quê?

– Nove!

– Eu não consigo te ouvir! – gritou Finlay. – Mas foram *nove*, seu idiota!

– Fui atingido!

– O quê?

– Fui atingido!

– Você foi atingido? Estou indo aí!

Desafiando o risco no trajeto entre uma árvore e outra, Finlay alcançou a última delas, de onde pôde ver sangue fresco brilhando no chão. Ele tinha pelo menos dez metros à sua frente para alcançar a estátua para trás da qual Christian tinha se arrastado.

O silêncio voltou, tão tranquilo quanto um tubarão desaparecendo debaixo d'água.

Alcançando a maior pedra que conseguiu encontrar, Finlay a atirou na direção oposta e percorreu a curta distância em segundos enquanto o som da distração ecoava pela praça cercada. Christian estava deitado em uma poça do próprio sangue, segurando as duas mãos firmemente sobre a nádega direita.

– Eu disse que você não ia conseguir – disse Finlay com uma expressão horrorizada. – Você levou um tiro... na bunda?

– Tem muito sangue!

– Bom, você levou um tiro na bunda! – argumentou Finlay.

Sirenes se aproximavam ao sul.

– A gente precisa estancar o sangramento – gemeu Christian.

– Eu não vou pegar na sua bunda! – disse Finlay, mas Christian não respondeu, pois havia acabado de perder a consciência. – Eu odeio a minha vida – murmurou ele enquanto relutantemente colocava as mãos sobre o buraco na calça do parceiro.

Observando ansioso as janelas acima deles, Finlay lentamente começou a se dar conta de que aquele confronto entre um doido com um fuzil e o traseiro mole do amigo imprudente poderia muito bem ser a melhor coisa que já havia acontecido com ele... porque aquilo poderia levá-lo de volta até Maggie.

Ao cruzar as portas da Emergência, Finlay a avistou, tão linda quanto se lembrava. Mesmo a comadre pela metade nas mãos dela não seria capaz de mudar aquilo.

– Ferimento à bala! – anunciou orgulhoso o mais jovem dos dois paramédicos, atraindo a atenção de Maggie enquanto eles passavam.

Tirando a mão da nádega do amigo, Finlay deu a ela um aceno cheio de sangue.

– O que aconteceu? – perguntou ela, aproximando-se.

– Um tiro – murmurou Christian, de bruços na maca. – Na bunda.

– E *este aqui* se recusou a deixá-lo durante todo o caminho – informou o outro paramédico, com as sobrancelhas erguidas. – Dissemos que poderíamos lidar com isso, mas ele insistiu em vir. – Quando chegaram a outro conjunto de portas duplas, ele se voltou para Finlay e disse: – Agora pode deixar com a gente.

Finlay observou enquanto eles levavam Christian para outra sala.

– Achei fofo você ficar segurando… as pontas com ele – comentou Maggie.

– Sim. Bom, ele é o meu melhor amigo, né?

– Bom, pelo menos deixa eu limpar você – disse ela, conduzindo Finlay pelo corredor enquanto ele resistia bravamente a não olhar para a bunda dela. – Tenho certeza de que ele vai ficar bem.

– Quem? Ah, o Christian! Espero que sim.

Eles chegaram a uma pia, onde ela gentilmente lavou as mãos dele sob a torneira, revelando uma fina teia de lacerações por conta do para-brisa estilhaçado. Ele tinha certeza de que suas palmas deveriam estar ardendo, mas não conseguia sentir nada além das mãos delicadas dela tocando as dele.

– É engraçado que isso tenha acontecido – disse ele, nervoso.

– Engraçado?

– Não engraçado a ponto de fazer rir. Só quis dizer que… fiquei feliz.

– Feliz?

– Sim.

– Que o seu amigo levou um tiro?

– Não. Não foi o que eu quis dizer – corrigiu ele.

– Espero que não.

O corpulento escocês estava tão corado quanto no dia em que convidou Jessica Clarke para o baile da escola. Se ela tivesse dito sim, a memória poderia ter sido mais útil para ele naquele momento.

– Eu estava falando *desta parte*… Poder ver vo...

– Maggie! – gritou uma enfermeira nervosa, aparecendo na porta.

Finlay a fuzilou com os olhos.

– Estão precisando de você imediatamente!

– Desculpa! – falou Maggie e sorriu para Finlay, secando as mãos enquanto corria atrás da colega.

– Eu vou... Eu vou te esperar, tudo bem? – disse ele, as mãos pingando pelo corredor.

– Me esperar? – retrucou ela, rindo e virando-se para andar de costas, sem poder parar. – Como se você fosse sair do lado dele!

– De quem? Ah, do Christian! – exclamou ele quando ela foi engolida pelas portas de vai e vem.

Finlay enfiou o saco plástico de evidências no bolso, sem acreditar muito que seriam capazes de descobrir algo de útil a partir de uma bala manchada de sangue. Ele pisou nas brasas agonizantes de mais um cigarro, o quarto durante a conversa com seu inspetor-chefe, enquanto caminhava pelo estacionamento do hospital.

Uma busca inicial nos prédios ao redor da George Square encontrou duas cápsulas vazias, presumivelmente deixadas para trás durante uma limpa feita às pressas, apontando o andar vazio que o atirador havia escolhido como posição estratégica. Discutiram a possibilidade de o incidente estar de alguma forma ligado à apreensão no estaleiro quatro dias antes, e então a perspectiva igualmente plausível de o ataque ser dirigido à Polícia de Strathclyde em geral: Finlay e Christian estavam dirigindo uma viatura caracterizada e havia ocorrido um aumento drástico nos índices de violência injustificada contra policiais uniformizados nos meses anteriores.

A conclusão foi a de que provavelmente nunca conseguiriam chegar a lugar algum.

Com o pretexto de passar adiante a mensagem de "Melhoras" repleta de insultos enviada pelo pessoal do departamento, Finlay voltou para dentro e encontrou Maggie rindo incontrolavelmente de algo que Christian tinha dito. Nenhum deles o notou parado no canto.

– O que você está pensando em aprontar? – perguntou Christian, fingindo preocupação.

– Nem queira saber – disse Maggie, ainda sorrindo enquanto removia o curativo ensanguentado. – Parece que você vai ter que passar a noite.

– Não quer nem sair pra jantar ou alguma coisa assim primeiro? – continuou Christian, olhando para ela e fazendo graça.

– Passar a noite aqui no hospital – esclareceu ela com um sorriso malicioso, removendo propositalmente uma camada de pele junto com o esparadrapo velho. – Você tem pela frente uma noite fazendo xixi na garrafa, medindo a pressão arterial de hora em hora e ouvindo o programa romântico da rádio do hospital. Divirta-se!

– E por acaso *você* vai estar trabalhando esta noite? – perguntou ele.

– Não.

Ele se deitou de bruços, emburrado.

– Que pena.

– Pra você, talvez. Eu vou sair.

– Sair? Pra onde? Um encontro?

Maggie continuou o que estava fazendo como se não o tivesse ouvido.

– Com quem? É sério? Namorado? Noivo...? Tá aí ainda? – perguntou ele, genuinamente incapaz de sentir qualquer coisa muito abaixo da cintura.

– Sim. Estou esperando você fazer alguma pergunta que seja de fato da sua conta.

Finlay deu um pigarro.

Maggie olhou para ele com uma expressão de culpa.

– Como está o nosso garoto? – indagou ele.

– Irritante.

– Ei! – reclamou Christian.

– Mas vai ficar bem.

– Ótimo. Então, tá combinado semana que vem? – perguntou Christian a ela.

Finlay sentiu como se tivesse levado um soco no estômago, mas então seu parceiro olhou para ele.

– A Maggie e umas amigas vão aparecer pro nosso happy hour do trabalho.

Finlay ficou confuso.

– Nosso o quê?

Revirando os olhos, Christian se virou para Maggie. Ela levantou os braços irritada quando a atadura caiu, reintroduzindo as nádegas nuas dele no quarto.

– Então, tá combinado? – perguntou ele novamente.

Fingindo irritação, ela bufou resignada.

– Sim. Combinado.

Capítulo 9

Sexta-feira, 8 de janeiro de 2016
12h43

Baxter destrancou a porta de seu Audi A1 e entrou no carro, tentando ignorar a tinta lascada e o amassado no para-choque dianteiro que ela ainda não tinha conseguido consertar desde que havia batido contra uma parede duas semanas antes.

– Desculpa, Blackie – disse ela, dando tapinhas no painel.

Ela tinha tomado mais duas rodadas de chá com Maggie antes de pedir licença e ir embora; a manhã fora muito mais desgastante do que esperava.

Era tudo culpa de Wolf.

Ambos haviam recebido a notícia devastadora da morte de Finlay com o mesmo inabalável comedimento de costume. Independentemente do que pudessem estar sentindo de fato, ambos haviam canalizado a dor para algo positivo: ajudar Maggie e a família com qualquer coisa de que viessem a precisar. Isso trouxe Wolf de volta para suas vidas com a graciosidade de sempre, levando consigo seus próprios problemas não resolvidos na forma de teorias questionáveis, apresentadas com convicção suficiente para provocar uma faísca de esperança em cada um deles: a esperança de que Finlay não achava que estivesse sozinho, de que não a havia abraçado por um segundo a mais do que o normal ao se despedir sabendo que era a última vez.

Xingou em voz baixa ao perceber que estava chorando de novo. Baixando o quebra-sol para verificar o estrago causado à maquiagem, ela notou uma figura se aproximando com o andar desajeitado de um homem bem maior do que realmente era, o vento soprando seu casaco para trás como uma capa de super-herói, sem dúvida a razão pela qual ele a usava. Ela observou quando Wolf abriu o frágil portão que protegia o jardim de Maggie antes de entrar na casa.

– Desgraçado… – disse ela entredentes, escancarando a porta do carro.

Disparando pela antessala, Baxter ouviu passos pesados cruzando o patamar acima dela.

– Wolf! – gritou ela.

Maggie apareceu na porta da cozinha, perguntando-se quem estaria em sua casa.

– Tá tudo bem, Maggie – afirmou Baxter, já subindo a escada. – Wolf!

Ela chegou ao topo dos degraus e o encontrou sentado no meio do quarto vazio, de costas para ela e com a cabeça entre as mãos.

– O que está fazendo aqui? – indagou ela, cruzando o portal quebrado.

– Achei que pudesse ter deixado passar alguma coisa… Não deixei.

Ele havia colocado a cadeira caída sobre as tábuas manchadas de sangue, sentando-se na mesma posição que acreditava que Finlay tinha escolhido para seus minutos finais. Um ar de derrota o dominava.

– Estou perguntando por que você voltou pra cá, de modo geral – explicou Baxter. – A gente estava bem sem você… Estávamos melhor sem você.

Wolf olhou para ela e assentiu.

– E então? – insistiu ela.

– Eu só… só achei que pudesse ajudar.

– Ajudar? – Baxter riu, ofendida. – Tudo o que você fez até agora foi prolongar a dor da Maggie. Como se ela já não tivesse sofrido o suficiente!

– Ele jamais se mataria! – argumentou Wolf, erguendo a voz, mas nem mesmo ele parecia acreditar mais naquilo.

Baxter correu para fechar a porta quebrada.

– Cala a boca! Você… é… ridículo – disse ela. – E devia *mesmo* ser preso. Sabe bem que não é o mocinho dessa história, né? Você não é um herói incompreendido. Não é um pobre coitado que carrega um fardo nas costas e está atrás de redenção. Você é só um fodido que arrasta as pessoas ao redor pro buraco junto com você.

Embora bastante acostumado a ser atacado por Baxter, Wolf pareceu um pouco surpreso.

– Vai à merda, Wolf – esbravejou ela.

Incapaz de lidar com os brilhantes olhos azuis dele voltados para ela como um cachorrinho abandonado, ela se virou para a porta e girou a maçaneta.

Tentou de novo.

– Merda.

– Algum problema? – perguntou Wolf.

– Não.

Alguma coisa estalou alto.

– Merda!

– Deixa eu tentar – disse Wolf, se levantando. Mas, no momento em que ela lhe entregou a maçaneta de metal quebrada, ele pareceu bem menos confiante. – Vou dar um jeito.

Baxter chegou um passo para o lado e cruzou os braços.

Wolf se aproximou da porta. Ele olhou da maçaneta em sua mão para o buraco que ela havia deixado na porta, depois de volta para Baxter, que fez um gesto de "Vai logo, então" para ele. Após ter chegado a um plano de ação, retornou à saída obstruída, levantou as mãos e então bateu contra a madeira o mais alto que pôde.

– Maggie! Maggie!

Alguns segundos depois, eles ouviram um movimento do outro lado da porta.

– Will?

– Maggie – chamou Wolf. – Estamos trancados aqui.

– Ai, meu Deus.

– A maçaneta ainda tá presa aí fora?

– Tá sim.

Wolf aguardou, mas nada aconteceu.

– Maggie?

– Sim?

– Será que você pode abrir? – perguntou ele pacientemente.

– Ah, sim.

Nada aconteceu.

– Você consegue girar a maçaneta?

– Consigo.

Mesmo assim, nada aconteceu.

– Maggie? Será que você *pode* girar a maçaneta?

– Não.

O som de seus passos desaparecendo escada abaixo cortou o silêncio glacial dentro do quarto. Wolf se virou para Baxter e sorriu.

Ela parecia bastante irritada.

– Ela vai deixar a gente sair daqui a uns cinco minutos – disse ele, confiante. A porta de entrada da casa bateu. – Dez no máximo.

O motor da Mercedes foi ligado na garagem.

– Merda.

Ele saiu do caminho quando Baxter se aproximou, enfiando a ponta dos dedos no espaço onde a maçaneta ficava antes. Como isso não surtiu nenhum efeito, ela se agachou e tentou abrir a porta por baixo. Usando todo o seu peso para fazer força contra o portal, ela conseguiu apenas criar uma grande rachadura que se estendeu pelo reboco em forma de raio.

– Você vai arrebentar a parede inteira – disse Wolf, sentando-se no chão empoeirado.

– Ahhhhh! – berrou Baxter, frustrada.

Ela saiu batendo pé até o outro lado do cômodo e afundou no chão.

– Talvez – começou Wolf – este seja um bom momento pra...

– Por favor, não fala comigo – interrompeu ela.

Ela fechou os olhos e desejou ser capaz de adormecer naquele instante.

Trinta e cinco minutos se passaram.

Inflexível, Baxter manteve os olhos fechados o tempo todo, enquanto se irritava cada vez mais com os roncos suaves que emanavam de Wolf, que havia caído no sono quase imediatamente.

Ela se encolheu por conta do frio e abriu um olho com cautela: ele estava sentado, encostado na parede, cabeça para trás e boca aberta, exatamente onde ela o havia deixado. Parecia exausto, mesmo dormindo, e todo largado: a barba desgrenhada, os cabelos despenteados, a maneira como o casaco caía sobre seu corpo, roubando-lhe a presença que ele sempre impunha tão facilmente. Era como se o "fogo" que tanto havia lhe feito mal ao longo dos anos finalmente tivesse se apagado. Foi inevitável para ela se lembrar de se sentir exatamente da mesma forma em relação a Lethaniel Masse, vestido com seu macacão azul e algemado a uma mesa no presídio de Belmarsh.

Mesmo as chamas mais violentas estão destinadas a se apagar no final.

Ele parecia em paz. Ela estendeu a mão para pegar um parafuso largado no chão e o arremessou do outro lado da sala em cima dele. Acertando-o em cheio na testa, o parafuso ricocheteou no piso e ela fingiu dormir novamente.

– O quê...? – reclamou Wolf, colocando a mão na cabeça enquanto olhava confuso ao redor da sala.

– Se importa de fazer silêncio? – perguntou Baxter. – Tem gente tentando dormir.

Wolf bocejou alto.

– Posso falar uma coisa?

– De jeito nenhum.

– Você não tem o menor direito de ficar chateada comigo desse jeito – disse ele mesmo assim.

– É sério? É assim que vai abrir o seu discurso?

– Está com raiva de mim por eu ter ido embora... mas foi *você* quem me mandou ir embora! – disse Wolf, mais exaltado que exatamente irritado. – Porque eu me lembro de uma certa pessoa mijando sangue no chão e eu, cumprindo muito bem o papel de "herói incompreendido", disposto a me entregar pra te salvar. *Você* disse pra *eu* ir embora!

– Nunca passou por essa sua cabeça idiota que talvez, apenas talvez, você nunca deveria ter me colocado naquela situação pra começar?! – rebateu Baxter, mais irritada que exaltada. – Fiquei sem notícias suas por dezoito meses!

– O que você esperava? – perguntou Wolf, elevando o tom de voz. – Depois de tudo que você arriscou pra me ajudar? Eu sabia que eles iam estar de olho.

– Tem alguma ideia do que eu passei nesse último mês?

Wolf abriu a boca para responder, mas apenas meneou a cabeça tristemente.

Seus olhos foram atraídos de volta para os pontos e as numerosas feridas salpicadas no rosto dela.

Baxter colocou a cabeça entre as mãos.

Hesitante, Wolf se levantou de onde estava para se sentar no chão ao lado dela.

– Naquela noite – suspirou ele, apoiando a cabeça na parede –, quando você estava em todos os jornais... Tenho a imagem gravada na minha mente: você parada lá, no topo da cidade, nada além de alguns cacos de vidro quebrado entre você e o mundo lá embaixo. – Ele parecia angustiado. – Ele me disse pra ficar longe de você.

– Finlay? – perguntou Baxter, nitidamente magoada.

– Pedi a ele pra se encontrar comigo. Ele não quis. Falou que você estava com alguém... Thomas?

Ela não respondeu.

– Contou que você tinha um novo parceiro, o agente da CIA e o Edmunds, e... – A voz de Wolf falhou levemente. – Ele me disse que você sempre teria ele e a Maggie pra cuidar de você.

Ambos precisaram de alguns segundos.

– É por isso que você tinha tanta certeza? – quis saber Baxter. Wolf deu de ombros. – Nós dois já vimos suicídios suficientes ao longo dos anos pra saber que as pessoas são capazes de muitas coisas. Mas isso não significa que não tenha alguma coisa ali... no fundo... alguma coisa que estava lá o tempo todo.

Wolf assentiu e olhou para o chão manchado no meio do quarto. Ele franziu a testa.

– O que foi? – perguntou Baxter.

Wolf olhou para onde eles estavam sentados, as engrenagens girando em sua mente enquanto ele se ajoelhava.

– O que foi? – repetiu ela.

– Por que tem um degrau na entrada deste quarto? – perguntou ele de maneira retórica, pegando um cinzel e forçando-o entre duas tábuas do chão.

– Wolf!

A tábua de madeira se soltou em uma das extremidades, permitindo que ele pudesse enfiar os dedos por baixo e forçá-la para cima, apesar dos protestos de Baxter.

– Feliz agora? – perguntou ela quando ele previsivelmente só descobriu vigas de madeira e tubos de metal correndo sob o piso. – Meu Deus! Quando eu acho que tá sendo possível conversar com você... O que está fazendo?!

Ele tinha ido até um ponto diferente do quarto, prendendo a ferramenta na abertura estreita entre as tábuas.

– O Finlay construiu isso!

A tábua lascou quando ele a arrancou do chão, novamente apenas desenterrando as fundações de madeira do cômodo.

– Wolf – disse Baxter com delicadeza. Ela não conseguiu ficar com raiva dele enquanto assistia àquela tentativa desesperada de última hora de atribuir algum tipo de significado à perda que todos haviam sofrido. – O Finlay tirou a própria vida. Ele deixou todo mundo, não deixou só você.

Wolf parecia não escutá-la. Ele foi para o canto do quarto, removeu mais duas tábuas do chão e já estava trabalhando em uma terceira.

– Quando você foi embora – começou Baxter, achando que nunca diria aquilo em voz alta –, o Finlay me disse que parecia que ele tinha perdido um...

Ela fez uma pausa ao ver a expressão no rosto de Wolf no momento em que ele levantou uma quarta tábua com facilidade, como se ela nem sequer tivesse sido pregada. Ele se levantou e esfregou o queixo empoeirado.

85

– Acha que isso é sangue? – perguntou ele casualmente.

Baxter caminhou lentamente até o buraco que ele havia exposto, com apenas quatro tábuas de madeira de largura e não muito mais que trinta centímetros de profundidade. Levando em conta as linhas perfeitas e o metal brilhante, estava claro que Finlay havia construído aquele espaço na estrutura do quarto com um propósito específico em mente, supostamente um local mais seguro para esconder uma arma de fogo ilegal e uma coleção crescente de cartas ameaçadoras.

A base metálica estava manchada com listras vermelhas desbotadas.

– Cabe uma pessoa… ou quase – comentou Wolf, caminhando até a janela, um sentimento confuso de raiva e alívio percorrendo seu corpo. – Acha que o Finlay não estava sozinho aqui, no fim das contas?

Baxter estava sem palavras.

– Você pode chamar a perícia aqui, por favor? – pediu ele, pegando seu próprio telefone. – E preciso falar com o primeiro policial que chegou aqui no dia do crime.

– Claro – respondeu ela, incapaz de desviar os olhos do espacinho vazio que mudava absolutamente tudo, que estivera ali sob seus pés o tempo todo. – Pra quem você tá ligando?

– Pra Vanita – respondeu Wolf, levando o celular ao ouvido. – Preciso dizer a ela que não posso ser preso ainda… Acho que temos um assassino pra pegar.

Capítulo 10

Sexta-feira, 8 de janeiro de 2016
13h37

Pelo menos o equivalente a 2,50 libras em almôndegas suecas caíram na calçada enquanto Thomas olhava boquiaberto para a Catedral de São Paulo em ruínas. A cobertura de plástico ondulava e se amarrotava ruidosamente, como curativos sobre um ferimento, enquanto um zumbido perturbador ressoava de algum lugar lá dentro conforme o vento inundava as câmaras e corredores para rugir ao redor de sua opulenta basílica.

Ele não tinha a intenção de visitar o local no topo da cidade, com a certeza de que haveria uma quantidade suficiente de turistas curiosos congestionando os arredores, até que encontrou a cratera deixada pela explosão. O concreto parecia ter explodido em direção ao céu, como se um vulcão houvesse entrado em erupção, esguichando destroços e pedras para cima. Como já estava nas proximidades, a curiosidade foi mais forte que ele; Thomas pegou seu casaco caro da Pret A Manger e foi ver o evento principal.

Ele desejou não ter feito isso.

Não havia o glamour típico de cenários de filme naquela catástrofe, nenhum senso de camaradagem a ser encontrado entre as multidões que viam o mundo através da tela do celular, nenhum artista desses de hoje em dia, de paleta na mão e pelos faciais excêntricos, restaurando meticulosamente a obra de arte – apenas o resultado sombrio da violência e um mar de operários da construção civil sentados comendo sanduíche.

Baxter havia participado daquilo.

Sentindo o familiar embrulho na boca do estômago, Thomas se lembrou do caos de uma cidade afundando na neve. E ver ao vivo aquela cena lamentável finalmente fizera os acontecimentos daquela noite surreal parecerem reais.

Era mais fácil ignorar que, no rastro de todo bom conto de fadas, jaz o cadáver em decomposição de um monstro derrotado em algum lugar da floresta.

Ansioso por retornar à sua abençoada ignorância, ele abriu caminho para fora da aglomeração e ressurgiu em Ludgate Hill. Capaz de respirar novamente, partiu rumo ao seu compromisso das duas da tarde. No meio do caminho, parou do lado de fora de uma joalheria, lembrando-se de que Baxter havia perdido um de seus raramente usados brincos em algum lugar do St. James Park. Ele examinou a vitrine meio perdido, pois não tinha ideia de como os brincos eram; além disso, estava ciente de que a pilha de presentes de Natal que sua namorada tinha recebido – e que ainda estavam fechados – crescia a cada dia. Havia se tornado um ritual da hora do almoço vasculhar a cidade em busca do presente perfeito, em busca de algo que pudesse levantar seu ânimo pelo menos um pouquinho, fazer com que ela soubesse quanto significava para ele, talvez até mesmo rivalizar com aquele pinguim de pelúcia ridículo sem o qual ela se recusava a dormir.

Escolheu um deles, confiante apenas de que havia feito a escolha errada, e entrou.

* * *

– Inspetora-chefe Baxter – disse Joe com um sorriso malicioso ao entrar no corredor de Maggie com seu kit de perícia em mãos. – Se eu não te conhecesse, pensaria que está tentando me evitar.

– Você não me conhece – informou Baxter. – Eu estava mesmo.

Joe imitou um gato bufando e a seguiu escada acima.

– Não precisa lutar contra os seus sentimentos – continuou ele. – Nós dois sabemos que tem alguma coisa entre a gente.

– Existe uma quantidade imensa de coisas entre a gente… e eu pretendo manter assim.

– Mas estou te conquistando. – Ele sorriu. – Dá pra ver.

Eles entraram no quarto vazio, onde Christian já esperava por eles.

– Com licença, vovô – disse Joe, aparentemente sem reconhecer o comissário da Polícia Metropolitana enquanto colocava sua caixa de equipamentos ao lado do buraco no chão.

Passos pesados se ouviam na escada atrás deles, e então Wolf apareceu na porta com o celular na mão.

– Ainda estou tentando falar com o policial que chegou aqui primeiro no dia – anunciou ele, indo para o meio do cômodo. – Então, o que pensei até agora foi o seguinte… O nosso assassino…

– Suposto assassino – apontou Christian.

– … atirou e matou o Finlay. Ele viu as fotos da Maggie lá embaixo, as coisas dela pela casa inteira, então sabia que alguém ia voltar em breve. Ele… limpou a arma, colocou na mão do Finlay e o reposicionou pra fazer com que parecesse suicídio. Ele…

– Ou *ela*, seu machista de merda – interrompeu Baxter.

– … fechou a porta… esvaziou uma garrafa de selante em volta do portal… entrou no vão, puxou as tábuas soltas sobre si e esperou.

Por um segundo, Wolf pareceu estar perdido em sua própria imaginação.

– Alô? – disse Joe, sorrindo.

– Sim. Oi – respondeu Wolf, distraído. – Então, o que vocês acham?

Christian parecia hesitante; Baxter, mais ainda.

– Acho que você está se esquecendo de uma coisa – disse Christian. – A mensagem de texto que ele me enviou. Pode muito bem ter sido um bilhete de despedida.

– Você falou que ele tentou te ligar alguns minutos antes, não foi? – perguntou Wolf.

– Isso mesmo.

– Talvez ele estivesse pedindo ajuda…

Christian pareceu nauseado.

– Não me diz uma coisa dessas.

– … e aí teve que ligar pra polícia quando a situação ficou mais desesperadora.

– Ele *realmente* teria parado pra me mandar uma mensagem no meio disso tudo?

– Talvez – murmurou Baxter, olhando para o nada. – Se ele tivesse certeza de que ia morrer.

Os três ficaram em silêncio enquanto Joe, indiferente, descarregava ruidosamente sua caixa de brinquedos.

– Então tá. O que vocês têm aí pra mim? – perguntou ele, depois de vestir um macacão de proteção, apertar o elástico da máscara e lançar um olhar de tristeza para a rede de cabelo que não seria necessária. Ele ligou uma lanterna, se agachou e enfiou a cabeça sob o assoalho. – Ah, sim! Com certeza é sangue! – anunciou ele, antes de gesticular em direção a Christian, sem desviar os olhos das manchas. – Bisturi… Bisturi! – gritou ele quando o comissário não fez o que ele pediu.

Embora nitidamente tentado a dizer algo, Christian entregou ao braço agitado o item solicitado.

– Caixa! – ordenou Joe, estalando os dedos.

Novamente, Christian obedeceu com relutância.

Eles ouviram o lacre se fechar. Joe lhe devolveu a caixa sem voltar à tona.

– Bingo! Parecem marcas de arranhões! – gritou ele, sem a menor necessidade. – Sim, definitivamente tinha alguém aqui. Temos fios de cabelo… talvez fibras de tecido. – Ele saiu de dentro do buraco e puxou a máscara sobre a cabeça brilhante. – Cadê o Saunders e o Edmunds?

– Foram buscar os arquivos de uns casos antigos na Escócia – respondeu Wolf. – Por quê?

– Vou precisar de amostras de DNA de cada um pra descartar vocês – explicou ele. – Quanto antes melhor.

O telefone de Baxter começou a tocar. Ela olhou para a tela:

Holly (veterinária/amiga piranha)
☎ Chamada recebida

Ela deveria trocar aqueles detalhes. Correu para o patamar antes de atender.

– Oi. Estou meio ocupada agora. Tá tudo bem? – perguntou Baxter, escolhendo suas palavras com cautela. – Ele o quê...? Tá. Fica calma. Sim... Vou praí assim que puder. Tá bem. Tchau.

Quando ela voltou para o quarto, todos a aguardavam ansiosamente.

– Tudo bem? – perguntou Wolf.

– Preciso resolver uma coisa – disse ela, recolhendo seus pertences.

– Uma coisa mais importante do que isso aqui? – questionou Wolf.

– Aham – respondeu ela, dirigindo-se para a porta.

– Isso aqui provavelmente vai demorar um pouco – informou Joe, dissipando a crescente tensão no local.

– E... – disse Christian a Wolf – você tem que ir à entrevista coletiva.

Aquela descoberta tinha dado a Wolf um pouco mais de tempo, o que levou Vanita a anunciar formalmente o envolvimento dele no caso. Considerando "consultor" um termo vago o suficiente para cobrir as complexas, sem precedentes e, sem dúvida, controversas particularidades do acordo realizado entre eles, ela decidiu se antecipar ao ataque da mídia.

– Vai ser bom eu ficar um tempo com a Maggie – acrescentou Christian.

Como era de se compreender, aquele último desdobramento da investigação estava sendo mais difícil para ela, e nenhum deles queria deixá-la sozinha em seu estado atual.

– Você não deveria estar lá? – perguntou Baxter, pairando na porta.

– Por que *esse cara* estaria lá? – perguntou Joe.

– Esse showzinho é da Vanita – disse Christian, ignorando-o. – Por mim, pode ficar à vontade... Além do mais, ela vai dizer o que eu mandar.

– Mais uma vez – começou Joe, agora parecendo compreensivelmente desconfortável –, por que esse cara estaria lá?

– Depois do senhor, comissário – disse Joe, sorridente, em posição de sentido na base da escada carregando mais equipamentos.

Após se despedir de Maggie, Baxter surgiu da cozinha.

– Você poderia ter me avisado, cacete! – esbravejou Joe entredentes quando ela passou por ele.

Com as costas eretas, ele bateu continência quando Christian desceu os últimos degraus, Wolf logo atrás.

– Fawkes – assentiu ele, todo profissional.

– Perito.

Enquanto Joe voltava ao trabalho, Christian os levou até a porta, dando alguns conselhos de última hora a Wolf sobre o que *não* dizer diante da imprensa.

Os três saíram da casa, para o frio.

– Cuida dela hoje – disse Wolf, parando para falar com Christian.

– Se quiser uma carona até a estação, Wolf, tô indo – gritou Baxter enquanto ia em direção ao carro.

– Pode deixar – assegurou Christian. – É melhor você ir.

Enquanto Wolf corria atrás de Baxter, Christian voltou para a casa e fechou a porta.

– Merda! – disse ele no momento em que abriu a porta do carona, vendo uma nuvem de fumaça escapar quando Baxter bufou.

– O que foi agora?

– Esqueci meu casaco.

Baxter revirou os olhos, entrou e ligou o carro.

– Tem como você esperar… – começou Wolf, antes de tomar um banho de lama suja no momento em que Baxter acelerou, a porta do carona se fechando enquanto ela derrapava virando a esquina.

Atingido por uma sensação esmagadora de déjà-vu, ele enxugou as calças molhadas e caminhou de volta em direção à casa.

Ao tentar alcançar a maçaneta, ele colidiu dolorosamente com a pesada porta.

– Aaai! – resmungou ele, esfregando a cabeça quando Christian reapareceu na entrada. Parecendo um pouco atordoado, Wolf levou alguns segundos para conseguir falar: – Esqueci meu…

Christian lhe entregou o sobretudo preto surrado com um sorriso.

– Obrigado.

Andrea Hall sorriu para a câmera 1, enquanto figuras pouco definidas permaneciam nas sombras ao fundo.

O sinal de "No ar" se apagou quando as luzes do estúdio reacenderam, trazendo o público de volta à vida em um frenesi imediato.

– Alguém poderia fazer a gentileza de consertar esse teleprompter de merda?! – gritou ela para ninguém em específico.

Virando o resto de um café já frio, ela se levantou da bancada do jornal quando uma nuvem de spray de cabelo veio na sua direção, presumivelmente com seu cabeleireiro atrás, que tratava do seu inovador cabelo ruivo e loiro como quem cuidava de uma legítima obra-prima. Certamente valia tanto quanto uma e havia transformado Andrea de "âncora celebridade" em "ícone de estilo" da noite para o dia.

– Quem vem depois? – perguntou ela à sua afobada assistente.

– Um bispo implorando por doações pra restaurar a Catedral de São Paulo. Ela reprimiu um bocejo.

– Qual é o nome daquela construtora? – perguntou Andrea. – Aquela que quer derrubar o que sobrou e construir uns prédios comerciais.

– Hammond.

– Sim. Vamos trazer eles também. Colocar "Deus *versus* os idiotas" para debater deve manter todo mundo entretido por pelo menos alguns minutos.

A equipe já estava se preparando para a próxima entrevista. Andrea se afastou para deixar sua colega assumir o lugar na frente da câmera. A mulher de expressão séria se sentou e foi imediatamente importunada com uma esponja de pó compacto.

– Então, qual será sua abordagem? – perguntou ela enquanto contorcia o rosto de um jeito nada atraente. As duas mulheres não gostavam uma da outra, mas compartilhavam um apreço mútuo por serem ambas implacáveis.
– O lobo está à caça de novo? A matilha recuperou seu alfa?

– Não faço a menor ideia do que você tá falando.

Os olhos da mulher brilharam, mesmo quando o único propósito de sua profissão era informar as pessoas sobre coisas que elas ainda não sabiam.

– Seu ex está de volta. Foi visto com o comissário e com Emily Baxter em Muswell Hill.

– Muswell Hill? – Andrea sabia exatamente para onde ele se dirigia. Ela agarrou a bolsa. – Preciso ir.

– Você tem uma reunião às quatro com o Elijah – lembrou a assistente.

– Remarca.

– E o embate entre Deus e os idiotas?

– Estarei de volta a tempo – assegurou Andrea enquanto vestia o casaco.
– Ah, e pede pro Jim fazer uma arte de um edifício comercial sem graça com uma basílica no topo… E uma de Deus sentado numa mesa no último andar. Isso deve agitar as coisas – completou ela, sorrindo, antes de sair correndo porta afora.

* * *

O céu havia desabado.

Perdida em uma floresta de cruzes de pedra, Baxter serpenteava entre as fileiras de anjos cobertos de musgo em busca de Rouche, Holly ou simplesmente do carro enquanto o chão se dissolvia sob seus pés.

Mesmo desconsiderando os acontecimentos recentes, havia poucos lugares que ela preferia evitar mais que um cemitério durante uma tempestade.

Ela quase perdeu uma bota em uma poça e estava prestes a chutar uma lápide de tanta frustração antes de concluir que, mesmo para seus padrões, estaria passando dos limites. Olhando ao redor para se orientar, ela avistou uma grande figura encapuzada parada algumas fileiras adiante e foi dominada por uma necessidade irracional de se esconder.

– Cresce, Baxter – murmurou para si mesma.

No entanto, quando decidiu chamar a pessoa, hesitou, perguntando-se por que alguém estaria simplesmente parado ali debaixo daquela chuva gelada.

Com cautela, ela começou a se aproximar, esmagando a lama entre os túmulos enquanto tentava se lembrar do que Holly estava vestindo. A figura entrava e saía de vista conforme ela diminuía o passo, permanecendo perfeitamente imóvel apesar de a chuva cair tão forte que ela mal conseguia manter os olhos abertos.

Distraindo-se, Baxter escorregou e caiu estatelada a apenas alguns metros do estranho.

Ela passou por um breve momento de pânico ao perceber que o homem de manto era feito de pedra, erguido acima de uma das sepulturas – a verdadeira representação do desespero. O capuz oco era hipnotizante, um vazio negro onde deveria haver um rosto, como se a estátua dentro dele tivesse se libertado. Ela olhou mais profundamente ainda, certa de que podia distinguir um par de olhos...

– Emily?

Baxter deu um grito.

Holly gritou ainda mais alto.

– Meu Deus! – disse Baxter, ofegante, com a mão no coração.

Rindo de nervoso, Holly esticou a mão para cumprimentá-lo.

– Acho que nunca ouvi você gritar antes – comentou ela, ajudando Baxter a se levantar.

– Eu só não gosto de anjos. Nem um pouco.

– Esses eu encontrei... Mas nem sinal dele – acrescentou Holly rapidamente quando um olhar esperançoso apareceu no rosto da amiga.

Ainda mantendo os olhos na lápide com o manto enquanto passavam, Baxter a seguiu até uma fileira de lápides comuns, onde inscrições discretas marcavam placas de mármore iguais. No meio do caminho, elas pararam ao lado de um dos modestos lotes:

Sophie Rouche   **&**   **Elliot Rouche**
31/07/1982 – 07/07/2007   **08/01/2001 – 07/07/2007**
Tudo para mim.

Nenhuma das duas disse nada por um tempo; a mensagem de três palavras inscrita na lápide era uma declaração de amor e luto mais apaixonada do que todos os anjos e cruzes ornamentadas juntos. Um buquê recém-colocado sangrava pétalas na chuva; ao lado dele, uma pequena morsa de pelúcia, claramente da mesma coleção de brinquedos de Frankie, o pinguim.

– Ele esteve aqui – afirmou Holly. – É aniversário dela.

Baxter não havia se dado conta. Desde a morte de Finlay, ela tinha perdido a noção dos dias. Tudo parecia um longo pesadelo. Qualquer raiva que ela pudesse estar nutrindo de Rouche se dissipou em um piscar de olhos.

– Vamos – disse ela. – Eu sei onde ele está.

Com o aquecedor ligado no máximo, Baxter saiu dirigindo pelas periferias dilapidadas da cidade. Ela ficou surpresa por Holly estar certa sobre o cemitério, surpresa inclusive por ela ter conhecimento daquilo. Tinha ficado tão distraída com tudo o que estava acontecendo que não notou Rouche e sua amiga de escola se aproximando. Era óbvio agora que ela tinha parado para pensar sobre isso – Holly indo até o apartamento sem avisar, o pânico na voz ao descobrir que ele tinha sumido, a quantidade de maquiagem claramente inadequada para um ambiente de trabalho que ela sempre usava.

Baxter fez outra nota mental para editar os detalhes do contato da amiga em seu telefone.

Ela estava feliz por os dois estarem se dando bem, mas, considerando o lugar de onde elas tinham acabado de sair, duvidava que Rouche algum dia fosse capaz de dar a Holly o que ela estava procurando.

– Ele está morrendo, Emily – desabafou Holly. – Fico vendo isso acontecer dia após dia. A gente precisa levar ele pra um hospital.

Percebendo que elas não tinham dito uma palavra uma à outra desde que deixaram o cemitério, Baxter olhou para a amiga, cujo cabelo loiro curto estava perfeito como sempre, enquanto ela parecia mais um rato afogado.

– Tem algum outro antibiótico que a gente possa tentar?

– Se a infecção se transformar em sepse, nem todos os antibióticos do mundo vão conseguir salvar ele – disse Holly enfaticamente. – É como se o sangue estivesse envenenado.

– Eu conheço alguém... uma enfermeira.

Baxter não queria envolver Maggie, mas começava a se perguntar se cuidar de Rouche poderia ser uma distração bem-vinda para ela.

– Não – retrucou Holly, subindo o tom de voz. – Olha, nós somos amigas e eu provavelmente ainda tenho um pouco mais de medo de você do que as outras pessoas...

– Quem tem medo de mim?

– ... mas você está matando ele – prosseguiu ela, apesar da expressão no rosto de Baxter. – O Rouche estava pronto pra se entregar duas semanas atrás. É só o seu egoísmo que o impede.

– Estou tentando proteger ele!

– Não, você está se agarrando a ele, e não é a mesma coisa. Prefiro ver Rouche preso a isso.

– Você já esteve num presídio? – perguntou Baxter, num tom condescendente.

– Não – admitiu Holly, enquanto escapavam da deprimente High Street e ganhavam a velocidade. – Mas já estive em um cemitério.

A noite já havia caído quando elas pararam do lado de fora da abandonada casa da família Rouche, mas ainda não havia sinal de que a chuva estivesse diminuindo. Baxter desceu do carro, saiu andando na frente e atravessou a íngreme entrada de carros em direção à casa. Uma porta de metal pesada havia sido instalada desde sua última visita, os primeiros grafites sem graça formavam uma mancha preta, dando sinais de que o restante daquela propriedade esquecida seria atacado no devido tempo. Holly empurrou a entrada bloqueada e ficou surpresa quando a porta se abriu.

– Vou dar uma olhada nos fundos – disse Baxter à amiga.

Espremendo-se entre as latas de lixo, ela andou pelo caminho escuro até a lateral da casa e depois em direção ao quintal dos fundos, tomado pelo mato, onde um brilho quente irradiava da janela de plástico da casa de bonecas. Baxter sorriu de alívio e cruzou a grama alta. Abaixando-se para evitar a varanda, ela bateu na pequenina porta antes de entrar.

Rouche parecia absolutamente exausto, sentado com a cabeça apoiada na parede da casinha vazia. Sua barba grisalha por fazer o havia envelhecido e, em um esforço para tentar reduzir sua temperatura, ele havia desabotoado a camisa, expondo uma pequena amostra de seus incontáveis ferimentos.

– Ei – cumprimentou ele, com ar cansado.

Baxter fechou a porta, deixando a chuva para trás, e se arrastou para o espaço que sobrava enquanto tentava evitar as velas. Depois de dar uma breve olhada ao redor para ver se havia alguma aranha, ela se acomodou e esticou o braço para apertar a mão de Rouche.

– Você é um babaca.

Ele riu, segurando o peito por conta da dor.

– Sabe que eu teria te trazido aqui… hoje… se tivesse me pedido – começou ela, deixando claro que estava ciente do significado da data.

A chuva se intensificou. O telhado frágil parecia que não iria aguentar.

– Você já tem muita coisa com que se preocupar – disse Rouche.

Num outro momento, ela diria que ele não sabia nem da metade… que Wolf estivera certo o tempo todo.

– A Holly tá aqui – revelou ela. – Na casa. Sabe que ela gosta de você, não sabe?

Rouche não respondeu, contorcendo o rosto enquanto tentava se sentar.

– Fica parado – disse Baxter, mas ele se forçou a levantar para olhar nos olhos dela.

– Sinto muito.

– Pelo quê?

– Por tudo… Por causar essa confusão toda pra gente… Por ser um fardo pra você… Por tudo.

– Emily? – gritou Holly no jardim.

– Aqui! – gritou Baxter de volta, engatinhando para empurrar a porta antes de abraçar Rouche com o máximo de força possível. – Você não é um fardo. Estamos nisso juntos. E você não tem nada pelo que se desculpar… *nada*.

Capítulo 11

Sexta-feira, 8 de janeiro de 2016
17h23

Andrea comprou o buquê mais caro da loja, esquecendo-se de que precisaria dar um jeito de colocá-lo no banco do carona de seu Porsche azul-claro. Ela removeu o adesivo ofensivamente genérico que dizia "Meus pêsames" antes de carregá-lo até a porta de entrada e tocar a campainha.

Uma luz se acendeu. Sons de passos cada vez mais altos.

– Oi, Maggie – disse ela e sorriu, notando o olhar de surpresa da outra mulher.

– Andrea! – exclamou Maggie, tentando disfarçar.

– Pra você.

– São lindas. Não quer sair da chuva? – Manobrando com dificuldade o jardim sem raízes porta adentro, Maggie a conduziu até a cozinha. Ligou a chaleira elétrica e começou a mexer nas flores dentro da pia. – Eu estava mesmo pra escrever pra você... pra agradecer... pelo seu cartão.

Andrea havia recebido uma mensagem no trabalho de um homem chamado Thomas Alcock, que havia sido incumbido da tarefa nada agradável de entrar em contato com a extensa lista de amigos e conhecidos de Finlay. Fazia anos que ela não via o mentor de Wolf, desde o incidente na festa de aniversário dele de 55 anos. Mas sempre tinha se dado bem com ele e Maggie, e havia ficado triste de verdade com a notícia. Escreveu uma mensagem atipicamente sincera e a colocou dentro de um cartão junto com seu número de telefone pessoal.

O reflexo de Maggie na janela escura parecia preocupado. Ela começou a encher um vaso com água, mas fechou a torneira. Secando as mãos em um pano de prato, ela se virou para se dirigir à sua visita inesperada.

– Desculpe perguntar, mas você está aqui como amiga... ou como repórter?

– Como amiga – respondeu Andrea, com sinceridade.

Aquilo foi o suficiente para Maggie

– Desculpe.

– Imagina. Estou surpresa por ter me deixado passar pela porta.

– Está procurando o Will?

– Estou. Ele passou aqui?

– Passou. Mas foi embora faz umas duas horas.

– Como… – Andrea hesitou, ciente de que suas recentes traições não lhe davam o direito de perguntar. – Como ele está?

Era uma pergunta difícil de responder. Pensando bem, Maggie não conseguia se lembrar de uma época em que Wolf não tivesse algum tipo de tragédia pessoal ou profissional pairando sobre si mesmo.

Ela deu de ombros.

– É o Will, né?

A resposta de fato pareceu dar algum conforto a Andrea.

Elas conversaram e tomaram chá na aconchegante cozinha. Em determinado momento, Maggie desabou e revelou que a polícia não estava mais tratando a morte de seu marido como suicídio.

– Quem poderia querer machucar o Fin? – perguntou ela aos prantos, sem conseguir entender.

Vinte minutos depois, Andrea se deu conta de que precisava voltar. Alcançando o outro lado da mesa, ela pegou a mão de Maggie.

– O que posso fazer por você?

Balançando a cabeça, prestes a recusar a oferta, um pensamento ocorreu a Maggie.

– O quê? – perguntou Andrea. – Qualquer coisa.

– Will.

– O que tem ele?

– Ele precisa da nossa ajuda.

– Ele me odeia.

– Ele jamais seria capaz de odiar você – disse Maggie e riu.

Andrea foi educada o suficiente para não discutir.

– Eles acham que não consigo ouvir o que dizem – confidenciou Maggie. – Mas eu ouço. Assim que tudo isso acabar, o Will vai direto pra prisão. Vamos tentar impedir que isso aconteça? – sugeriu ela com certa malícia.

– Estou sentindo que você tem um plano. Mas ainda duvido que ele vá me perdoar.

Maggie deu um tapinha no braço dela, tentando tranquilizá-la.

– Acredite numa pessoa mais velha e mais sábia. Você ficaria surpresa com as coisas que uma amizade pode suportar.

– Parece que te subestimei mais uma vez, Fawkes – disse Vanita, verificando se tinha batom nos dentes enquanto ela e Wolf esperavam para entrar na entrevista coletiva. – Você estava certo o tempo todo.

Ele não respondeu, sem qualquer vontade de comemorar. Olhou para a sala repleta de jornalistas exaustos, enviados para cobrir um comunicado entediante qualquer feito pela comandante da polícia, que adorava uma câmera.

Vanita limpou a mancha rosa com o polegar e mexeu no cabelo preto como azeviche.

– Estou bem?

Parecia uma pergunta capciosa, então Wolf continuou em silêncio.

– Obrigada. – Vanita sorriu, aparentemente imaginando um elogio. – Está pronto?

– Acho que sim.

– Fawkes, esse é o meu trabalho – disse ela, presunçosa. – Se eu fizer ele direito, quando a gente chegar nas perguntas, vou ter fechado todos os caminhos possíveis que eles possam tentar. Não terão nada a dizer. Então... está pronto? – perguntou ela novamente, como se tivesse acabado de fazer um daqueles discursos clássicos de treinador antes do jogo nos filmes norte-americanos.

Wolf deu de ombros.

– Acho que sim.

Vanita soltou o ar pela boca.

– Seu zíper tá aberto – informou ela, abrindo a porta e entrando na sala, confiante.

Rápido no gatilho, um fotógrafo foi recompensado com um clique do momento em que Wolf fechava o zíper antes que o ex-detetive duas vezes desacreditado caminhasse vagarosamente até a frente.

A multidão foi reconhecendo Wolf conforme ele avançava.

– É o William Fawkes!

Wolf manteve os olhos fixos no assento vago ao lado de Vanita.

– Não deveria estar algemado? – perguntou alguém.

Ele resistiu ao impulso de usar a mão sem algema para mostrar o dedo do meio à mulher indiscreta.

– Ele era muito mais sexy quando era gordo – acrescentou um membro da primeira fila, ocupada apenas por homens.

Tropeçando nos próprios pés, Wolf cambaleou até seu lugar e se sentou enquanto o público segurava inúmeros gravadores no alto, como isqueiros em um show de rock.

Vanita pigarreou, agradeceu à imprensa por ter conseguido comparecer em um prazo tão curto e então prosseguiu com sua declaração minuciosamente elaborada:

– ... e novas evidências vieram à tona sobre o aparente suicídio do sargento aposentado Finlay Shaw, cuja morte agora está sendo tratada como suspeita...

Não havia sentido em tentar ocultar a identidade de Finlay ou o fato de que ele aparentemente tinha tirado a própria vida. Fotografias de Wolf, Baxter e do comissário do lado de fora da propriedade já estavam circulando, o que significava que os vizinhos haviam sido abordados, todos sem dúvida ponderando o valor da lealdade que tinham por Maggie.

– O sargento Shaw, é claro, é conhecido por muitos de vocês por sua contribuição à investigação do caso Boneco de Pano – continuou Vanita, aproximando-se cada vez mais do motivo de Wolf estar ao lado dela.

– Ele era o velho fracote que precisou ser resgatado do telhado da embaixada pelos bombeiros – acrescentou Wolf com um sorriso malicioso.

Houve risadinhas na plateia.

– Exatamente – disse Vanita, perdendo os holofotes. Agora que todos os olhares estavam fixos em Wolf, ela achou que era um bom momento para acabar logo com aquilo. – William Fawkes vai trabalhar ao lado da Polícia Metropolitana como consultor durante a investigação, contribuindo com sua vasta experiência e seu relacionamento de longa data com a vítima para garantir uma resolução rápida do caso. Sua contribuição já se provou inestimável.

As pessoas começaram a fazer perguntas, mas Vanita continuou.

– Neste momento, não podemos entrar em detalhes sobre o paradeiro do detetive Fawkes nos últimos dezoito meses.

Suspiros de descontentamento escaparam da plateia.

– Temos uma investigação em andamento que não pode ser comprometida! – Ela teve que gritar para se fazer ouvir. Então olhou nos olhos de Wolf. – Estejam certos de que, no devido tempo, faremos uma declaração com informações completas e detalhadas. – Ela se voltou para a plateia. – Com isso em mente, alguma pergunta?

Todas as mãos se levantaram.

Esquecendo-se de que tinha um microfone apontado para seu rosto, Wolf praguejou baixinho, mas foi captado pelo sistema de som.

– Meu Deus! – disse Vanita, ofegante, depois de passar pela porta do gabinete de Christian. – Que susto. Achei que você não fosse mais voltar hoje.

Christian enxugou os olhos e começou a vasculhar as gavetas em busca de um lenço de papel.

Vanita tirou um da bolsa e foi até ele.

– Obrigado – disse Christian, secando os olhos. Percebendo o olhar dela para as Polaroids desbotadas espalhadas em cima da mesa, ele pegou uma e entregou a ela. – Este aqui sou eu... à direita.

– Belo rabo de cavalo – comentou ela, erguendo as sobrancelhas.

– Outros tempos. – Christian riu. – Este da esquerda é o Fin, bonitão como sempre, e esta é a esposa dele, a Maggie, entre nós dois.

Vanita sorriu e devolveu a fotografia a ele.

– Hoje... hoje foi um dia desafiador pra mim, pra dizer o mínimo – admitiu ele.

– Ele era seu amigo – ponderou Vanita. – Eu, por outro lado, não sou. Então provavelmente não sou a melhor pessoa pra conversar sobre isso.

– Tem razão – disse Christian, endireitando-se na cadeira.

Não era segredo que Vanita havia se candidatado para o cargo de comissária, tendo feito um excelente trabalho desalojando seu predecessor durante a reestruturação realizada após a confusão do caso Boneco de Pano.

– Talvez você devesse tirar uns dias – sugeriu ela, irônica. – Pensar no *Christian*. Se afastar um pouco.

– Ah, Geena, eu sentiria muita falta de ter você no meu encalço o tempo todo – disse ele com um sorrisinho sarcástico. – Como foi a coletiva?

– Dentro do esperado.

– Tão ruim assim, é?

Ela largou a pasta que estava carregando na bandeja dele e se dirigiu para a porta.

– Boa noite – disse ela. – E tome cuidado.

– Estamos nos ameaçando abertamente agora? – perguntou Christian. – Devo ter deixado passar esse memorando.

Ela se virou para encará-lo.

– Não é nada disso. Alguém muito inteligente e nitidamente muito perigoso teve um trabalho imenso pra fazer a morte de Shaw parecer um suicídio. Acabamos de anunciar que estamos atrás dessa pessoa, alguém que não tinha absolutamente nenhuma intenção de fugir. Vai saber como ele pode reagir a isso.

Christian pareceu apreensivo.

– Bom, boa noite! – repetiu Vanita, sorrindo para ele.

Wolf deu uma mordida em sua pizza enquanto perambulava do lado de fora do restaurante decadente. Do outro lado da rua, um grande outdoor estava fortemente iluminado em contraste com o local melancólico:

Boneco de Pano
É preciso um lobo para capturar outro
Estreia da série – domingo, 28 de fevereiro, 20h

Só pelo cartaz já ficava evidente que a produtora havia tomado certas liberdades. Para começar, Wolf aparentemente tinha sido reimaginado como se fosse um modelo das passarelas. Ele estava vestido com um terno azul-escuro e, a julgar pelos dois calombos que despontavam dele, tinham preferido seguir a linha "peitoral definido". De um lado, uma mulher de aparência impetuosa estava com os braços cruzados e de costas para ele; do outro, na mesma pose, estava uma bela ruiva.

Fazendo uma nota mental para garantir que estivesse na prisão antes de aquilo estrear, Wolf caminhou na direção da Delegacia de Polícia de Paddington Green. Foi recebido em "casa" e levado para as celas, que já estavam se enchendo com os primeiros bêbados da noite. Fechou a porta e encontrou suas camisas recém-passadas penduradas. George havia até dado uma organizada nas suas coisas.

Incapaz de tirar da cabeça a imagem de sua versão televisiva, deixou de lado a última fatia de pizza para fazer sete flexões e meia. Depois, com a mão sobre um músculo distendido, caminhou até o espelho. Passou os dedos pela barba desgrenhada e, como não ela servia mais como disfarce, pegou o barbeador.

Saunders tinha adormecido em frente à televisão sem som, com três garrafas de cerveja vazias ao lado de sua cadeira e evidências de sua visita ao Burger King às onze da noite.

Reduzidos a mensageiros durante o dia, ele e Edmunds haviam embarcado em dois aviões, sido revistados três vezes e brigado com todos os funcionários da alfândega escocesa em serviço para conseguir tirar da delegacia de polícia de Dalmarnock caixas cheias de evidências praticamente se desintegrando de tão antigas. Incentivado pela descoberta de Wolf, Edmunds sugeriu que aproveitassem ao máximo a viagem interrogando duas pessoas ligadas a um dos casos antigos. Como nenhum dos homens fez questão de colaborar, nada de útil foi descoberto, e o tempo desperdiçado na companhia deles lhes custou o voo marcado de volta para casa.

Pouco depois das três da manhã, Saunders estava tendo um sono agitado quando a luz de segurança do lado de fora de sua janela acendeu, como sempre acontece quando alguém chega em casa. Houve um leve estalo e, em seguida, o som de vidro caindo no asfalto. Gemendo ao se levantar, ele quase torceu o tornozelo em uma das garrafas vazias. Saiu tropeçando até a janela e sentiu um arrepio ao espiar por cima do que conseguia ver do estacionamento. Sua respiração embaçava o vidro; ele estava prestes a voltar para sua cadeira quando um alarme disparou, luzes laranja piscando no chão molhado.

– De novo não! – exclamou ele, pegando as chaves na bancada e se armando com um taco de críquete ao entrar no corredor.

Vestindo apenas meias, cueca samba-canção e uma camiseta, Saunders desceu as escadas e saiu correndo no frio. Era de fato o carro dele pedindo ajuda, embora não houvesse sinal de mais ninguém no estacionamento. Ele desligou o alarme e se aproximou com cautela, vendo o chão cintilar sob a janela do motorista. O porta-luvas estava totalmente aberto, seu conteúdo espalhado pelos assentos, e o GPS tinha sumido. Cansado demais para pensar direito depois de deixar Edmunds em casa, ele tinha feito a idiotice de deixá-lo à vista.

Concluindo que não havia muita coisa que ele poderia fazer no meio da noite, verificou cada uma das portas e então percebeu que o porta-malas estava aberto.

– Idiotas – murmurou para si mesmo, empurrando a porta para fechá-lo, e voltou para a cama.

Capítulo 12

Sábado, 9 de janeiro de 2016
7h53

Por mais que Baxter pedisse a Thomas para assistir a um canal de notícias diferente, o maldito rosto perfeito de Andrea Hall parecia permanentemente colado à tela da televisão. Ela pegou o controle remoto no caminho para a cozinha, seu polegar pairando sobre o botão "desligar", quando reconheceu a camiseta amarela que a mulher estava vestindo. Baxter tinha exatamente a mesma peça enfiada em algum lugar no fundo de seu guarda-roupa:

LIBERTEM o LOBO!

Penando numa entrevista com um político monótono, estava claro que a famosa apresentadora havia ressuscitado a campanha que conquistara não só a liberdade de Wolf, como também seu emprego de volta anos antes. As indiscrições excessivamente divulgadas, que a princípio selaram o destino de Wolf, tornaram-se atos heroicos de desespero na manhã do ato final do Cremador. Curvando-se ao clamor público contra um sistema tão corrompido que foi capaz de deixar um assassino em série atroz escapar por entre os dedos, os poderes constituídos haviam, portanto, "reconsiderado seu posicionamento" diante da campanha que pintava Wolf como um verdadeiro herói do povo.

Baxter, no entanto, sabia que a verdade jazia em algum lugar daquela intermediária zona cinzenta.

– Bom dia – saudou Thomas, sorrindo da porta.

Ele ainda estava de roupão e calçava as ridículas pantufas. Baxter desligou a televisão, aceitou a xícara de café que lhe fora oferecida e se juntou a ele na cozinha.

– Eu tô muito atrasada – disse ela, colocando a bebida na mesa e calçando as botas que estavam no mesmo lugar onde as havia largado na noite anterior.

– Pro trabalho do qual em tese você foi dispensada – apontou Thomas, segurando um *pain au chocolat* na frente do rosto dela.

Ela deu uma mordida sem nem mesmo olhar para o doce folheado.

– Vi que o Fawkes voltou – declarou ele, colocando um canudo no café dela.

– Sim – respondeu Baxter, tomando um pouco da bebida enquanto terminava de abotoar o casaco. – Eu ia te contar.

Thomas fez um gesto com a mão refutando o que ela disse.

– Você tá bem?

Ela nunca havia mentido para Thomas sobre seu complicado relacionamento com Wolf, mas definitivamente não tinha compartilhado a história inteira com ele.

– Tô, sim – disse ela, levantando-se e dando um beijinho na bochecha dele.

Ao sair, ela percebeu que outra caixa lindamente embrulhada havia sido adicionada à torre de presentes embaixo da árvore.

– Eu estava pensando em jogar a árvore fora hoje – disse Thomas quando percebeu para onde ela estava olhando. – Tá começando a cheirar mal.

– Pode ser amanhã? – sugeriu ela.

Um largo sorriso surgiu no rosto dele.

– Finalmente chegou o Natal?

Baxter não pôde deixar de sorrir também. Ela assentiu.

– Carne assada? – perguntou Thomas.

– Melhor, impossível.

– *Meu Papai é Noel 2?* – disse ele em seguida, empolgado.

– Contanto que a gente assista a *Esqueceram de mim* depois – gritou ela de volta, abrindo a porta.

– Convido a minha mãe?

– Não!

Wolf tinha que estar acompanhado o tempo todo enquanto estivesse no edifício. Felizmente, ele havia chegado à New Scotland Yard exatamente na mesma hora que Saunders, que providenciou sua entrada. Eles estavam passando pelo saguão quando o parceiro dele se aproximou.

– E aí, cara? – disse Saunders em voz alta. – Sentiu minha falta?

– Você não estava aqui? – perguntou Blake, parando para conversar. – Sinceramente nem tinha notado. – Ele se virou para Wolf e acenou com a cabeça em saudação. – Sinto muito pelo Finlay – disse ele, estendendo a mão.

Wolf apertou a mão dele e guardou no bolso o Post-it colorido que havia acabado de receber.

Saunders ergueu as sobrancelhas.

– Será que eu quero saber?

Blake se virou para ele.

– Acho que não.

Havia um clima desconfortável no laboratório forense enquanto Wolf, Baxter, Edmunds, Christian e Saunders esperavam o retorno de Joe. Era impossível ignorar o fato de que o corpo do amigo deles estava em algum lugar daquela sala, escondido atrás de uma das idênticas portas de geladeira.

Contra sua vontade, os olhos de Baxter continuavam se voltando para Wolf. Ele parecia um homem completamente diferente do dia anterior: barbeado e vestindo uma camisa branca que não forçava os botões. Parecia o Wolf do qual ela se lembrava de muito tempo antes... antes da investigação do caso Boneco de Pano... antes do Cremador... antes de tudo dar tão errado.

Ela o notou olhando para baixo, para um pedaço de papel colorido em sua mão, mas não lhe perguntou nada a respeito; em vez disso, voltou sua atenção para Saunders, que parecia péssimo, até para seus padrões.

– Você tá péssimo hoje, até pros seus padrões.

– Noite difícil – bocejou ele, o rosto carregado de olheiras. – Meu carro foi arrombado de novo.

Baxter abriu a boca para dizer algo.

– Não se preocupa – garantiu Saunders. – O Edmunds tinha levado todas as caixas com as evidências quando deixei ele em casa.

– Bom, isso é um alívio – disse Christian, que ouvia a conversa.

– Isso não conserta o vidro quebrado nem traz meu GPS de volta – comentou Saunders. – Mas fico feliz que você esteja feliz.

A porta se abriu e Joe entrou, colocando seu equipamento no chão.

– Bem-vindos! Bem-vindos! – cumprimentou ele com entusiasmo. – Vou precisar fazer uma coleta de DNA com swab bucal e das impressões digitais de cada um de vocês, meus amigos. Mas, em primeiro lugar: foi uma noite interessante. – Ele correu para um notebook ao lado de uma pilha de papel. – Encontrei uma correspondência pro sangue embaixo das tábuas do assoalho.

– Já? – perguntou Edmunds.

– Sim. Porque é do Finlay.

Christian deu um pigarro.

– E isso ajuda a gente como?

– Não ajuda, na verdade – admitiu Joe. – Mas as fibras de tecido secas encontradas lá dentro não saíram de nenhuma roupa que o Finlay estava usando quando morreu.

– Então... – começou Christian, tentando entender por que o homenzinho esquisito estava tão animado. – Você acha que elas vieram de outra pessoa? – perguntou, afirmando o óbvio.

– Acho – assentiu Joe, dando um sorriso macabro e já introduzindo o próximo assunto. – Pensa só: tudo o que a gente tinha conseguido provar antes era que *talvez* alguém tivesse estado dentro do quarto trancado junto com o Finlay e que, em algum momento, alguém tinha estado dentro daquele compartimento secreto. Mas agora a gente sabe que alguém com o sangue de um homem assassinado nas roupas esteve naquele compartimento secreto *e* poderia estar naquele quarto trancado junto com o Finlay... Percebe a diferença?

Cinco rostos confusos olharam para ele.

– Existe uma diferença – assegurou Joe.

– Só fazendo aqui o advogado do diabo... – disse Christian – será que *mesmo assim* não pode só ter sido o Finlay, usando outra roupa, em um outro dia? Talvez durante a reforma?

– Em tese, sim... mas acho que não – respondeu Joe. – O que me leva para o meu próximo item. – Ele calçou um par de luvas descartáveis e colocou uma réplica de uma arma, de tamanho semelhante ao da encontrada ao lado de Finlay, em uma bandeja. – Wolf...

– Perito?

– Você poderia vir até aqui e pegar essa arma?

Wolf se aproximou de Joe. Envolvendo os dedos em volta do cabo, ele usou a outra mão para apoiar o peso enquanto se ajeitava para colocar o dedo no gatilho.

– Ótimo – disse Joe, sorrindo. – Coloca de volta na bandeja, por favor... Ok. Agora deem uma olhada nisso.

Ele apagou as luzes e apertou um botão em uma lâmpada ultravioleta comprida, que zumbiu em sua mão como um sabre de luz. O grupo se amontoou mais perto da luz roxa que irradiava, reduzindo a escuridão; as impressões digitais de Wolf brilhavam intensamente, cobrindo o cabo e o cano da arma.

– Por todos os lados, certo? Agora deem uma olhada na arma do Finlay depois do mesmo teste. – Joe virou o notebook para eles: uma fileira relativamente organizada de impressões digitais revestia o cabo, enquanto uma impressão parcial borrada pintava o gatilho. – Só eu acho isso ou parece certinho demais?

– Principalmente pra um homem que tinha bebido muito a noite inteira – apontou Edmunds.

– Você não achou isso da primeira vez – questionou Baxter em tom acusatório.

– Ele *poderia* ter pegado a arma daquele jeito, o que parecia o cenário mais provável, considerando que ele foi encontrado em uma sala trancada – prosseguiu Joe. – Mas vocês me pediram pra procurar *qualquer coisa* que pudesse sugerir o contrário, então achei que poderia sugerir outras coisas.

Baxter fechou a cara.

– A mesma coisa aconteceu com o corpo – continuou ele, ignorando a tensão do público diante de sua insensibilidade. – Os ferimentos leves originalmente descartados como pancadas e lesões do dia a dia ainda podem ser só pancadas e lesões do dia a dia. O único trauma significativo é na cartilagem do nariz, mas isso não quer dizer absolutamente nada, porque o Finlay levou socos na cara quase tantas vezes quanto o Saunders – disse ele, dando risada.

Ninguém mais riu.

– De todo modo, alguém fez um trabalho espetacular tentando cobrir os rastros. É uma cena de crime, mas é tudo o que a gente sabe nesse momento. E falando francamente: não tenho certeza se vou encontrar muito mais coisas aqui.

– Sendo ou não um trabalho espetacular, isso não muda nada – disse Wolf à equipe ao ver suas expressões abatidas. – A gente continua de onde parou: o motivo e a arma. Nada mais importa.

* * *

Depois de deixar a New Scotland Yard, Christian dirigiu até Muswell Hill para ver como Maggie estava. Ela revelou sua intenção de vender a casa assim que a investigação terminasse, explicando que não suportaria ficar lá e que jamais seria capaz de colocar seus netos naquele quarto como Finlay havia imaginado. Christian prometeu ajudá-la com a venda da propriedade e a mudança para algum lugar novo quando chegasse a hora. E então, em uma malfadada tentativa de animá-la, ele preparou uma de suas "famosas" omeletes com pasta de levedura, que por incrível que pareça tinha um sabor ainda mais repugnante do que se podia prever.

– Não gostou, né? – perguntou ele enquanto jogava os restos de sua obra-prima no lixo.

Maggie, enquanto isso, estava em seu terceiro copo d'água.

– Não é isso. Simplesmente não consigo tirar esse gosto da boca – confessou ela, rindo.

– Olha, muitas sortudas já acordaram com uma dessas pela manhã.

– Alguma delas voltou?

Christian parou para pensar.

– Agora que você perguntou...

Maggie começou a rir.

– Tenho uma coisa aqui pra você – disse ela, levantando-se e desaparecendo no corredor.

Algum tempo depois ela voltou com uma caixa de papelão adornada com a insígnia da Polícia Metropolitana e a palavra "EVIDÊNCIAS" impressa em letras grandes e vermelhas.

– O que é isso? – perguntou Christian, franzindo o cenho.

– Ah, não repara a caixa. O Fin vivia roubando elas do trabalho. A garagem tá cheia. São só umas fotos antigas, algumas coisas dele de trabalho, uns recortes de jornal. Achei que você ia querer ficar com eles.

– Tem certeza? – perguntou ele, pegando a caixa das mãos dela.

– São só coisas – disse Maggie. – Não é ele.

Às 12h14, Christian se despediu de Maggie e saiu pelo jardim ensolarado, carregando sua caixa de recordações. Um dos vizinhos claramente havia ganhado um dinheiro informando a imprensa, porque um grupinho de jornalistas cercava seu Lexus.

Forçando um sorriso no rosto, ele se aproximou do carro.

– Comissário, alguma novidade no caso?

– Bom, você sabe que não posso falar sobre isso – respondeu ele, rindo, com dificuldades para abrir a porta do banco de trás com apenas uma das mãos.

– O que tem nessa caixa? Mais evidências foram descobertas?

– Algo assim – respondeu Christian. – Com licença – disse ele, passando por um cinegrafista para abrir a porta do motorista.

– Comissário, que mensagem o senhor tem para o assassino do sargento Shaw?

Christian entrou no carro e fechou a porta. Ele ligou o motor e baixou a janela para responder.

– Uma mensagem? Acho que… Eu gostaria de dizer que o Finlay era… Ele era meu…

– Comissário? – perguntou o repórter quando ele parou de falar.

– O Finlay não merecia isso – declarou ele vagamente, preso em algum lugar entre seus pensamentos e a pergunta. – Ele e Maggie mereciam coisas melhores da vida. E esse covarde desprezível responsável pela morte dele merece queimar por toda a eternidade pelo que fez… É isso.

Levantando o vidro da janela diante dos jornalistas atordoados, Christian saiu lentamente com o carro.

Capítulo 13

Sábado, 9 de janeiro de 2016
12h30

Wolf conferiu seu reflexo no vidro escuro de um Honda Civic.

Ele releu o endereço que Blake havia passado a ele e olhou para cima na direção do elegante edifício residencial um pouco em dúvida. Depois de uns vinte minutos deliberando na frente do prédio, quase fez o porteiro, que não desgrudava do saguão e estava olhando fixamente para ele, tomar uma atitude.

Então, com o buquê comprado no posto de gasolina na mão, Wolf passou pelas portas giratórias e foi até o balcão.

– Ashley Lochlan, por favor. – Ele deu uma olhada em seu Post-it amassado. – Apartamento 114.

O homem atrás do balcão parecia pouco inclinado a fazer esforço, erguendo o telefone como se fosse um peso de chumbo.

– Nome?

Wolf abriu a boca para responder e sorriu.

– Fawkes. Só Fawkes.

Finalmente o reconhecendo, o homem se endireitou na cadeira e interfonou para o número, entusiasmado para cumprir seu pequeno papel no reencontro dos únicos sobreviventes dos assassinatos do Boneco de Pano.

– Sinto muito, ninguém atendeu – disse o porteiro, infinitamente mais educado agora que sabia que estava na presença de uma subcelebridade. – É… eu não deveria dizer isto – sussurrou ele, inclinando-se sobre o balcão em tom conspiratório –, mas tem um parquinho bem no final da rua. É capaz de você encontrar eles por lá.

Depois de recompensar o homem, que felizmente aceitou uns trocados e algumas selfies a contragosto como pagamento, Wolf seguiu suas instruções até a entrada de um agradável parque infantil. Com o batimento acelerado, ele começou a caminhar devagar, examinando os rostos dos pais e mães até que a viu. Seu longo cabelo loiro corria pelos ombros por baixo de um gorro, e ela estava tão bonita quanto ele se lembrava. Estava sentada em um banco, rindo enquanto um homem bem-vestido girava um menino alegremente.

– Cuidado que ele vomita! – avisou ao homem, com seu leve sotaque de Edimburgo.

Em momento nenhum Wolf tinha criado esperanças de que ela esperaria por ele. E ele não tinha nenhuma pretensão de reacender a chama daqueles poucos dias juntos aparecendo assim do nada. Só queria se explicar, explicar por que não entrou em contato com ela. Achava que era o mínimo que ela merecia.

Ele começou a se aproximar.

Ashley realmente esperava que Jordan não vomitasse em cima dos sapatos de camurça de Ted, mas não iria intervir. Ela nunca o tinha visto tão feliz.

Estava fechando o zíper de seu casaco em volta do pescoço quando alguém se aproximou da lata de lixo ao lado. Como o sujeito permaneceu ali por mais segundos do que parecia natural, ela se virou para lhe dar um sorriso inquiridor…

– Mãe! Olha! – chamou Jordan, que definitivamente parecia um pouco pálido.

– Eu sei, querido. Tô olhando! – gritou ela de volta.

Ela se virou e viu um homem alto vestindo um casaco preto comprido se afastando e então percebeu o buquê de flores barato saindo de dentro da lixeira.

Aquilo a lembrou de algo… de alguém… Ashley não conseguiu conter o sorriso.

Edmunds havia ficado para trás com Joe a fim de catalogar os itens das cinco caixas de evidências antigas que tinham trazido. A cada novo item lacrado, Joe ficava mais entusiasmado e logo todos os equipamentos do laboratório estavam simultaneamente fazendo análises enquanto ele corria de um para outro.

O telefone de Edmunds começou a vibrar em seu bolso. Ao pegá-lo, viu o nome de Thomas iluminado na tela. Preso nas entranhas da New Scotland Yard, ele foi para o outro lado da sala, ciente de que Joe estava ouvindo cada palavra sua.

– Oi… Não, tudo bem… Tá… Tá? Você o quê?!… Hoje à noite?

Edmunds olhou para trás e franziu a testa para Joe, que estava escutando tudo e nem se esforçava para disfarçar. Ele baixou a voz.

– Olha, não é… Não é o melhor momento… Sim, eu sei disso… Eu sei disso também. Só acho que agora é uma má ideia… Sim, bom… Tchau.

Ele olhou para a tela, balançou a cabeça e voltou para seu assento. Depois de um tempo, pegou novamente o celular e digitou uma mensagem curta:

Desculpa. Podemos falar sobre isso mais tarde?

Ignorando os olhares inquisitivos de Joe, Edmunds tentou se concentrar em seu trabalho, mas sua mente retornou imediatamente para o telefonema e para aquele desastre iminente.

– Merda – sussurrou ele, esfregando os olhos.

* * *

Baxter havia passado a maior parte da tarde jogando cartas com Rouche. O jogo favorito de Finlay agora tinha se tornado parte da rotina durante as visitas dela. Talvez fosse só ilusão, mas ele parecia um pouco mais ele mesmo, então ela havia decidido não mencionar o elefante na sala – sangue envenenado, falência múltipla dos órgãos e a possibilidade de passar os próximos dez anos numa cela. Faltando pouco mais de uma hora para a chegada de Holly, ela preparou um sanduíche para ele e voltou para casa.

Wolf estava sentado do lado de fora da casa de Maggie, observando o céu perder a cor, quando viu a luz dos faróis dobrar a esquina. Um carro parou bem na frente da casa e um jovem saiu usando calças jeans rasgadas e tênis.

– Agente Randle? – perguntou Wolf, desconfiado.

Ele parecia mais um estudante universitário que um policial.

– Sim – respondeu ele e sorriu, aproximando-se para apertar a mão de Wolf.

– Obrigado por vir me encontrar no seu dia de folga. Sou William Fawkes.

– Eu sei quem é o senhor.

– Não vou tomar muito do seu tempo. Poderia me descrever os seus passos um por um depois de chegar aqui na véspera de ano-novo?

– Claro – disse Randle, gentilmente. – Embora eu não tenha certeza se vou ter alguma coisa a dizer além do que está no meu depoimento.

Wolf deu de ombros.

– Vamos tentar a sorte.

– Bom, atendi a uma chamada de emergência. Estacionei mais ou menos onde estou agora – começou ele, indo na frente ao atravessar o jardim. – Tinha uma luz acesa lá em cima, então toquei a campainha e bati. Depois me identifiquei e chamei pelo buraco da caixa de correio. Como ninguém respondeu, tentei abrir a porta, mas estava trancada.

– Tem certeza que estava trancada?

– Sim, senhor. Nessa hora, decidi abrir à força.

– Quanta força?

– Um único chute – disse Randle, apontando para o amassado logo abaixo da maçaneta.

Wolf abriu a porta e eles entraram na antessala.

– Chamei mais uma vez e verifiquei todos os cômodos do térreo, um por um, antes de subir.

A madeira rangeu sob os pés deles enquanto subiam.

– Olhei dentro de cada porta aberta antes de me deparar com esse quarto aqui trancado.

Wolf fez que sim com a cabeça e abriu a porta, entrando na cena do crime. Randle o acompanhou e olhou perplexo para o compartimento exposto no chão.

– Achamos que tinha mais alguém aqui – explicou Wolf. – Randle?

– Eu... Eu nem cogitei isso...

– Ninguém cogitaria. Não se preocupe, você não vai ter problemas – assegurou Wolf. – O que aconteceu depois?

Randle fechou os olhos enquanto tentava se lembrar.

– Depois de forçar a porta, vi o corpo caído de bruços, com a arma ao lado. Eu... verifiquei o pulso e saí do quarto pra avisar à central.

– Mostra pra mim.

Eles voltaram para o patamar e Wolf o seguiu escada abaixo até o carro.

– Passei o rádio daqui.

– Com a porta totalmente aberta desse jeito? – perguntou Wolf. Randle fez que sim com a cabeça. – Você saiu daqui em algum momento?

– Não.

Wolf olhou de volta para a casa. Não havia como alguém escapar pela frente sem ser visto.

– E depois?

– Ahm... O comissário chegou.

– Ok. De onde ele veio?

O jovem apontou para o final da rua.

– Ele parecia muito angustiado. Veio até mim e perguntou só: "Finlay?" Aí eu balancei a cabeça e ele correu pra dentro de casa.

– E você estava onde?

– Fiquei aqui até o reforço chegar.

– E depois?

– Depois todos nós entramos. – Randle voltou para a antessala. – O comissário estava sentado no último degrau. Parecia em estado de choque. Eu o levei pra cozinha e me ofereci pra pegar alguma coisa pra ele beber. Ele disse que não queria nada, então verifiquei todos os quartos, portas e janelas... Pra ser honesto, eu só estava tentando ficar fora do caminho dos detetives.

– Encontrou alguma coisa?

– Nada.

– A chave estava na fechadura desse jeito? – perguntou Wolf, apontando para a porta dos fundos.

– Sim. Tudo absolutamente trancado por dentro.

– E você verificou a garagem?

– Verifiquei.

Wolf esfregou o rosto, sem entender nada e ficando sem perguntas.

– Vocês realmente acham que foi homicídio? – perguntou Randle.

– Sim... Achamos, sim.

– Isso significaria que alguém ficou ali embaixo por horas, né?

Wolf parecia confuso, ainda juntando todos aqueles novos fragmentos de informação.

– Eu teria visto alguém saindo pela porta da frente – continuou Randle, pensando em voz alta –, e todas as outras saídas estavam fechadas. Para selar o quarto por dentro, ele devia estar lá embaixo o tempo todo. Quando arrombei a porta, quando o comissário entrou correndo, os detetives... o legista.

– Mesmo assim, não deixou nenhum vestígio – murmurou Wolf, com a cabeça começando a doer.

– Perdão?

– Nada. Obrigado, agente Randle. Você ajudou bastante.

Capítulo 14

Sábado, 9 de janeiro de 2016
20h05

Thomas não havia poupado esforços para preparar o jantar de Natal atrasado.

Ao som de Bing Crosby e Mariah Carey, ele e Baxter tinham bebido demais, comido mais ainda e quase ateado fogo no lugar por conta de uma bombinha natalina de origem duvidosa. Desistindo do trabalho sem fim que seria limpar a cozinha, eles colocaram o pijama e se aconchegaram com Echo para assistir ao filme.

Thomas se levantou para mais uma vez espirrar aromatizante na árvore, que já tinha purificadores de ar de carro pendurados em seus galhos como decoração.

– Vamos aos presentes? – perguntou ele, confiante.

Baxter ganhou vida. Ela pausou o filme, encheu as taças e se sentou no chão, pegando a caixa recém-adicionada à pilha, lindamente embrulhada.

– Você deveria deixar este pro final – sugeriu Thomas.

Baxter a colocou de lado e abriu outra.

– Um jogo Detetive – disse ela, num tom sem emoção.

– Sim. Porque... Você é detetive e tal.

Ela acenou com a cabeça, tentando animá-lo.

– Toda a diversão do trabalho no conforto da minha própria casa.

O clima pesou um pouco.

– Abre aquele ali – disse ela.

– Meias!

– Pros seus pés.

– Maravilhoso. Agora você.

– Brincos! Brincos de ouro... tipo os que a minha mãe me dá.

– Você pode devolver se quiser. É que eu lembrei que você disse que tinha perdido um na neve.

– Uma das poucas coisas positivas que aconteceram naquela noite – murmurou Baxter. – Ah, aquele!

Thomas rasgou o papel de embrulho e franziu a testa para o belo par de chinelos.

– Por que você odeia tanto as minhas pantufas?!

E seguiram assim por um tempo.

Uma placa de trânsito marcava o limite da floresta Epping, e Christian imediatamente sentiu o corpo relaxar. O trajeto até sua casa sempre tinha esse efeito sobre ele. Situada no ponto mais distante da extensa linha de metrô, a pitoresca cidade mercantil era seu refúgio dos opressivos arranha-céus e das ruas congestionadas da capital. Lamentando sua resposta nada profissional ao que deveria ter sido uma simples pergunta de um repórter, ele havia ido ao seu restaurante favorito, sentando-se à mesa de sempre para jantar sozinho antes de voltar para sua ostentação de sete quartos no meio da floresta.

Parou em uma pequena rotatória e viu dois faróis brilhantes encostarem em sua traseira. Acenando para se desculpar por parar sem motivo, Christian passou a marcha e saiu com o carro novamente. Ele sabia que não estava dirigindo muito bem e tentou se concentrar. Deu seta e fez uma curva à esquerda, as árvores escuras margeando a estrada, quando, segundos depois, uma luz branca varreu seu painel. O veículo que vinha atrás diminuiu a distância entre eles. Christian franziu a testa e acelerou um pouco, mas os dois sóis flamejantes em seu espelho retrovisor o seguiram, cegando-o enquanto ele percorria o longo trecho em linha reta.

Outro carro começou a se aproximar na direção oposta.

O veículo atrás dele acelerou até encostar em seu para-choque antes de ultrapassá-lo e sair voando. Christian notou que era alguma espécie de caminhonete Mitsubishi preta, mas não conseguiu distinguir o modelo e não teve nem vontade nem energia para memorizar a placa do carro. Diminuindo a velocidade, ele prosseguiu para os últimos minutos de sua viagem.

Christian entrou em sua rua e apertou o botão do portão elétrico, a rotina noturna coreografada com perfeição enquanto passava pelas espaçosas casas dos vizinhos. A iluminação ambiente escalava as paredes e destacava seções dos jardins bem cuidados, feito obras de arte sob um céu estrelado, uma visão que poucos londrinos podiam apreciar.

Ao girar o volante para entrar na garagem, ele de repente foi banhado por uma luz branca ofuscante...

Ouviu a aceleração gutural de um motor potente, o ruído dos pneus cantando e então sentiu sua cabeça bater no vidro. O carro sacudiu. Houve um som de metal quebrado caindo na estrada quando a caminhonete preta deu marcha a ré e recuou alguns metros.

Praticamente inconsciente, Christian foi arrastado do banco do motorista e jogado entre os dois veículos, os faróis cegando-o de ambos os lados quando o violento ataque começou. Ele foi chutado e atingido por todos os lados por duas silhuetas sem rosto. Tudo o que ele podia fazer era cobrir a cabeça e se enrolar feito uma bola enquanto rezava para que tudo acabasse. Quando um de seus agressores pisou em seu peito, Christian gritou, ouvindo suas costelas quebrarem, e percebeu que eles não iriam parar até que ele estivesse morto. Chutou freneticamente e conseguiu se arrastar para baixo da caminhonete, perdendo um sapato para uma mão que tentava puxá-lo de volta.

A respiração ofegante de Christian formava uma névoa contra o chassi quente. Ele observou um par de botas pretas circundar o veículo. Experientes demais para correrem o risco de que alguém escutasse suas vozes, ele os ouviu assobiar um para o outro em código. Enquanto um deles revistava o carro destruído, despejando o conteúdo da caixa de papelão no meio da rua, o outro subiu de volta na caminhonete e começou a acelerar o motor, que fazia força contra o freio de mão puxado.

Sem ter outra opção, Christian rastejou para fora e saiu mancando em direção aos portões elétricos enquanto eles lentamente começavam a fechar.

A porta da caminhonete foi batida atrás dele.

Christian podia ouvir passos muito mais rápidos que os seus vindo atrás dele. Desesperado, ele se jogou pela brecha cada vez mais estreita momentos antes de os pesados portões se fecharem.

A silhueta o observava através das barras, girando provocadoramente um pé de cabra enquanto avaliava a modesta barreira entre eles. Caído a poucos metros de seus agressores, Christian sabia que estava totalmente exausto e que, se eles decidissem pular para dentro, ele nem sequer tentaria correr.

Luzes azuis piscando iluminaram o céu acima da floresta escura.

O sujeito também tinha visto e assobiou calmamente para seu parceiro. As duas sombras então subiram de volta na caminhonete danificada e saíram agressivamente de ré.

A luz branca se afastando de Christian era como uma onda que recuava.

Depois que a caminhonete acelerou pela rua e as lanternas traseiras vermelhas desapareceram na esquina, ele se recostou e esperou que a ajuda chegasse, permitindo-se acreditar que seria capaz de sobreviver à noite e apreciando as estrelas cintilantes como nunca havia feito.

Baxter olhou confusa para aquela fotografia de família emoldurada – Edmunds, Tia e Leila. Thomas e ela haviam decidido fazer uma pausa na discussão sobre os presentes um do outro para discutir sobre os das outras pessoas.

– Por que eu iria querer isso? – perguntou ela. – Não sou avó dele.

Thomas pegou o presente da mão dela, olhou para ele e fez uma careta.

– Na verdade, acho meio... Tem razão – admitiu, colocando-o de lado.

– Já estou autorizada a abrir este? – perguntou ela, pegando o pequeno presente bem embrulhado, embora ela não tivesse grandes expectativas com base nos que o antecederam. – É o último.

– Vai em frente.

Desamarrando a fita com cuidado, ela tirou uma caixinha do embrulho. Perplexa, abriu a tampa e quase engasgou diante do lindo anel de diamante que havia dentro. Ela não percebeu Thomas se ajoelhando, e um estalo agudo sugeria que o retrato da família de Edmunds poderia estar embaixo dele. Ele delicadamente pegou a caixa da mão dela, removeu o anel e o segurou enquanto ela o olhava boquiaberta.

– Emily Lauren Baxter… Nunca me senti tão preocupado, fragilizado, irritado, desnecessário ou inadequado como nesses últimos nove meses com você. E quero me sentir assim pelo resto da minha vida… Aceita se casar comigo?

Baxter parecia paralisada.

Thomas se esforçou para manter um sorriso esperançoso, até porque estava começando a sentir seu joelho molhado. Começou a se perguntar se Edmunds estava certo. Por quase uma hora, ele havia tentado convencer Thomas a não fazer aquilo, explicando que Baxter não enxergaria o gesto da mesma maneira que ele, e sim como uma pressão adicional no topo de sua já considerável lista de fardos.

O telefone dela tocou.

Atordoada, Baxter se levantou e foi até a cozinha, enquanto Thomas pacientemente permanecia em sua pose humilhante.

– Alô… Merda!… Ele… Chego lá num instante.

Voltando para a sala, ela sorriu sem jeito para o namorado.

– Eu, é… Eu tenho que ir. Mas… então… Obrigada.

Ela fez dois joinhas bastante generosos para ele e correu escada acima para se trocar.

Capítulo 15

Sábado, 9 de janeiro de 2016
21h39

— Libertem o Lobo! – berrou alguém quando Wolf entrou apressado no Hospital King George e seguiu as placas para a Emergência.

Maggie havia chegado antes e o abraçou assim que ele entrou na sala de espera. Era óbvio que ela tinha chorado.

– Como ele está? Você disse que ele foi... *atacado*? – perguntou Wolf.

Ela assentiu e o levou até uma fileira de cadeiras vazias.

– Ele vai ficar bem. Algumas costelas quebradas e uma pancada feia na cabeça. O resto são só cortes e hematomas... *muitos* cortes e hematomas – informou ela, nitidamente ainda abalada.

– A gente pode ir vê-lo? – perguntou ele.

– Disseram que eu poderia ir daqui a pouco.

Wolf apertou a mão dela e se acomodou na desconfortável cadeira onde passaria a noite.

Baxter e Saunders estavam sentados um de cada lado de Wolf. Todos tinham a mesma expressão vazia enquanto assistiam à televisão sem som. Maggie havia recebido autorização para ver Christian por alguns minutos. Os detalhes do incidente do lado de fora da casa do comissário de polícia haviam chegado à BBC a tempo para o noticiário das dez da noite. Imagens de câmeras de celular, filmadas da janela de uma das casas do lado oposto da rua, capturaram a cena instantes após a chegada dos serviços de emergência: mal era possível reconhecer o Lexus de Christian; vazava óleo do carro pela estrada, e uma barreira tosca havia sido feita para contê-lo, a fim de preservar as marcas de pneu que seriam capazes de relatar os acontecimentos como se fossem uma testemunha ocular.

– Meu Deus – murmurou Saunders.

A BBC então regurgitou algumas imagens realizadas no início do dia: Christian colocando uma caixa de evidências no banco de trás de seu carro antes de enviar ao assassino de Finlay a mensagem amplamente divulgada.

– Clássico da imprensa... Cria o problema, depois filma a repercussão.

Nem Wolf nem Baxter responderam; eles nem sequer o notaram falando sobre o assunto.

– Vou ligar pro Edmunds – disse ela, levantando-se.

Ela não deixou que ele se sentisse obrigado a passar a noite na sala de espera do hospital com eles. Afinal, ele nem era mais da polícia, e ela sabia que aquele caso já estava consumindo vorazmente seu tempo livre com a família.

– Ei – sussurrou Saunders assim que Baxter saiu por completo de seu campo de visão. – Wolf? Wolf! – repetiu ele, cutucando-o para chamar sua atenção.

– Quê?

– Você tá bem?

– Sim. Eu só... tô com uma coisa na cabeça.

– Eu não queria falar sobre isso na frente dos outros – começou Saunders, inclinando o corpo para se aproximar. – Olha, passei quase a tarde toda montando uma linha do tempo da noite em que o Finlay morreu.

– Em que ele foi assassinado – corrigiu Wolf.

– Isso. Em que ele foi assassinado. Dei uma olhada nos depoimentos da Maggie e do comissário e... – Ele pareceu um pouco culpado por tocar no assunto. – Tinha uma pequena *discrepância*.

– Continua.

– A cooperativa de táxi não tinha registro nenhum do comissário voltando pra casa do Finlay depois da meia-noite.

Wolf assentiu, mas não pareceu surpreso nem preocupado com a informação.

– Provavelmente usou uma cooperativa diferente – ponderou Saunders. – Então vou precisar saber qual foi. Mas não tenho como perguntar nada sobre isso pra ele agora, né?

– Eu falo com ele – disse Wolf, enquanto as imagens do carro destruído de Christian voltavam à tela da televisão silenciosa. – Tem como a gente conseguir a gravação da chamada do Finlay pra polícia?

– Estava muda – afirmou Saunders, como se tivesse sido uma pergunta idiota.

– A gente provavelmente deveria dar outra olhada nisso.

– Vou ver o que posso fazer – disse Saunders, recostando-se na cadeira.

* * *

Maggie havia concordado em deixar que Saunders a levasse para casa com a condição de que Wolf permanecesse na emergência do hospital. Como Baxter jamais voltou de seu telefonema, ele arrumou um canto silencioso da sala de espera e tentou dormir um pouco.

Acordou assustado ao som de gritos – algo a que não estava totalmente desacostumado depois de um ano inteiro na companhia de Léo Dubois e sua anárquica rede de empregados. Wolf instintivamente ergueu os braços para proteger a cabeça – a mais violenta das surras sofrida nas mãos de seus contemporâneos ainda monopolizava seus sonhos.

Uma mulher em trabalho de parto chegou conduzida pelo marido apavorado e foi prontamente atendida, atravessando as portas duplas.

Wolf olhou para o relógio. Certo de que tinha conseguido dormir sua cota de quarenta minutos da noite, ele se levantou e decidiu esticar as pernas. Réstias de luz vazavam sob as portas fechadas enquanto ele se perdia pelos corredores silenciosos. Não havia esbarrado com ninguém durante seu passeio sem rumo. Era tão sereno quanto assistir ao sol nascer e se espalhar sobre a cidade no final de um turno pesado de trabalho – como observar um animal feroz dormir.

Ao passar pelas portas da capela, ele olhou para dentro e ficou surpreso ao encontrar uma figura familiar sentada na primeira fila.

– Baxter? – perguntou ele, batendo educadamente ao entrar na sala iluminada.

Ela dobrou uma folha de papel carcomido que tinha nas mãos e se virou para olhar para ele.

– É... Estou bem – respondeu ela, como se ele tivesse perguntado.

Franzindo a testa, Wolf puxou as portas e se sentou no lado oposto do corredor, com o olhar no Jesus de cera em tamanho real pregado em uma cruz entre eles. Uma coleção de bolinhas de papel se acumulava abaixo dele – Baxter estava usando o filho de Deus para praticar tiro ao alvo.

– Achei que você tivesse ido embora – disse ele.

– Só precisava de um tempo pra pensar.

Ela colocou as mãos no rosto e soltou o ar com força.

– Não dá pra pensar em casa?

– Não dá pra pensar em casa – respondeu ela.

Wolf assentiu e olhou de volta para a grotesca estátua diante deles. O artista havia julgado necessário embelezar o corpo emaciado com gotas de sangue escuro para transmitir de forma mais eficaz a extensão do sacrifício feito e, portanto, da nossa dívida para com o Todo-Poderoso: palmas das mãos rasgadas ao redor de pregos de metal, espinhos cravados profundamente na pele, pés quebrados presos a trinta centímetros do solo.

Um assassino enviando uma mensagem mutilada – o primeiro Boneco de Pano.

Baxter continuava imóvel.

– Quer que eu te deixe sozinha? – indagou Wolf.

Ela levantou a cabeça e abriu um sorriso discreto para ele.

– Não.

Interpretando aquilo como um convite, ele tirou do bolso um punhado de recibos da Starbucks.

– Quantos pontos por acertar na cabeça?

– Cinco. Três se for na fralda.

– Acho que se chama tanga.

Baxter fez uma careta sugerindo que ela não dava a mínima.

– Dez se você conseguir equilibrar na faixinha da cabeça.

– Coroa de espinhos – murmurou Wolf, enquanto amassava seu arsenal de bolinhas de papel. – Dez pontos! – gritou ele depois de sua terceira tentativa.

– Você tá sentado num ângulo diferente do meu – reclamou Baxter, competitiva como sempre. – Tá trapaceando.

Ela se levantou e foi para o corredor, sentando-se no chão. Olhou para Wolf e esperou.

– Bom... Tá justo agora? – perguntou ele, o quadril pressionado contra o dela, os dois ocupando o espaço estreito, mas Baxter não se opôs e o jogo continuou em silêncio.

– Você... Você acha que eu poderia dar conta dessa coisa de... dessa coisa de ser pai? – soltou ele, incapaz de afastar da cabeça a expressão contente do rosto de Ashley enquanto aquele safado balançava sobre o ombro o filho dela de 7 anos prestes a vomitar.

– É sobre *isso* que quer falar? – perguntou Baxter. – Olha, Wolf, ainda tô muito bêbada, e só Deus sabe como sou fraca pra bebida.

Wolf a observou atentamente enquanto ela se virava para fazer outro arremesso. Aquele comentário despretensioso foi talvez a maior expressão de autoconhecimento que já tinha ouvido dela e o fez perceber quantas coisas haviam mudado durante sua ausência, quanto ela havia mudado. Sentado a uma proximidade tão pouco natural, ele pôde ver os incontáveis arranhões escondidos sob a maquiagem e sentiu o habitual embrulho no estômago causado pela culpa por não ter estado ao lado dela.

– É – suspirou ele. – Nem eu.

Abandonando seu lançamento, Baxter se virou para ele.

– Acha que algum dia eu seria capaz de ser uma esposa razoável?

Infelizmente, o olhar de horror de Wolf respondeu antes que o resto dele pudesse expressar algum tato.

– É. – Baxter riu, ofendida. – Nem eu.

– O Timothy te pediu em casamento?

– Thomas.

– É fácil de confundir. O que o Timothy tem a dizer sobre isso?

– Não tem Timothy nenhum, é Thomas.

– E *ele* quer casar?

Wolf pareceu surpreso.

– Sim.

– Com você?

– Sim. Comigo! – retrucou ela. – Você pode não acreditar, Wolf, mas eu sou uma pessoa muito carinhosa e uma companhia muito agradável… seu babaca.

Um pouco ofendido, Wolf fez um arremesso.

– Três pontos!

– Foi na coxa.

– Quê?!

– Foi no máximo na parte superior da coxa.

– Tá de sacanagem? Foi em cheio no testículo da divindade!

– Que seja – disse Baxter. – Eu não tava contando os pontos.

As coisas haviam mesmo mudado.

– O que você vai fazer? – perguntou Wolf.

– Não faço a menor ideia. As coisas estavam indo bem. Tudo estava indo bem. Não entendo por que ele teve que… – Ela parou de falar e balançou a cabeça. – A vida de todo mundo é complicada desse jeito?

Wolf deu de ombros, roçando seus braços nos dela.

– Lembro de uma vez conversar com o Chambers... – disse ela – sobre as nossas esperanças, os nossos sonhos, o que a gente esperava da vida.

Wolf permaneceu em silêncio, surpreso por ela mencionar o nome de Chambers na frente dele.

– Eu provavelmente disse alguma coisa tipo "um carro novo e chique" e "um jardim pro Echo". Não importa. Mas sabe o que ele disse? O que ele queria mais que qualquer outra coisa no mundo? – Os olhos de Baxter brilharam enquanto mergulhava na memória. – Estar entediado. Só isso. Ele só queria uma existência simples e mundana, passar uma noite sem ser acordado por pesadelos, ter *uma* conversa com a Eve em que ele pudesse voltar toda a sua atenção pra ela. Naquela época achei isso uma bobagem.

Ela largou as bolinhas de papel restantes no chão. O jogo tinha acabado.

– Não existem finais felizes – concluiu ela, olhando para a cena do crime que tomava conta da capela –, não pra pessoas como nós. Não teve pro Chambers nem pra Eve. Nem mesmo pro Finlay. – Ela começou a chorar. – A vida da Maggie foi destruída. Então, que esperança a gente tem?

Wolf pegou a mão dela e apertou com força.

– Somos pessoas amaldiçoadas – sussurrou ela. – Nossas vidas se resumem a morte e dor, e nós *merecemos* ficar sozinhos.

Ela caiu aos prantos e Wolf passou os braços ao seu redor, abraçando-a.

– Você não é amaldiçoada – disse ele, com delicadeza. – É a minha pessoa favorita nesse planeta e *escolheu* essa vida de morte e dor pra poupar outras pessoas dela, porque você é mais forte que todas elas juntas. E merece um final feliz mais que qualquer um de nós.

Baxter se desvencilhou do abraço. Enquanto vasculhava o bolso em busca de um lenço de papel, sorriu para Wolf. Estava péssima e linda ao mesmo tempo: os olhos injetados de sangue emoldurados por manchas negras, o cabelo despenteado caindo em cascata pelas costas, os lábios vermelhos semiabertos enquanto tentava acalmar a respiração...

Wolf se inclinou, atraído por ela, sem sequer perceber que estava se movendo...

O cotovelo de Baxter o atingiu em cheio, levando lágrimas aos olhos dele.

– Que porra é essa, Wolf?! – gritou ela, levantando-se enquanto ele rolava para o lado.

– Desculpa – disse ele, encolhendo-se. – Você tá com o Timothy.

– Thomas!

– A gente pode só esquecer que isso aconteceu? Fiquei mexido com o momento, e você estava linda e triste e… Me desculpe.

– Depois de tudo o que a gente acabou de falar!

Ela não estava disposta a deixá-lo arruinar a vida que havia construído sem ele.

– Acho que vou vomitar – advertiu Wolf, ainda se contorcendo de dor.

– Você… me… abandonou! – esbravejou Baxter, magoada. – Você não me quis. – Ele parecia confuso. – Mais de um ano, Wolf!

– A gente já falou sobre isso – disse ele, conseguindo se sentar. – Eu queria voltar.

– Mentira. Você foi covarde demais pra enfrentar o que fez.

– Não é nada isso.

– E nesse meio-tempo o Finlay ainda foi assassinado. Não sei como consegui sobreviver a esse pesadelo. E onde você estava? Se escondendo. Exatamente pelo que *você* teve que passar?

Wolf se esforçou para ficar de pé.

– Se eu pudesse ter voltado pra você, eu teria voltado.

– Sinceramente, não acredito em uma palavra que sai da… O que está fazendo?

Ele começou a desabotoar a camisa.

– Wolf?

Desnudando os ombros, ele largou a camisa no chão e virou de costas para ela.

Ela arquejou.

Sua pele era uma paleta de roxos e azuis. Uma parte imensa da lateral do seu tronco estava salpicada de pequenas cicatrizes, a carne ralada e endurecida. Uma linha de grampos desordenados, que sem dúvida deveriam ter sido removidos há muito tempo, subia pelo outro lado do corpo dele. E ali, bem no meio de suas costas, uma marca familiar dominava a tela:

$$L.A.D.$$

Propriedade de Léo Antoine Dubois, dizia a pele queimada escurecida e morta – um lembrete para aqueles que esqueciam a quem deviam lealdade.

– Se eu pudesse ter voltado pra você, eu teria voltado – repetiu Wolf.

Ele se virou para olhar para ela e abriu um sorriso triste.

– Morte e dor, certo?

Muito lentamente, Baxter caminhou até ele.

– Que merda – murmurou ela.

– Eu sei – disse ele, constrangido, o cabelo ondulado caindo sobre os olhos, a barba de um dia cobrindo o queixo.

– Você tá cheiroso – disse ela, com a voz trêmula.

– O George comprou uma loção pós-barba pra mim.

– Quem é George?

– Isso não é importante agora.

Ela respirou fundo, mas depois se afastou dele.

– Tô indo.

– Tá.

Baxter pegou a bolsa, deu cinco passos pelo corredor e parou.

– Merda!

Wolf olhava confuso quando ela se virou e foi até ele.

– Merda! Merda! Merda!

Os olhos de Baxter encontraram os dele, uma expressão de dor no rosto dela enquanto a luta interna continuava.

Wolf sorriu de volta, nervoso.

– Não. Quer saber? Não! – disse ela, decidida. Deu meia-volta e correu em direção à porta. Wolf se abaixou para pegar sua camisa amarrotada. – Merda.

Antes mesmo que ele se levantasse, Baxter se atirou em cima dele, envolvendo as pernas compridas em sua cintura, beijando-o impacientemente; ele cambaleou para trás até bater na estátua, que sacudiu de maneira frenética... até tombar com um ruído alto.

Os dois ficaram paralisados, virando-se bem a tempo de ver a cabeça de Jesus rolar sob um banco.

– Isso não é um sinal, é? – perguntou Wolf, ainda com ela nos braços.

– Não – disse ela, ofegante, o hálito quente no rosto dele.

Ela virou o queixo dele de volta para si e então pressionou os lábios nos dele enquanto Wolf a deitava no chão da capela.

Baxter puxou o casaco preto de Lethaniel Masse por cima dos ombros.

Um segundo depois, seus olhos se abriram e ela se sentou, com Wolf roncando suavemente ao lado dela.

– *Não!* – disse ela num arquejo, rastejando para fora do cobertor improvisado para recuperar sua calcinha, inexplicavelmente encontrada três fileiras para trás.

Havia vozes no corredor e o barulho de rodinhas passando enquanto ela se vestia o mais rápido possível. Ela passou por cima do Jesus decapitado, agarrou sua bolsa e saiu furtivamente pelas portas. Protegendo os olhos da tênue luz da manhã, passou pela sala de espera da Emergência e continuou a andar até chegar ao estacionamento.

– Emily! – chamou uma voz. – Emily!

Ela se virou e viu Maggie seguindo-a até o lado de fora. Rapidamente passou os dedos pelos cabelos despenteados, o que não serviu de nada para consertar o rímel manchado em suas bochechas.

– Maggie! – cumprimentou ela com entusiasmo.

A amiga a olhou de cima a baixo.

– Você tá bem, querida?

– Eu? Tô, sim – respondeu Baxter, que também tinha batom nos dentes.

– É só que… Espero que não se importe que eu diga, mas parece que você foi atropelada. – Como Baxter não reagiu, ela mudou de assunto. – Você viu o Will?

– Não, não vi.

– Ele me prometeu que ia ficar aqui – explicou Maggie, parecendo magoada.

– Não… Ele ficou. Mas…

– Mas… você não o viu – concluiu Maggie, sabiamente.

– Isso – respondeu Baxter, como se estivesse no tribunal.

– Você percebeu que metade da sua blusa tá aberta?

Baxter olhou para sua pífia tentativa de se vestir e suspirou.

– Vem aqui – disse Maggie, conduzindo-a para longe da entrada.

Ela abotoou a blusa de Baxter, limpou a maior parte do rímel que ela tinha no rosto e tentou dar um jeito em seu cabelo emaranhado.

– Acho que cometi um erro terrível – sussurrou Baxter, olhando fixamente para longe.

– Só é um erro se você fez algo que não queria – disse Maggie, operando milagres apenas com um lenço umedecido e sua escova de cabelo.

– Eu estraguei tudo.

– Pronto! – exclamou ela, admirando sua obra. – Linda! – Ela colocou uma mão no braço de Baxter, tentando confrontá-la. – A vida é curta demais pra arrependimentos. Se o Thomas te ama, ele vai te perdoar. Se for pra você e o Will ficarem juntos, então vocês deram o primeiro passo.

– Mas o Thomas… Você não conhece ele. Ele é tão carinhoso e paciente comigo, generoso e bonito... Ele era modelo do catálogo da Littlewoods… e ele é carinhoso…

– Você já disse isso.

– O que que eu vou fazer?

– Acho que isso não cabe a mim. – Baxter parecia arrasada. – Quando chegar a hora – garantiu Maggie –, você vai saber o que fazer. Pode parecer besteira, mas houve um momento com o Fin, um único e breve momento, em que eu simplesmente soube... Esse momento vai chegar pra você.

Capítulo 16

Sexta-feira, 16 de novembro de 1979
21h18

— Barman!

O berro de Christian ecoou pelo Clyde and Ship Inn, próximo à Bridgegate. – Traz mais uma!

O escocês ranzinza atrás do balcão fez que não com um movimento de cabeça.

– Tá bom, tá bom – disse Christian, que tirou ostensivamente um bolo de dinheiro da carteira antes de ir com dificuldade até o bar. Ele atirou com desdém a pilha diante do sujeito: – E uma rodada pra todos os desgraçados que estão aqui! – gritou ele, sendo saudado pelo numeroso público do bar enquanto acenava e se curvava em meio aos aplausos.

– Lembra que você me pediu pra te avisar quando estivesse sendo um bundão? – perguntou Finlay baixinho. – Você tá sendo um bundão.

Christian deu um sorriso ébrio para o amigo e beliscou sua bochecha flácida.

– Relaxa. Estamos comemorando! A propósito, você tá com uma cara ótima – disse ele a Finlay com um aceno de cabeça, impressionado com o esforço do companheiro em vestir uma camisa para a ocasião.

129

Ele acendeu mais um cigarro e voltou para a mesa.

Com um suspiro, Finlay seguiu seu parceiro até o canto da sala fumacenta onde Maggie e cinco colegas de trabalho dela estavam aproveitando a atenção exclusiva de toda a Divisão Antifurto de Glasgow.

Christian deu um chega pra lá nos colegas para recuperar seu lugar ao lado de Maggie.

– Parece que você precisa de mais um copo – disse ele incisivamente para French, que fez companhia a ela durante sua ausência.

– Se você vai pagar...

– Não vou.

Separados por Maggie, os dois homens ficaram tensos.

– Parece que *você* também precisa de mais um copo – disse ela a Christian, que olhou confuso para sua caneca ainda pela metade.

Pegando-a da mão dele, ela virou a cabeça para trás e acabou com a cerveja em cinco goles.

– É isso aí, garota! – exclamou Christian, batendo palmas e deixando cair a cinza do cigarro em cima dela. – Merda. Desculpa! – disse ele, limpando-as com a mão.

– Tudo bem – disse Maggie, sorrindo, e pediu licença para limpar seu vestido preferido.

Finlay a observou abrir caminho pela multidão e entrar no banheiro feminino; reparou que ela usava um laço azul no cabelo exatamente da mesma cor dos seus olhos. Detrás da mesa de sinuca ele olhou para Christian, que estava se encarregando de entreter a amiga mais bonita dela enquanto ela estava fora, encantando-a sem esforço algum mesmo estando bêbado. Ele observou a forma como as mãos dela encontravam qualquer desculpa para tocar o braço dele e, de repente, teve uma percepção acentuada do vazio que o circundava.

– Ei, herói.

Finlay se virou e viu Maggie sorrindo para ele.

A amiga dela deu uma risada aguda, fazendo metade do pub olhar em direção a ela. Christian estava com os braços em volta da cintura dela enquanto faziam algum tipo de jogo com a bebida.

Maggie franziu a testa.

– Ele... Ele está especialmente... *desagradável* esta noite – comentou Finlay.

O esforço necessário para evitar um palavrão foi exaustivo.

– Tudo bem – disse Maggie, olhando para ele. – Eu prefiro mesmo conversar com você.

Passaram-se dez minutos, durante os quais Christian tomou mais uma caneca de cerveja, fumou mais dois cigarros e acabou com um número de telefone anotado no antebraço. Sem saber para onde Maggie tinha ido, ele cambaleou pelo salão e a viu parada ao lado do jukebox, com Finlay.

– Aí está você! – exclamou ele, feliz. – Mais uma rodada, alguém?

– Estamos bem, obrigada – respondeu Maggie, erguendo o copo. – Fin acabou de pegar.

Ela se voltou para Finlay a fim de retomar a conversa.

Um pouco confuso, Christian foi até o bar.

– Uísque, meu bom homem – pediu ele ao barman, enquanto o jukebox estalava e fazia barulho ao mudar de disco. – Que música! – gritou ele de repente, virando sua bebida num gole só antes de cambalear de volta até Maggie. – Você tem que dançar comigo.

– Estou falando com o Fin agora – explicou ela, sorrindo.

– Sim, mas é a... é a minha música preferida.

– Ela disse que não – falou Finlay pra ele, fazendo uma cara feia.

Erguendo as mãos em sinal de rendição, Christian se virou como se fosse embora, mas então agarrou um dos pulsos de Maggie e falou:

– Vamos!

– Não, Christian!

Finlay contornou ela...

– Christian, você está me machucando!

... e então o empurrou com força contra o balcão, atraindo a atenção do pub inteiro.

– Resolvam isso lá fora, rapazes – ordenou o barman.

– Não precisa – disse Finlay, fixando o olhar em Christian. – Meu amigo bebeu um pouco demais, só isso. Estamos resolvidos, não estamos?

Christian tirou outro cigarro do bolso e o acendeu.

– Não estamos? – repetiu Finlay.

– Estamos – respondeu Christian, dando de ombros, ao ver sorrisos tortos surgirem nos rostos de seus colegas de trabalho em sinal de reprovação. – Eu não queria dançar com aquela piranha mesmo.

Finlay nunca havia socado ninguém com tanta força, e ficou surpreso quando Christian conseguiu se levantar depois de cair em cima de uma mesa. Esfregando o queixo, ele pegou o cigarro do chão, agarrou um banco alto com os pés para cima, investiu contra Finlay e o derrubou, enquanto seus colegas corriam para separar a briga. Quando Christian atacou French, que jogou a bebida de Wick em cima dele e da enfermeira com quem ele conversava, uma segunda briga começou, impelindo os outros clientes a intervir.

– Vou chamar a polícia! – berrou o barman.

– A gente já tá aqui, seu idiota! – informou alguém.

Outro banco voou por sobre o balcão, quebrando a prateleira de vidro e tudo que havia nela enquanto Finlay tentava se levantar com esforço, concluindo a pancadaria com um único gancho de esquerda que nocauteou Christian.

– Você não aprende nunca – falou pro amigo inconsciente.

Com o nariz sangrando, Finlay voltou para Maggie e lhe estendeu a mão. Colocando timidamente a dela sobre a dele, eles atravessaram apressados as portas de vidro colorido para o frio da noite de novembro.

Depois de se limpar no banheiro público do Saltmarket, Finlay proporcionou a Maggie uma noite que ele mal era capaz de bancar. Eles chamaram um táxi e de alguma forma convenceram o La Costiera a ficar aberto enquanto pediam sobremesas. Ele a levou para dançar no Satellite City e, mais tarde, deu a ela seu casaco enquanto caminhavam à beira do rio, em direção à casa dela.

Chegaram à porta da casa compartilhada de Maggie, as únicas janelas iluminadas na rua escura, onde suas amigas esperavam por ela. Finlay deu um tchauzinho para um dos rostos zangados que observavam lá de cima.

– Então... – começou ele sem jeito.

– Então... – disse Maggie, sorrindo.

– Deixando de lado a parte da briga no bar, foi uma noite espetacular.

Ela se inclinou e deu um beijo na bochecha dele.

– Tem uma coisa que não contei antes porque não queria estragar nossa noite, e eu estava me divertindo muito.

– S-sim.

– Vou começar em um novo emprego daqui a algumas semanas – contou Maggie.

– Sim? – repetiu Finlay com um aceno de cabeça, relaxando um pouco.

– Em Londres.

– Londres?

– Desculpa por não ter dito nada antes.

Finlay parecia distraído enquanto olhava para a rua.

– Fin?

– Vem comigo – disse ele, oferecendo a mão mais uma vez antes de conduzi-la até uma cabine telefônica.

– O que estamos fazendo? – perguntou ela.

Ele discou um número que sabia de cor e esperou chamar.

– Chefe. Aqui é o Finlay Shaw…

– Não liga pro seu chefe! – sussurrou Maggie apavorada, tentando arrancar o fone dele.

– … Estou dando meu aviso prévio. Me liga quando ouvir essa mensagem. – Ele fez menção de colocar o fone no gancho, mas se deteve. – A propósito, estou me transferindo para Londres… por causa de uma garota.

E desligou.

– Fin, você está maluco?!

Ele se virou para ela.

– Olha, não quero que você se sinta pressionada por mim, e não sei se vai acontecer alguma coisa entre a gente, e realmente não conheço Londres muito bem nem sei se teria qualquer emprego pra mim lá – explicou ele, fazendo um esforço para expressar seus sentimentos. – Tudo o que eu sei é que você vale o risco.

Capítulo 17

Domingo, 10 de janeiro de 2016
9h10

Baxter estava sentada no chão do boxe de Thomas, debaixo da forte ducha, segurando firmemente o anel que ele lhe dera. A água quente martelando em sua cabeça causava uma sensação que parecia entorpecer os pensamentos que ela ainda não estava pronta para encarar. Depois de quarenta minutos seus dedos já tinham ficado enrugados e Thomas havia batido na porta duas vezes para perguntar se estava tudo bem.

Ela estendeu a mão e puxou a maçaneta, sentindo o ar frio em sua pele molhada. Em segundos, sua cabeça tinha disparado novamente. Incapaz de suportar aquilo, ela puxou a maçaneta na direção oposta, esperando o tumulto diminuir, até que a chuva fosse a única coisa que ela ouvisse.

– Libertem o Lobo!

– Esse cara ainda tá aqui? – perguntou Wolf, franzindo a testa, enquanto ele e Maggie se dirigiam à Emergência.

Eles haviam sido informados de que Christian fora transferido para um quarto particular e que teriam permissão para vê-lo depois do café da manhã, o que os impeliu a encarar o refeitório do hospital. Wolf questionou Maggie sobre o sorriso malicioso que ela parecia incapaz de tirar do rosto, mas ela respondeu simplesmente que estava aliviada por Christian estar se recuperando.

Eles entraram no quarto apertado. Wolf fez uma expressão relaxada, subestimando a gravidade do ataque de que o comissário fora vítima. Solidário, ele se lembrou da própria apreensão que sentira antes de dar aquela primeira olhada no espelho para avaliar o dano. Christian, no entanto, parecia estar animado. Os três conversaram um pouco por quinze minutos, com Maggie entretendo-os com mais fotos antigas que tinha achado.

– Maggie, não quero parecer rude… – começou Wolf.

– Mas vocês, rapazes, têm assuntos de polícia para tratar – concluiu ela, parecendo um pouco cansada de ser expulsa de todo cômodo em que entrava.

Wolf fez que sim com a cabeça, sentindo-se culpado.

– Não precisa falar mais nada – disse ela, levantando-se. – Estarei na sala de espera.

Depois de dar um abraço cuidadoso em Christian, ela os deixou a sós.

– Novidades? – perguntou Christian, esperançoso.

Um de seus olhos estava fechado de tão inchado, e ele tinha grandes cortes provocados pelo airbag.

– Nada de novo – respondeu Wolf. – Quem está investigando o seu ataque?

– Eles deixaram um cartão – disse Christian, apontando para a mesinha de cabeceira.

– Vou entrar em contato.

– Por favor, faça isso… Mas imagino que não tenha sido esse o motivo pelo qual a Maggie teve que sair, certo?

– De fato – admitiu Wolf. – Saunders não conseguiu comprovar sua viagem de volta pra casa do Finlay com a cooperativa de táxi. Talvez você tenha usado uma empresa diferente da mencionada no depoimento ou…

– Sim. Podemos seguir com essa versão? – interrompeu Christian, desviando os olhos para a porta aberta.

Wolf se levantou para fechá-la.

– Foi otimismo meu achar que essa questão não iria surgir – disse Christian. – Eu fui pra lá no meu carro mesmo.

Wolf não pareceu surpreso com a resposta.

– Só Deus sabe quão acima do limite de velocidade eu dirigi naquela noite – continuou ele. – Vi aquela mensagem de texto, entrei em pânico e pulei no meu carro sem pensar duas vezes. Will, você deve fazer o que achar certo com essa informação… Confesso que não foi o meu melhor momento.

Wolf pensou por um instante e então se levantou.

– Uma cooperativa diferente – concluiu ele, abotoando o casaco. – Exatamente o que eu achava.

Baxter ficou tensa ao ouvir o barulho de uma porta de carro se fechando.

Movendo a xícara de café alguns centímetros para a direita, ela decidiu que preferia onde estava antes e a trouxe de volta. Endireitou a postura e ficou olhando para a porta enquanto uma interpretação pavorosa de "Lego House", de Ed Sheeran, ficava cada vez mais alta.

– Brrrrr! – gemeu Thomas de frio; limpou os sapatos no tapete e largou as chaves antes de notá-la ali sentada. – Você está em casa! Vai adorar saber que a árvore foi embora – informou ele, fechando os olhos e respirando fundo. – Sente esse frescor… Acho que o Echo deve ter feito cocô.

Ele tinha.

Thomas passou pela televisão barulhenta e deu um beijo na testa de Baxter, que aceitou sem mover um músculo.

– Café? – ofereceu ela.

– Ah, cacete – disse Thomas, sentando-se à mesa. – O que foi que houve? – Ele não tinha nem mesmo tirado o casaco ainda quando estendeu a mão para pegar a dela, que ela recolheu lentamente. – Emily, o que foi?

Baxter pigarreou e disse:

– Você sabe aquelas pessoas que todo mundo tem no passado? – começou ela, meio vaga, parecendo que ia passar mal. – Aquela pessoa? A que foi embora?

– Acho que sei... – respondeu ele, espelhando agora a expressão nauseada de Baxter.

– Como aquela garota da universidade de que você me falou – continuou ela, tentando se lembrar da história. – Gemma alguma coisa?

– Gemma Holland! – completou Thomas, incapaz de tirar o sorriso do rosto.

– Isso. E, mesmo que você esteja comigo agora e tenhamos a nossa... *coisa*, se ela entrasse por aquela porta neste instante, como você acha que ia se sentir?

– Tenho quase certeza de que ela é *ele* agora – disse Thomas.

Baxter bufou.

– Ok. Péssimo exemplo. Mas o William Fawkes... o Wolf... ele é o meu "aquele que foi embora" – explicou ela, olhando Thomas nos olhos. – E a razão pela qual não voltei pra casa ontem à noite é porque – ela respirou fundo – eu estava com ele.

Thomas parecia confuso.

– Estou usando o termo "estar com" no sentido bíblico aqui – esclareceu ela.

– Acho que isso não existe.

– Tá. Mesmo assim...

– Você está querendo dizer "conhecer" no sentido bíblico.

– Me parece que isso não tem muita relevância nesse momento.

– Não tem – concordou ele, parecendo perdido. – Acho que não tem.

– Eu poderia desfiar um monte de desculpas esfarrapadas envolvendo ter surtado com o seu pedido ou ter bebido além da conta ontem à noite. Eu poderia responsabilizar tudo o que aconteceu no último mês pela bagunça na minha cabeça. Mas seriam só desculpas.

Thomas assentiu enquanto um jingle inadequadamente alegre soava nos alto-falantes da televisão.

– Já comecei a arrumar as minhas coisas – prosseguiu ela, colocando a caixa do anel sobre a mesa. Ela a deslizou para ele. – Acho que você vai querer isso de volta.

Ele olhou para baixo e depois para ela.

– Então é isso?

– Bem, achei que...

– Não tenta jogar a decisão pra mim. Eu estava falando a verdade quando disse que queria passar o resto da minha vida do seu lado. Se não é isso que quer, então que seja *você* a pôr um fim na relação. Com licença – disse ele, levantando-se.

– Aonde você vai?

– Sair.

Caminhando até o sofá, Thomas era a própria imagem da tranquilidade enquanto pegava o controle remoto depois de achar o anúncio seguinte ainda mais insuportável que o anterior.

– Sair pra onde?

– Pra dar uma volta – respondeu ele distraidamente, apertando botões que pareciam não funcionar. Por fim, ele simplesmente arremessou o pequeno controle preto na tela, o que pareceu fazer efeito. – Com licença – disse ele outra vez para Baxter, atordoada, a televisão ainda fazendo um chiado de estática enquanto ele saía porta afora.

Wolf finalmente conseguiu tomar um banho, o que foi uma boa notícia para ele, mas ainda melhor para os outros. Ele e Saunders tinham passado a tarde inteira falando com o detetive da Polícia de Essex que liderava a investigação sobre o ataque a Christian. O detetive foi extremamente solícito, fazendo todo o esforço possível para ser prestativo, e parecia praticamente em êxtase diante da perspectiva de ter outra força policial interferindo em seu trabalho.

Havia pouco a relatar até então, no entanto. A caminhonete Mitsubishi havia sido encontrada incendiada em uma estradinha de terra perto de Hatfield; a perícia estava tentando encontrar alguma coisa em meio às ferragens. Analisando mais a fundo as imagens da câmera do celular do vizinho, tudo o que se conseguiu estabelecer foi que os dois homens eram quase sem dúvida homens mesmo, ambos com mais de 1,80 metro de altura, musculosos e experientes o suficiente para não deixar rastros. Os destroços restantes foram todos coletados e levados para catalogação.

Agora sem o fedor, Wolf enrolou uma toalha em volta da cintura e caminhou seminu pela Delegacia de Polícia de Paddington Green para passar a noite em sua cela.

* * *

Edmunds havia perdido a noção do tempo, trabalhando à luz de uma lanterna quebrada presa com fita no cabo do seu cortador de grama. Enquanto Tia e Leila assistiam a um filme, como de costume nas tardes de domingo, ele tinha se retirado para o jardim a fim de continuar o trabalho. Rabiscou uma nota para si mesmo: um lembrete para solicitar mais arquivos relacionados ao grupo que operava no armazém do estaleiro. Havia sido levada a cabo uma investigação conduzida exclusivamente pela divisão de entorpecentes, que ele agora acreditava ter relação direta com eles. Ele se inclinou para trás e se espreguiçou, as articulações estalando, quando ouviu um grito vindo de dentro da casa.

Derrubando o banquinho, ele saiu porta afora e atravessou o trecho escuro do jardim.

– Alex! Alex! – gritou Tia, acendendo a luz da cozinha enquanto Leila choramingava nos braços dela.

No momento em que chegou à porta dos fundos, ele entendeu o motivo do alarme dela: pegadas de botas molhadas enlameavam o chão de linóleo entre eles, avançando pela sala de estar e traçando um círculo ao redor da cozinha antes de sair.

– Alguém esteve na casa! – disse ela ofegante enquanto acalmava Leila.

– Não saiam daqui – ordenou Edmunds, abrindo a gaveta de talheres e pegando uma faca.

Ele atravessou a porta e sentiu um mal-estar físico ao ver a rota do intruso em torno do sofá em que sua noiva e sua filha estavam dormindo. Percebeu um cheiro estranho no ar e subiu as escadas correndo, atrás das pegadas. Verificou os armários e desceu de volta depressa, o cheiro cada vez mais intenso. Um som borbulhante e sibilante emanava do corredor quando ele entrou. As três caixas de evidências estavam arrumadas de outro jeito, empilhadas uma sobre a outra; pareciam estar derretendo.

Depois de contornar cuidadosamente a pilha se desfazendo, ele verificou o banheiro à direita antes de chegar ao jardim na frente da casa. Correndo até a beira da estrada, não viu nenhum sinal de movimento em qualquer ponto da rua coberta de neve. Ficou ali, observando a escuridão por quase um minuto antes de voltar para dentro e derrubou no chão o pouco que restava das caixas na esperança de salvar alguma coisa. Enquanto corria de volta para sua família, ele pegou o celular e buscou o número de Baxter.

138

* * *

– Ácido? – perguntou Saunders, enquanto Joe se agachava sobre o amontoado pegajoso no chão da casa de Edmunds.

Ele sacudiu um potinho e o segurou contra a luz, observando o líquido rodopiante ficar gradualmente vermelho.

– Sem dúvida – respondeu Joe, levantando-se novamente.

Edmunds estava com uma expressão de revolta.

– Eles chegaram perto da Leila com um troço desses.

Wolf observou, atônito, quando Baxter foi segurar a mão de Edmunds. Ela havia passado direto por ele quando chegou e vinha evitando contato visual desde então.

– Elas foram pra casa da mãe dela? – perguntou Baxter.

Edmunds fez que sim com a cabeça.

– Então, agora estamos todos de acordo que o arrombamento do meu carro não foi um arrombamento qualquer, certo? – perguntou Saunders. – Eu, o comissário... e agora o Edmunds. Estamos todos na mira.

– O que significa que estamos chegando perto – afirmou Wolf.

– Perto de ter uma etiqueta pendurada no dedão, talvez – murmurou Saunders.

Todos franziram a testa para ele.

– Que foi? – perguntou ele, sem graça. – Só estou dizendo. – Ele se voltou para Baxter, mudando de assunto: – Wolf disse que ontem à noite a espera não valeu a pena.

– Aaai! – reclamou Edmunds quando ela cravou as unhas na mão dele.

– Disse que foi muita expectativa por uma coisa que não ia acontecer – continuou Saunders, sentindo a mudança abrupta na atmosfera. – Que foi desconfortável – acrescentou, sem saber ao certo se devia continuar falando ou não.

– Como é que é?! – perguntou Baxter, a essa altura deliberadamente fazendo contato visual com Wolf.

Todos os outros se viraram para Saunders, nenhum deles muito certos quanto ao que ele tinha dito de errado, incluindo o próprio Saunders.

– Bem... Ele disse que quis... *cochilar* um pouco, mas que não conseguiu.

Baxter ficou boquiaberta, indignada.

– Acho – começou Wolf, finalmente intervindo – que ele está se referindo à noite que a gente passou nas cadeiras da sala de espera.

– Sim... isso... – concordou Saunders e deu de ombros, confuso.

– Ah – suspirou Baxter. – Eu não fiquei a noite toda.

– Ela saiu por volta de...

– Umas onze? – sugeriu Baxter.

– ... três – completou Wolf e olhou para ela. – Três minutos depois das onze.

– Não que você esteja me vigiando nem nada! – disse Baxter, com uma risadinha forçada.

– Longe de mim! – retrucou ele, terminando aquele estranho diálogo da maneira mais anormal possível. Ele não tinha certeza de que existisse mesmo um "silêncio suspeito", mas, se existia, aquele definitivamente era um deles. Então mudou logo de assunto: – Eu queria saber o que tinha de tão importante nessas caixas.

Joe estufou as bochechas ao observar a poça de gosma a seus pés.

– Infelizmente, jamais saberemos.

Capítulo 18

Segunda-feira, 5 de novembro de 1979
A Noite da Fogueira
21h14

Finlay caiu pesadamente, arranhando as palmas das mãos no concreto, a fumaça que revestia seus pulmões sufocando-o aos poucos por dentro. Lutando para recuperar o fôlego, um lado de seu corpo foi banhado por um brilho morno enquanto as primeiras pontadas de dor percorriam suas mãos.

– Fin! – gritou Christian de algum lugar detrás dele, sua voz ficando cada vez mais alta. – Fin, levanta, porra!

Assoberbado com a própria carga, Christian passou cambaleando com vários sacos de um quilo de um pó esbranquiçado, que ele despejou em cima de uma pilha cada vez maior. Finlay ficou de joelhos e começou a recolher os sacos espalhados ao seu redor.

– Quanto falta ainda? – gaguejou ele, enquanto Christian corria para ajudá-lo.

Mas Christian não respondeu e, em vez disso, despejou em cima dele os sacos que havia recolhido do chão.

– Quanto falta ainda? – insistiu Finlay.

– Estou indo pegar mais! – gritou Christian, tendo que proteger os olhos no momento em que ocorreu uma explosão nos fundos do edifício.

– Quanto falta?! – perguntou Finlay mais uma vez, mas seu parceiro já estava correndo de volta para a doca de carregamento. – Ah! – exclamou ele com uma careta de frustração, quase caindo na montanha de heroína enquanto deixava mais uma contribuição.

Exausto, ele se endireitou e correu de volta para dentro a fim de ajudar com o restante. Passando pelas portas de metal deformadas, ele contornou os destroços da van e então estacou, incapaz de compreender o cenário diante dele: ele estava parado na parte inferior da escadaria de metal onde Christian havia jogado o carrinho com a carga para ele… mas não havia mais sacos para carregar.

O carrinho tinha sumido. Christian tinha sumido.

– Seu idiota de *merda*! – esbravejou Finlay, enquanto subia a escada íngreme e andava de volta em direção às chamas.

A temperatura amena da doca de carregamento tinha iludido Christian, que ficou com uma falsa sensação de segurança.

Gotas de suor escorriam por seus olhos, a estrutura de metal agindo como um forno gigante enquanto ele empurrava o carrinho em direção à névoa no final do corredor. Ao passar pela última porta, o calor se tornou insuportável e ele cogitou voltar, o quarto tomado, o fogo já atrás dele.

Ao chegar ao seu destino, teve que fazer força para conseguir passar com o carrinho por cima do cadáver junto à porta, deslocando-o sem querer.

Ele tombou dentro do cômodo e ouviu a porta pressurizada se fechar às suas costas.

– Merda! – gritou.

A parede oposta inteira estava em chamas. Christian podia sentir seus olhos queimando. Ajeitando o cachecol sobre o nariz e a boca, ele começou a jogar os maços de dinheiro no carrinho. Menos de trinta segundos depois ele estava de volta à porta lacrada. Segurando firme a alça de metal, ouviu o chiado de sua pele formando bolhas antes mesmo de sentir a dor. Deu um grito e se virou para o fogo, hipnotizado pela forma como se enroscava sobre si, consumindo tudo pelo caminho em direção ao teto e a ele mesmo.

Uma ideia lhe veio à cabeça: ele pegou a arma que Finlay lhe dera e apontou para uma das dobradiças...

– Christian!

– Fin! – berrou ele, tossindo. – Fin, fiquei preso!

Houve vários estalos altos enquanto Finlay tentava, em vão, abrir a porta pelo lado de fora.

– Fin, rápido! – gritou Christian desesperado, enquanto observava, atônito, sua rota de fuga bloqueada; ele ouviu o silvo distinto do ar escapando e sentiu uma onda de calor soprar por seus ouvidos.

Houve um baque violento atrás dele.

Virando-se, Christian deu de cara com um homem gravemente ferido, da mesma idade que ele no máximo, se não mais jovem. Vestido com roupas casuais, ele visivelmente fazia parte da operação do armazém, não era um dos mercenários profissionais responsáveis pelo roubo malsucedido. O estranho pareceu igualmente surpreso ao vê-lo ali. Quando o momento inicial de choque passou, um olhou para a arma na mão do outro, e o instinto os dominou...

Eles ergueram as armas ao mesmo tempo. Mas foi Christian quem atirou primeiro.

Mortificado, ele viu o jovem musculoso cair para trás, contra a parede, a arma deslizando de suas mãos enquanto ele escorregava para o chão.

Finlay ouviu o tiro do outro lado da porta e estava chamando por Christian freneticamente. Ele deu um grito quando enfim conseguiu empurrar o metal em chamas com o braço nu. Olhou para o parceiro, para a arma na mão dele, depois para o homem tombado contra a parede, enquanto lutava para segurar a porta.

– Confere a pulsação! – instruiu a Christian, que apenas ficou lá parado. – Vai ver se ele ainda tá vivo! – gritou, ajeitando o próprio corpo contra a porta e entrando o máximo possível no cômodo.

Saindo do choque e entrando em ação, Christian largou a arma e correu até o corpo, o teto em chamas começando a ceder em torno dele. Ele se sentiu mal ao ver os olhos do estranho acompanhando suas ações, pois sua decisão já estava tomada. Ciente de que Finlay o observava, ele colocou dois dedos sobre a jugular do homem, sentindo a batida rítmica logo abaixo da pele.

– Não deu – sussurrou ele, antes de se voltar para o parceiro. – Ele está morto!

– Então vem logo – gritou o escocês, já na porta.

– O dinheiro! – gritou Christian às costas dele.

– Deixa pra lá!

– Fin!

– Deixa pra lá!

Segurando a alça do carrinho, Christian tentou puxá-lo sozinho pela porta estreita.

– Fin! Me ajuda!

Ele puxou, desesperado, sem conseguir fazer as rodas rolarem sobre a borda de metal, assistindo impotente enquanto dois blocos de dinheiro deslizavam da parte de trás da caçamba e eram instantaneamente consumidos pelas chamas.

– Fin!

De repente, Fin surgiu de volta ao lado de Christian, suas mãos grossas envolvendo a alça de metal. E então, juntos, eles deram ao carrinho pesado um último puxão, conseguindo enfim libertá-lo da fornalha.

Finlay estava de pé junto à água, observando os fogos de artifício.

Depois de todas as fotos e toda a fanfarronice, ele tinha visto Christian sentado, sozinho, ainda sem conseguir manter firme a mão enfaixada. Mas não havia ido até ele.

Seus colegas andavam de um lado para outro sem propósito, divertindo-se ao observar os bombeiros fazerem seu trabalho ou admirando os buracos de bala no capô do Ford Cortina, alheios, pelo menos por enquanto, ao que ele e Christian haviam enfiado no porta-malas, ao que eles haviam feito. Ele nunca tinha se sentido tão desconectado deles, gente com quem trabalhava havia anos; uma decisão tomada numa fração de segundo que mudara tudo. Ele gostaria de poder simplesmente jogar o carro nas chamas, queimá-lo, queimar o dinheiro, queimar a culpa e a vergonha.

Ia virar cinzas se a gente não tivesse pegado.

Ia ficar tudo guardado como evidência pra sempre.

Ninguém sabe que ficou com a gente. É um crime sem vítimas.

As palavras de Christian martelavam em sua cabeça. Só que não tinha sido um crime sem vítimas, porque *eles* haviam contribuído com uma parte daqueles restos carbonizados.

Finlay tirou a arma da cintura. Pegou-a pelo cabo usando uma bandagem limpa, para não enfeitá-la com ainda mais digitais suas. Ele não sabia direito por que a havia pegado do chão, dada a certeza de que o fogo teria destruído as evidências no fim das contas.

Melhor prevenir do que remediar, supôs ele.

Olhando para a água escura, refletiu sobre a rapidez com que um erro poderia levar a outro e começou a limpar o cano. Mas, então, por motivos que ele mesmo não sabia explicar, parou.

Envolveu rapidamente a arma com a bandagem e a enfiou na parte de trás das calças, segurando seu próprio braço ferido enquanto observava o restante da cena.

Capítulo 19

Segunda-feira, 11 de janeiro de 2016
8h02

Joe já tinha escutado do início ao fim o álbum *Dark Side of the Moon*, do Pink Floyd, o *III*, do Led Zeppelin, e o *Teenage Dream*, da Katy Perry, quando se deixou cair em uma das macas de metal, por volta das três da manhã. Após dar um susto inesquecível na faxineira, ele jogou o lençol branco de lado e desceu da maca em busca de cafeína.

Com os olhos embaçados, verificou cada um dos terminais que tinha deixado funcionando durante a noite. Como um zumbi nerd, ele se arrastou entre eles, folheando a papelada e digitando letargicamente nos terminais até chegar à quarta tela. Então despertou na mesma hora e deixou o café de lado. Pegou a pilha de impressões, deixando várias folhas caírem enquanto caminhava pelo laboratório forense.

– Eu... sou... *incrível*! – declarou ele ao sair porta fora e dar um encontrão na faxineira, que já estava assustada e não o ouviu se aproximar por causa do barulho do aspirador de pó.

* * *

Rouche ficou de costas para a janela clara. Sentindo o sono se esvair rapidamente, ele virou o travesseiro e esticou as pernas; seu pé descalço encontrou algo sólido em cima do edredom. Depois de alguns momentos sondando com os dedos dos pés, não desvendou o que era e se sentou, para então descobrir que estava chutando o rosto de Holly.

Ela se remexeu quando ele rapidamente reposicionou o pé.

– Ei – disse ela com um sorriso, mexendo no cabelo loiro curto.

Ela parecia totalmente exausta, encolhida como um gato nos pés da cama. Tinha ido ver como ele estava depois do expediente, e eles desfrutaram de um jantar delicioso de espaguete com torrada. A sobremesa fora substituída por um punhado de comprimidos, depois ela o ajeitou para dormir.

– Perdão – disse ela enquanto se sentava, o uniforme de trabalho amarrotado. – Só fechei os olhos por alguns segundos.

Rouche se sentiu mal. As demandas de cuidar de um paciente em péssimo estado nas horas vagas estavam cobrando seu preço. Holly era uma pessoa instintivamente gentil, do tipo que tem a ingenuidade de se achar capaz de fazer alguma diferença para valer neste mundo decadente, e ele estava começando a achar que Baxter e ele estivessem se aproveitando desse traço da sua personalidade.

– Por que você não tira uma noite de folga? – sugeriu ele, encolhendo-se de dor ao se sentar. – Vai passear… ver um filme… jantar no Frankie & Benny's, talvez, ou o que quer que vocês jovens malucos façam hoje em dia.

– Cinema e Frankie & Benny's? – perguntou Holly com uma risada. – Esse é o seu conceito de uma noite de diversão?

– Parece muito bom pra mim agora – respondeu ele, com um sorriso murcho.

– É… pra mim também, na verdade.

– Então vai! – disse Rouche, com mais energia do que ela o vira exibir em semanas. – Eu iria junto, mas, você sabe: FBI… helicópteros… perseguição… tiroteio… morte.

Ela se levantou da cama, rindo.

– Como está se sentindo?

– Sabe de uma coisa? Bem. Ótimo, na verdade.

– Não está só dizendo por dizer?

– De jeito nenhum – respondeu Rouche, arrastando-se até a beirada da cama. – Vou fazer o café da manhã pra você.

– Não vai mesmo.

– Promete tirar uma noite de folga? – perguntou ele balançando os pés e ameaçando se levantar.

Holly parecia dividida.

No final, fecharam um acordo: Holly telefonaria uma vez antes de sair e assim que chegasse em casa. Ela concordou em tomar pelo menos três gins-tônicas, com a condição de que Rouche comesse alguns legumes no jantar. Ele ficaria no quarto o resto do tempo desde que pudesse se juntar a ela no café da manhã na cozinha, com várias exceções envolvendo incêndio, pegar a correspondência e assistir a um programa de TV sobre compra de antiguidades.

Ele levou os pratos sujos até a pia antes que ela pudesse protestar e até mesmo descobriu os horários em que estava passando um drama do tipo "mulher à beira da morte se apaixona pelo homem cujo órgão poderia salvar sua vida", que fez com que a ideia de um tiroteio com o FBI não parecesse tão ruim assim.

– Tenho que ir! – disse Holly ao se dar conta da hora. Ela recolheu suas coisas. – Você se comporta, hein.

– Pode deixar – prometeu Rouche, fazendo questão de acompanhá-la até a porta.

Eles se abraçaram, desacostumados com a ideia de passar um dia inteiro separados. Holly parecia genuinamente feliz, no entanto.

– Mal consigo acreditar em como você está melhor! – comentou ela.

Rouche deu um tapinha no ar enquanto ela descia as escadas. Mas, assim que fechou a porta, ele se apoiou contra ela, ofegando de dor enquanto deslizava até o chão. O esforço necessário para manter as aparências tinha acabado com ele. Conseguia ver o analgésico na bancada da cozinha, mas não era capaz de se mexer. Então ficou apenas sentado ali, olhando para o saco de papel, sua visão embaçando enquanto ele começava a chorar.

– Que diabos você tá fazendo, William? – perguntou Maggie enquanto a chaleira apitava na cozinha. – Estou congelando!

Wolf estava agachado no corredor junto à porta da frente, aberta, brincando com a fechadura.

– Desculpa. Só mais um minuto. Prometo.

– Algum problema com a porta?

Wolf balançou a maçaneta para cima e para baixo, verificando o mecanismo. Deu de ombros e fechou a porta.

– Ela emperrou outro dia. Só queria ver se tinham alinhado ela direito quando trocaram o batente... Pra saber se a gente ainda consegue entrar se você precisar da gente.

– Você é um bom menino.

Ele olhou para ela, em dúvida.

– Bem, você é bom comigo, pelo menos – comentou ela, sorrindo. – Chá?

– Vou só colocar o lixo pra fora – disse ele, indo até a cozinha para pegar o saco, cheio apenas até a metade.

Ele destrancou a porta dos fundos e a fechou ao sair. Depois de jogar o saco na lixeira, percorreu de ponta a ponta o jardim, rodeado de arbustos altos de ambos os lados, até chegar à cerca dos fundos. Esticou-se e olhou por cima da madeira para espiar a propriedade abandonada do outro lado. Conferindo se não havia ninguém por perto, escalou o frágil painel e aterrissou de um jeito nada digno ao cruzar o outro lado.

– Merda – grunhiu ele.

Seu celular começou a vibrar no bolso. Ainda sem conseguir se deslocar, ele tateou em busca do aparelho, sentindo-se ainda despreparado para ter uma conversa de verdade com Baxter depois que ela o largou. Mas, então, ele suspirou de alívio.

– Saunders?

– Tudo bom? O Joe disse que descobriu uma coisa.

– Quem?

– O perito.

– Ah.

– O comissário quer se manter informado, então vamos nos encontrar no hospital meio-dia e meia.

Wolf olhou para o relógio e falou:

– Vejo vocês lá.

– Consegui a gravação da ligação do Finlay para o número da emergência – informou Saunders a Wolf enquanto eles viravam para entrar em outro corredor idêntico ao que estavam. – Tem 24 segundos de duração. A operadora pergunta de qual serviço de emergência ele precisa, diz duas vezes que não está conseguindo ouvir e pede pra ele tossir ou dar uma batidinha no telefone se não estiver conseguindo falar. Ouvem-se duas batidas, depois a ligação cai. Não há nada que indique se foi o Finlay pedindo ajuda ou se foi outra pessoa.

– Hmmm – murmurou Wolf.

– Pedi ao Steve, da parte técnica, que melhorasse o áudio, mas não acho que dê para esperar muita coisa.

Eles entraram no quarto particular e descobriram que haviam sido os últimos a chegar.

Christian estava recostado na cama, com o botão do gotejamento de morfina na mão e seus vários sinais vitais exibidos na tela atrás dele, de modo que todos vissem. Baxter havia reivindicado estrategicamente o canto mais distante, livrando-se da necessidade de fazer contato visual ou interagir com qualquer um deles. Enquanto isso, Edmunds, que tivera a imprudência de tocar no assunto do desastroso pedido de Thomas, ficou no canto oposto, com aparência infeliz. E Joe, alheio a tudo aquilo, sorria feito um idiota, orgulhoso de si próprio.

– Ah! Fawkes e Saunders. Por favor, sentem-se – cumprimentou ele, apontando para o pé da cama do comissário.

Christian passou o polegar sobre o botão de morfina e disse:

– Por favor, não.

– Estamos bem de pé – assegurou Wolf.

– Fiquem à vontade… Todo mundo animado? – começou Joe, visivelmente incapaz de sentir o clima. – Ok. Então, alguns anos atrás, eu me candidatei a um financiamento para um Sistema de Mapeamento em 3D de Análise de Textura de Superfície, que eles de início não quiseram me conceder porque…

Baxter bocejou alto.

– Certo. Você não se importa. Mas, em termos leigos, a analogia mais próxima seria o reconhecimento facial de objetos… objetos como… *projéteis* – disse Joe com um sorriso. – Fiquei ontem o dia inteiro inserindo as evidências físicas do Finlay e do comissário, os arquivos dos casos antigos dele. Levou um tempo, mas finalmente consegui achar uma correspondência.

Ele ergueu um saco de evidências transparente contendo um punhado de objetos metálicos.

148

– Evidência A: apenas seis das dezenas de balas recuperadas na apreensão do armazém na Noite da Fogueira. Todas disparadas da mesma arma.

– E você sabe disso como? – perguntou Saunders.

– Tamanho e fabricante do projétil? – palpitou Edmunds.

– Se não me falha a memória – interrompeu Christian –, havia *um monte* de armas disparando *um monte* de balas naquela noite.

– Fico feliz que você tenha perguntado – disse Joe, parecendo contente de verdade. Ele pegou uma fotografia ampliada de uma bala, com linhas coloridas destacando arbitrariamente pedaços do projétil amassado. – Pequenas imperfeições no cano. Elas deixam riscos minúsculos no metal conforme a bala o atravessa e são sempre iguais. Como uma impressão digital, se preferirem.

– Sem querer soar condescendente, cara – interrompeu Saunders, mantendo a compostura por conta da presença de Christian –, mas a lógica diz que, a menos que fosse completamente incompetente, quem quer que estivesse de posse da arma daria pelo menos alguns tiros antes de receber um de volta. Qual é a novidade?

– Ah, essa não era a novidade – esclareceu Joe. – Isso foi só pra estabelecer um ponto de partida. – Ele ergueu várias outras fotos de balas, todas com marcações semelhantes em cores vivas. – Começamos então a procurar pelos riscos mais frequentes.

– E bate com a arma do Finlay?! – perguntou Edmunds, empolgado.

– Não – disse Joe, soando um pouco desanimado. – Isso realmente teria sido relevante. – Ele pegou um segundo saco de evidências, este contendo uma única bala manchada. – Evidência B – anunciou ele. – "B", de "bunda". *Esta* é a bala que se alojou na nádega esquerda deste respeitável sujeito – prosseguiu ele, apontando para Christian, que acenou como se tivesse recebido um prêmio – poucos dias depois, em George Square. Uma correspondência de 92%!

Seu público pareceu um pouco entediado.

– Este troço está ligado? – brincou ele, batendo no peito. – Vocês percebem onde eu estou querendo chegar?

Seu público continuava parecendo um pouco entediado.

– Não estão vendo? Isso significa que a arma que disparou *estas* balas estava presente em *ambas* as cenas de crime! Portanto, como ela foi parar lá?

Edmunds e Wolf responderam ao mesmo tempo:

– O holandês.

– O *Mullet* Imortal.

Joe estava visivelmente aguardando por aquele momento. Ele ergueu o saco com a bala da nádega mais uma vez.

– Estão falando do cabeludo idiota que morreu dois dias antes de *esta* bala ser disparada?! – Ele estava ficando animado. – Conclusão: o holandês não foi o único a sobreviver ao incêndio no estaleiro... Alguém mais escapou.

– Não é possível – disse Christian, com uma aparência ainda pior do que cinco minutos antes.

Wolf olhou para ele, notando que sua frequência cardíaca no monitor estava subindo.

– Todas as evidências nos levam de volta àquele armazém – continuou Joe, cheio de convicção. – É *esse* o caso em questão. E quem quer que seja esse misterioso segundo sobrevivente, ele agora é o nosso principal suspeito.

Capítulo 20

Segunda-feira, 5 de novembro de 1979
A Noite da Fogueira
21h16

O céu estava em chamas.

O esqueleto de metal do edifício agonizante gemia enquanto ele olhava, impotente. As faíscas se inflamavam ao seu redor, vaga-lumes dançando nas correntes de ar. A menos de cinco metros de distância, o pouco que restava da torre de dinheiro brilhava com intensidade, agora nada mais que papel carbonizado e cinzas. Infelizmente, a bala havia errado o alvo, cravando-se dolorosamente abaixo de sua omoplata e sentenciando-o a morrer queimado.

Um ensaio para onde ele iria a seguir.

O teto continuava a desmoronar em torno dele, permitindo um vislumbre final das estrelas. E então o armazém em colapso iniciou o último ato.

O chão retumbou embaixo dele.

A porta pressurizada foi arrancada da parede.

Ele fechou os olhos e se deixou cair.

* * *

Deitado em meio aos escombros no chão da fábrica, ele se perguntou se Deus não estava se divertindo um pouco demais com aquilo tudo. Com os olhos ainda fechados, desejou que aquele inferno acabasse quando o último dos enormes cilindros explodiu em algum lugar por perto.

– Anda logo – sussurrou ele. – Anda logo!

Sentindo um vento gelado na nuca, ele abriu os olhos; uma abertura estreita havia se formado no canto da sala no ponto onde as duas paredes se encontravam. Pegando sua arma do chão, ele se arrastou para fora em meio à noite. Ao seu lado, havia a água escura, enquanto o céu era iluminado por explosões coloridas; um mar de luzes azuis piscava sobre os contêineres quando ele alcançou a cerca de arame.

Perdido em algum lugar entre as luzes e os fogos de artifício, brilhou o singelo flash de uma única câmera – capturando o momento de glória de Finlay e Christian, capturando a maior apreensão da Polícia de Strathclyde em décadas, capturando uma torre de um metro e meio de heroína pronta para ser enviada e a identidade dos dois homens responsáveis por mantê-la longe das ruas.

Capítulo 21

Terça-feira, 12 de janeiro de 2016
9h06

– **E**i! Ei! Ei! – chamou uma mulher autoritária quando Wolf e Maggie passaram pelo posto de enfermagem. – Todos os visitantes precisam se registrar aqui – disse ela, voltando para o seu telefonema.

Aquela era a primeira vez que estavam lhes exigindo isso. Obediente, Wolf caminhou até o livro que exibia orgulhosamente o nome de outras pessoas que tiveram o azar de serem interceptadas por aquela mulher grossa. Ele examinou a lista e pegou a caneta. Mas então, pensando melhor, rasgou a preciosa página, guardando a caneta no bolso só para garantir.

– William! – sussurrou Maggie.

– Desculpa. Só não gostei do jeito que ela falou com você – disse ele, arrastando-a de lá antes que alguém percebesse.

Christian estava recebendo alta, e Wolf se ofereceu para ir com Maggie buscá-lo; ela obviamente tinha entrado no modo enfermeira e transformado o banco de trás de seu carro em uma ambulância. Com Wolf ao volante, eles por fim conseguiram sair da zona urbana e entraram nas vias secundárias salpicadas de sol que abriam caminho pela floresta. As instruções de Christian passaram a ser desnecessárias assim que eles entraram na rua particular, o concreto com marcas de pneus e o vidro quebrado que brilhava ao sol guiando o caminho. Ao passar pelos portões, eles se depararam com uma casa de três andares elegante e ao mesmo tempo moderna, uma fusão de madeira e vidro no estilo escandinavo projetada para parecer ter crescido naturalmente ao redor das árvores.

– Uau – comentou Wolf no banco do motorista.

Para alguém que estava morando em uma cela, talvez sua opinião não contasse muito.

Eles estacionaram. Christian entregou as chaves a Wolf e lhe deu o código do alarme, que soava de maneira estridente ao redor da construção minimalista. No momento em que cruzou a soleira, Christian insistiu em fechar a porta ele mesmo, verificando duas vezes se estava realmente trancada antes de levantar a maçaneta. Ele girou a chave na fechadura e fechou os trincos de cima e de baixo enquanto Maggie e Wolf assistiam pacientemente.

– Perdoem a minha paranoia – disse ele. – Acho que vai demorar um pouco até eu me sentir seguro aqui de novo... Venham – chamou ele, conduzindo-os para a sala principal.

Uma parede de vidro de três andares dava para o jardim imaculado; apenas um pitoresco portão de madeira o separava da floresta. Acima deles, havia uma varanda suspensa, atraindo o olhar do observador para o magnífico teto abobadado.

– Caramba, Christian – comentou Maggie. – E eu achava a sua antiga casa bonita! Você mora aqui sozinho?

– Infelizmente, sim. – Ele fez uma careta de dor enquanto tentava se sentar em sua poltrona favorita. Maggie correu para ajudá-lo. – Will, você poderia, por favor, me manter informado a respeito de quaisquer futuros desdobramentos?

Wolf ainda estava olhando para a floresta, banhando-se com o sol de inverno.

– Oi?

– Futuros desdobramentos – repetiu Christian. – Pode me manter informado?

– Você vai ser o primeiro a saber.

– Mas não vai mesmo – retrucou Maggie. – O senhor está em repouso absoluto.

– Tá bem, tá bem! – concordou ele, dando uma piscadela para Wolf enquanto Maggie começava a revirar travesseiros e medicamentos, claramente apreciando a ideia de se sentir útil em vez de um fardo.

– Estou indo – anunciou Wolf, afastando-se das janelas e dirigindo-se para a porta. – Vou pegar um táxi até o metrô.

– Tem certeza? – perguntou Maggie. – Posso levar você.

– Não precisa – disse ele, sorrindo. – Só fica de olho no Christian.

Os vasos pendurados no teto balançavam suavemente com a brisa, flores de inverno famintas pelo sol esticando-se em direção ao céu enquanto sufocavam umas às outras: o instinto de sobrevivência em toda a sua violenta glória.

Epping devia ser a estação mais esquisita em que Wolf já estivera, parecendo-se mais com um pavilhão de parque que com uma piscina sem água, além de bem cuidada, limpa e vazia. Ele embarcou no metrô parado na plataforma e fechou os olhos, o vagão gradualmente se enchendo ao seu redor enquanto desciam em direção à cidade.

Ressurgindo na estação de St. James's Park, Wolf fez uma curta caminhada até a New Scotland Yard. Ele tinha acabado de se identificar na recepção e ser avisado de que deveria aguardar até que alguém chegasse para acompanhá-lo quando percebeu que vários policiais armados se mobilizaram ao mesmo tempo.

– Prendam aquele homem! – gritou um deles, apontando para o movimentado saguão.

Curioso para assistir a um idiota desavisado ser derrubado no chão por cinco policiais entediados, Wolf se virou para ver de quem eles estavam falando, o que só facilitou a vida dos cinco policiais entediados, que o derrubaram no chão em seguida.

* * *

Era de se esperar que Wolf tivesse a impressão de não estar fazendo um grande avanço, visto que foi algemado de novo e se viu sentado na mesma cadeira, na mesma sala de interrogatório que havia ocupado uma semana antes. Felizmente, ele não precisou esperar muito até que Vanita entrasse e se sentasse à mesa com ele.

– Vamos ser breves, ok, Fawkes? – começou ela. – Eu sabia que você não ia conseguir. Eu sabia que você não ia ser capaz de resistir à tentação de desrespeitar os termos do nosso acordo. Só estou surpresa que tenha durado tanto. Acho que merece os parabéns por isso.

– Obrigado – concordou Wolf, genuinamente orgulhoso de si mesmo. – E, só pra saber, quais termos do nosso acordo você sabe que desrespeitei? Quer dizer, a quais está se referindo?

Ele revirou os olhos, menos orgulhoso de si mesmo.

Vanita abriu uma pasta.

– Às oito e cinquenta e oito da noite de sábado, você deixou a acomodação que lhe foi designada depois do toque de recolher e só voltou na tarde seguinte.

– Porque eu estava no hospital com o Christian... o comissário – lembrou ele.

– Depois disso – prosseguiu Vanita –, levou um total de apenas quatro horas antes de quebrar o toque de recolher pela segunda vez.

– Pra comparecer a uma cena de crime na casa de Alex Edmunds! – Wolf começava a se sentir frustrado. – Isso tudo talvez seja novidade pra alguém que acabou de desfrutar de outro longo e agradável fim de semana...

– Eu estava em um curso de formação.

– ... mas, de vez em quando, esses criminosos inconvenientes decidem enfiar a porrada em comissários de polícia e espalhar líquidos corrosivos por aí em horários pouco sociáveis!

Sua irritação só deixou Vanita mais presunçosa.

– Os outros não podiam ter lidado com isso? – perguntou ela, virando a página. – E agora fiquei sabendo que, na tarde de sexta-feira, o detetive Aaron Blake realizou uma busca desnecessária e, portanto, ilegal, a fim de obter os dados atuais de Ashley Lochlan. – Ela olhou para ele. – Sério, Fawkes? Alguém da lista do Boneco de Pano! Você não tinha mesmo como saber que isso ia aparecer nos nossos sistemas?

Wolf abriu a boca para argumentar...

– E, por fim – interrompeu ela, parecendo um pouco enojada diante das informações excessivamente detalhadas no papel –, o capelão do Hospital King George afirma ter encontrado você pelado dentro da capela – ela franziu a testa –, deitado ao lado de uma estátua sem cabeça de Nosso Senhor Jesus Cristo. – Ela ergueu as sobrancelhas. – Tem algo a dizer?

Wolf abriu novamente a boca, fechou e balançou a cabeça.

– Vou detalhar a sua contribuição para a investigação do caso Finlay Shaw no meu relatório. Tchau, Fawkes.

Ela se levantou para sair.

– Eu preciso falar com a Baxter! – disse ele.

– Nem pensar.

– Então quero falar com o meu advogado.

Vinte minutos depois, Wolf foi escoltado até uma sala vazia para fazer seu telefonema. O policial ficou do lado de fora, sua sombra ainda visível pela fresta sob a porta, montando guarda. Amassando o papel com o contato da Collins & Hunter, a primeira firma de advocacia que lhe viera à mente, Wolf discou um dos poucos números de telefone de que ainda se lembrava de cor.

– Maggie? É o Will. Preciso que você faça uma coisa pra mim.

– Os fios de cabelo coletados sob as tábuas do assoalho pertenciam ao comissário e a Baxter – anunciou Joe. – Nenhuma surpresa na verdade, já que foram eles que passaram mais tempo naquele quarto.

Baxter, Edmunds e Saunders haviam se reunido no laboratório forense e decidido não esperar por Wolf, que já estava mais de meia hora atrasado.

– E as pegadas na casa do Edmunds? – indagou Baxter.

– Masculinas. Tamanho 43. Arco do pé com curvatura leve. Nada incomum.

Ela bufou.

– E o ácido?

– Ainda estou fazendo testes pra definir precisamente o que é... provavelmente alguma mistura esquisita feita em casa. A partir daí, pode ser que a gente tenha uma chance remota de restringir a origem disso... ou não.

– Tá bem. Edmunds e eu passaremos mais uma manhã batendo de porta em porta. Vamos tentar descobrir se alguém viu alguma coisa minimamente útil. Saunders, você...

Houve um estrondo quando Blake entrou afobado no laboratório. Parecendo confuso, ele franziu a testa para o conteúdo da bandeja que tinha acabado de derrubar e em seguida pisar.

– Isso é... cérebro? – perguntou ele.

– Não mais... – respondeu Joe.

– Meu Deus, eu odeio vir aqui! – choramingou ele enquanto limpava o sapato no chão.

– Sinta-se à vontade pra não vir...

Blake se voltou para Baxter e disse:

– Desculpa interromper, chefe.

– O que foi?

– Wolf.

– O que tem ele?

– Ele foi preso... tipo... *de novo.*

Capítulo 22

Terça-feira, 13 de novembro de 1979
19h24

– Fica quieto, amor – disse ela, de pé no meio da pequena cozinha, enquanto lutava para tirar os curativos de sua pele.

Rangendo os dentes, ele tomou outro gole de cerveja.

– O que que esse médico fez com você? – resmungou ela.

– Ele nunca foi lá essas coisas... Acho que é por isso que remenda gente como eu – brincou ele, beijando a parte interna do braço dela, cheio de marcas de agulha.

– Preciso me concentrar.

– Eu também – disse ele, puxando-a para o seu colo.

– Estou tentando dar um jeito em você! – disse ela, rindo.

– Bom, eu tô tentando dar um jeito em *você*!

Houve uma batida na porta. Imediatamente alertas, os dois ficaram em silêncio e se levantaram.

– Vai pro quarto – sussurrou ele, pegando a arma. – Sim?!

– É o Dillon, seu merda! Me deixa entrar!

Relaxando, ele escondeu a arma sob a camisa em cima da mesa antes de abrir a porta.

– Uau! Você tá um lixo – disse Dillon ao amigo sem camisa enquanto fechava a porta.

– Você também. Qual é a sua desculpa?

O momento de tensão chegou ao fim quando os dois homens desataram a rir.

– Lorna – cumprimentou Dillon ao notá-la vagando pela porta do quarto.

– Cerveja?

– Pô, seria ótimo.

Passando por ele para chegar à geladeira, ela viu o cabo de uma arma saindo de debaixo do casaco dele, mas não demonstrou reação. Sentiu os olhos dele em cima dela, pegou duas cervejas e foi se juntar à conversa.

– Obrigado – disse Dillon, brindando antes de tomar um gole.

– O que te traz aqui, Dillon? – perguntou ele, enquanto avaliava uma das queimaduras mais graves em seu braço.

– Um cara não pode simplesmente passar pra ver como anda um velho amigo, que, pelo que todo mundo anda dizendo, deveria estar morto? – respondeu Dillon, antes de seu tom ficar sério. – Deu uma merda federal. O chefe, ele tá… ele tá em pé de guerra. O armazém… o incêndio… a polícia… a gente perdeu tudo.

– E eu tô *tentando* dar um jeito nisso.

– Aquele lance na praça outro dia teve a ver com isso?

– A droga já era. O dinheiro não. Ainda posso recuperar.

– Na verdade, o chefe decidiu tentar uma… abordagem *diferente*.

– Que não me ajuda a me redimir.

– Não… acho que não.

Quando Dillon esticou a mão em direção à arma, Lorna quebrou a garrafa de cerveja na cabeça dele. Pulando em cima das costas do homem, seu corpo pequeno não foi o suficiente para impedi-lo, conforme suas mãos ensanguentadas deixavam manchas vermelhas no casaco dele. Ele a lançou violentamente contra a parede e puxou a arma assim que a primeira bala rasgou seu ombro. Gritando de dor, ergueu a arma mais uma vez, quando mais dois tiros foram disparados.

Dillon caiu no chão da cozinha, com Lorna estatelada e imóvel ao seu lado.

– Amor…? Amor? – disse o homem ofegante e colocou a arma no chão antes de passar por cima do amigo no momento em que ele dava o último suspiro. – Não foi nada – disse ele, pressionando o ferimento a bala na coxa dela.

Ele estendeu a mão e tateou o cadáver de Dillon até encontrar as chaves do carro.

– Tá tudo bem, eu tô aqui. Eu tô aqui. Se segura em mim – sussurrou ele, pegando-a no colo. – Vai ficar tudo bem.

Capítulo 23

Terça-feira, 12 de janeiro de 2016
18h04

Uma porta bateu, distorcendo momentaneamente o reflexo de Wolf na grande janela espelhada. Depois de horas confinado na sala de interrogatório, ele ficou ao mesmo tempo aliviado e surpreso ao ouvir uma voz amigável no corredor.

– Por que você não vai buscar um café? – a voz sugeriu a alguém num tom que sutilmente insinuava que não se tratava de fato de uma sugestão.

Ele observava a porta ansioso no momento em que Christian entrou mancando. Wolf se perguntou de quantos ternos sob medida um homem poderia precisar, já que o comissário estava impecável como sempre, a não ser pelo rosto seriamente machucado.

– Se estou feliz em ver você? – disse Wolf. – Estou, mas a ideia não era você vir até aqui.

Christian sorriu, o que pareceu ter lhe causado dor.

– Bom, achei que um toque pessoal poderia ajudar muito nesse caso. – Ele caminhou até a mesa para desconectar os microfones e o dispositivo de gravação. – Isso é coisa da Vanita, imagino.

Wolf fez que sim com a cabeça, as algemas raspando contra a cadeira de metal às suas costas.

– Fica tranquilo. Vou resolver isso.

Ele se virou para sair.

– Tem outra coisa! – confidenciou Wolf, olhando ansiosamente para o espelho.

– Estamos sozinhos – assegurou Christian enquanto voltava para a mesa. – Eu me certifiquei.

Wolf relaxou um pouco.

– Fui revistado quando me prenderam, mas tenho quase certeza de que eles não encontraram.

– Não encontraram... o quê?

– No bolso da minha camisa.

Intrigado, Christian enfiou a mão no bolso aparentemente vazio da camisa de Wolf, mas então a ponta de seus dedos encontrou o pequeno retângulo de plástico.

– Não falei?

Wolf sorriu de alívio, observando Christian examinar o cartão de memória.

– O que é isto?

– Alex Edmunds é um homem *muito* criterioso – começou Wolf. – E, em sua paranoia que pelo visto nem é tão paranoica assim, ele decidiu passar uma noite inteira fotografando cada evidência que estava dentro daquelas caixas antes de elas serem destruídas.

Christian pareceu chocado.

– Então... a gente ainda tem elas? Todas elas?

– Todas elas – assentiu Wolf. – Você precisa fazer uma cópia assim que...

Ele parou de falar quando Christian segurou a testa como se estivesse sentindo dor.

– Tudo bem? – perguntou Wolf, observando impotente enquanto o comissário cambaleava até o espelho, os reflexos se distorcendo como água agitada enquanto ele se firmava contra o vidro. – Christian? Fala comigo. O que tá havendo?

Ele se esforçava para ouvir o que o comissário murmurava baixinho e puxava as algemas em vão, incapaz de ajudar. Finalmente se afastando do espelho, Christian cambaleou em direção a ele como se estivesse bêbado.

– Christian? – chamou Wolf, preocupado, antes que um golpe violento derrubasse tanto ele quanto a cadeira, suas mãos unidas e inúteis quando sua cabeça bateu no chão.

No limite da consciência, ele olhou para o homem sempre digno que andava pela salinha – agitado, nervoso... desesperado.

– *Merda*! Eu não queria que isso acontecesse! Eu nunca quis que essa *merda...*

Wolf entrava e saía de uma espécie de buraco negro nos limites de sua visão, sem saber quanto tempo havia passado deitado no piso gelado. Seu crânio parecia ter se aberto. A boca tinha gosto de sangue, a visão estava turva e o zumbido no ouvido aumentava.

Por fim, Christian recuperou a compostura o suficiente para se concentrar no mais iminente de seus problemas, agachando-se sobre Wolf, que apenas o olhou fixamente.

– Por que você não conseguiu deixar isso pra lá? – perguntou Christian, suplicante. – Por que simplesmente não aceitou? Nós poderíamos ter sido amigos – disse ele, sem fazer sentido. Sua voz parecia tensa; os olhos estavam cheios de lágrimas, desesperados. – Acho que Fin ia gostar disso.

Wolf não respondeu.

Dando um tapinha afetuoso nele, Christian estendeu o cartão de memória na frente do rosto de Wolf.

– Sua investigação – anunciou ele.

Wolf gemeu ao ver o cartão de plástico se estilhaçar e se partir em dois.

– Acabou? – perguntou Christian. Os olhos furiosos de Wolf estavam fixos nele. – Acho que vou precisar ouvir você dizer. Acabou?

Ele se inclinou, o ouvido nos lábios de Wolf.

– Vai se foder.

– Eu sabia que você ia dizer isso – disse Christian, com um sorriso triste.

Ele ergueu a cabeça para o céu, cerrou os dentes e golpeou Wolf outra vez, fazendo-o desmaiar.

Quando Wolf acordou, estava sentado novamente, com Christian enxugando seu rosto com um lenço manchado de sangue – outra cena de crime havia sido limpa.

– Olha pra mim – exigiu Christian, estalando os dedos agressivamente. – Olha pra mim! – Agarrando o queixo áspero de Wolf, ele puxou o rosto dele para cima e encontrou seu olhar cheio de ódio. – Suas evidências já eram. A sua equipe vai ser realocada pela manhã. A perícia não vai encontrar nada. E você... você vai passar o futuro próximo atrás das grades – disse ele. – Acabou.

Capítulo 24

Quarta-feira, 13 de janeiro de 2016
10h20

Do conforto de sua espaçosa sala, Vanita acompanhava o furor na rua lá embaixo: a campanha de Andrea Hall "Libertem o Lobo" estava a pleno vapor.

Ainda se recuperando do último encontro delas, uma entrevista televisiva num momento péssimo de sua carreira que ainda perturbava seu sono, era impossível dizer se a voraz repórter estava lá fora em algum lugar em meio à multidão. O enxame de manifestantes zumbindo ao redor da sede da New Scotland Yard parecia dominado de pessoas ruivas, a necessidade que um público alienado tem de se reinventar a partir de qualquer moda passageira, clonando o penteado, as roupas e, ao que parece, os valores pessoais da Srta. Hall.

Vanita ficou tensa ao ouvir seu convidado se levantar da cadeira para se juntar a ela ao lado da janela. Ela observou o reflexo tomar um gole de café.

– Meu pai! – disse Wolf, não mais satisfeito do que Vanita em ver uma rua com vários clones de sua ex-mulher. – Tem dezenas delas.

– Sim, tem.

– Isso não pode ser bom.

– Não, não pode – concordou ela. – Bom... boa sorte.

Wolf nunca imaginou um cenário em que, diante de um convite para sair de perto de sua comandante, ele iria ponderar e permanecer ao lado dela.

– Algum plano pra hoje à noite? – perguntou ele. – Vi uma receita de risoto de frango com limão...

– Fawkes... – interrompeu Vanita sem tirar os olhos do vidro.

– Geena? – disse ele, sorrindo.

– Sai daqui.

Andrea fazia a passagem de som, preparando-se para gravar um quadro de seu programa quando houve um repentino clamor na multidão. Arremessando o microfone em seu cameraman, Rory, cujas mãos desfiguradas fizeram um heroico, embora malsucedido, esforço para pegá-lo, ela começou a abrir passagem em meio a seu bloqueio autoinfligido.

Um coro de uivos emanou de todas as direções.

– Olha ele ali! – gritou uma mulher esquisita com exaltação injustificada.

– Libertem o Lobo!

Lutando para chegar à frente, Andrea avistou Wolf correndo até um táxi preto que o esperava.

– Will! – chamou ela, sua voz engolida inteiramente pelo tumulto. – Will!

Seu avanço foi interrompido pela primeira fila formada por um público territorial. Ela o viu fazer uma pausa fugaz para observar a turba.

– Com licença! – gritou ela, abrindo caminho com uma cotovelada. – Will!

A porta do táxi bateu.

Tropeçando até a rua um segundo atrasada, Andrea viu o táxi desaparecer na esquina.

Na avaliação de Wolf, o King and Country na Oxford Street tinha a honra de ser o décimo melhor pub no trecho da rua próximo à Topshop (e só porque alguém uma vez roubou sua caneca de cerveja no Nag's Head). Isso pelo menos significava que era um lugar tranquilo, sem aquele bando de garotos barulhentos espalhando cerveja pela calçada enquanto bebiam na rua, exatamente igual aos sem-teto que eles enxotavam com tanto desdém como se fosse uma mosca incômoda.

Quando escureceu do lado de fora, toda a equipe se reuniu em uma mesa pegajosa num canto dos fundos do miserável estabelecimento.

– O Nag's tem um pinball – disse Saunders.

– Eles servem cola em bastão aqui? – perguntou Baxter, depois de perder metade da lã de sua manga para a mesa.

– Olha, a gente tá aqui justamente porque o lugar é uma bosta! – explicou Wolf, notando tarde demais o dono tirando os copos da mesa ao lado. Ele se encolheu na cadeira e olhou inocentemente para o teto. – Ele tá olhando? – perguntou a Edmunds com o canto da boca, sem mover um músculo.

– Aham.

Wolf ficou imóvel.

– Você *sabe* que ele não é um tiranossauro, né? Ele tá te vendo – sussurrou Edmunds. – Pronto. Já foi.

Enquanto Joe tentava em vão limpar uma mancha gordurosa de seu copo, Saunders, convencido de que eles estavam embarcando em uma grande noitada, mergulhou uma dose de uísque em sua caneca de cerveja.

Quando finalmente deixaram que Wolf falasse, ele fez uma recapitulação do que havia acontecido no dia anterior. Como era de se esperar, todos ficaram calados, em choque.

– Então... – começou Saunders, esforçando-se para acompanhar aquilo tudo – o cartão de memória foi só um blefe?

– Aham – respondeu Wolf.

– E como você convenceu a Vanita a te soltar? – perguntou Edmunds.

– Apelei pro lado sensível dela – brincou ele, tomando um gole de cerveja. – Falei que o cargo de comissário seria dela se ela me deixasse terminar isso.

– Mas... foi o comissário, então? – perguntou Joe, certo de que não tinha entendido muito bem.

– Infelizmente, sim.

– O comissário?

– Sim!

– Mas... – disse Edmunds – o Christian não chegou lá *depois* do policial?

– Isso – assentiu Wolf.

– *Então...?*

– Ele estava espremido dentro do compartimento – começou Wolf. – Ele ouve o Randle arrombar a porta e depois desaparecer escada abaixo, sem a menor dúvida de que o Finlay estava sozinho no quarto. Então sai lá de dentro e coloca as tábuas de novo no lugar. Desce as escadas sorrateiramente e foge pela porta dos fundos enquanto Randle liga pra central. Então ele pula a cerca dos fundos, sai pelo jardim do vizinho e "chega" antes de todo mundo pra garantir seu álibi. Ele é o primeiro a entrar na casa e tranca a porta de novo, cobrindo seus rastros... Simples.

– Você teria como repetir... tudo? – perguntou Saunders com os olhos semicerrados.

– Não.

– Como você...? Quando ficou sabendo disso? – perguntou Baxter, esquecendo-se de que eles não estavam se falando e claramente um pouco magoada por não ter sido informada antes.

– Eu não sabia – disse Wolf, dando de ombros. – Não com certeza. Mas tinha minhas suspeitas. – Ele massageou a mandíbula, que ainda estava dolorida. – Foi a maçaneta.

– Caneta? – perguntou Saunders com a voz arrastada, já na terceira cerveja com uísque.

– Maçaneta! A maçaneta da porta. Ele tem o hábito – explicou Wolf, imaginando Christian trancando a porta de sua mansão na manhã anterior – de levantar a maçaneta para trancá-la.

– "O hábito de levantar a maçaneta" – repetiu Baxter, indiferente àquela informação.

Wolf a ignorou.

– O seu relatório – prosseguiu ele, dirigindo-se a Saunders – dizia que o Randle teve que forçar a entrada na casa.

– Quem?

– O Randle.

– Rambo?

– Meu Deus, Saunders, pede um café ou alguma coisa assim!

Saunders levantou a caneca, um sorriso bêbado no rosto.

– Bom, o relatório dizia isso – comentou Wolf, desistindo e se voltando para Baxter. – Mas me fala: desde quando o Finlay e a Maggie trancavam a porta da frente?

– Eles nunca trancavam – admitiu ela.

– E naquela noite eles também não trancaram. A maçaneta tinha apenas sido puxada para cima... pelo lado de dentro.

Edmunds assentiu. Parecia bastante impressionado.

– Cara, você deu uma de Columbo!

– Né? – disse Wolf com um sorriso exibido.

– Só que o Columbo não costumava levar um soco na cara depois – disse Baxter antes que ele pudesse ficar muito vaidoso.

– Desculpe, voltando rapidinho ao comissário – começou Joe, trazendo a conversa novamente ao seu ponto sombrio. – Por que ele iria querer matar o melhor amigo?

Todos olharam para Wolf.

– Não sei – admitiu ele. – E, honestamente, não me importo nem um pouco. Ele *matou*. E isso basta pra mim.

Todos eles fizeram uma pausa para tomar um gole de suas bebidas.

– Isso é... muito sério – disse Edmunds, esperando atingir o equilíbrio apropriado entre indignação e empolgação. – Investigar o comissário da Polícia Metropolitana por homicídio.

– É muito problemático – corrigiu Baxter.

Voltando à conversa, Saunders assentiu animadamente.

– Ele conhece todas as maneiras que a gente tem de chegar até ele... Estamos ferrados.

– Qual é o primeiro passo? – perguntou Edmunds.

Mais uma vez, todos se voltaram para Wolf.

– A gente vai recuar.

– O quê?

– A gente vai recuar – repetiu Wolf, ignorando o olhar de desgosto que Baxter lhe lançou. – Como o Saunders disse, ele é o comissário. Ele conhece *todas* as abordagens possíveis pra tentar implicá-lo. Não vamos conseguir vencer essa. O carro do Saunders foi arrombado em casa. Alguém entrou na casa do Edmunds enquanto a família estava dormindo! E isso foi antes mesmo de ele saber que a gente suspeitava dele. O cara me agrediu em um prédio cheio de policiais, enquanto eu estava preso, e mesmo assim não tenho como provar nada.

– Ele tá ficando descuidado – disse Baxter.

– O que só o torna mais perigoso – rebateu Wolf. – E não vamos esquecer que ele matou o melhor amigo sem deixar nenhum vestígio, nada que a gente pudesse aproveitar. Nós encurralamos ele num canto. Talvez o Finlay tenha cometido o mesmo erro. E nenhum de nós sabe como ele pode reagir. Acabou.

– Então, a gente vai deixar ele matar o Finlay e sair impune? – perguntou Saunders, desafiador.

– Claro que não – respondeu Wolf. – Ele acha que todas as provas foram destruídas na casa do Edmunds. Mas, na verdade, tudo que era relacionado ao armazém e ao tiroteio na George Square estava seguro dentro do galpão.

– Agência de investigação particular – disseram juntos Baxter e Edmunds.

– O Christian acha que está em vantagem. Se ele pensar que a gente tá recuando, a arrogância dele vai dar conta do resto. Os arquivos sobreviventes do caso e os resultados da perícia vão pra Vanita amanhã de manhã. Ela vai cuidar do resto.

– É isso, então? – perguntou Edmunds.

– É isso. Você pode levar sua família de volta pra casa.

Edmunds assentiu.

– "Mais vale um covarde vivo que um herói morto", era o que meu avô sempre dizia – acrescentou Saunders, entornando sua bebida em Edmunds. – Quer dizer, mais ou menos. Nunca conheci o sujeito. Ele pisou numa mina enquanto fugia. Mas isso não invalida o conselho.

Todos pareciam um pouco perdidos.

– Acho que isso foi um "Ok", certo, Saunders? Perito? – perguntou Wolf.

Joe assentiu a contragosto.

Por fim, Wolf se voltou para Baxter. Sua expressão era indecifrável. Ela demorou alguns minutos para responder.

– O que você achar melhor – disse ela, uma resposta meio fácil demais. Wolf franziu a testa. – Que foi? Estou concordando com você!

– Sim, o problema é esse.

– Contanto que seja feito, realmente não importa quem vai fazer. Você disse pra ela quem é o assassino, então nem ela vai ser capaz de estragar tudo. Passa pra Vanita... E acabou.

Wolf a observou desconfiado, mas depois assentiu. Ele ergueu sua caneca de cerveja.

– Ao Finlay! – brindou ele, esperando ter conseguido mentir de modo convincente o bastante para protegê-los.

Andrea estava sentada diante da mesa do escritório que tinha em casa, sentindo-se mais à vontade cercada por seu trabalho do que perambulando pela casa gigantesca esperando Geoffrey chegar. Ela aguardava na linha enquanto a central da New Scotland Yard a transferia para o Departamento de Homicídios e Crimes Hediondos. Uma voz conhecida atendeu o telefone, a mesma voz com que ela já havia falado em várias ocasiões.

– Senhorita Hall! A que devo o prazer hoje?

– Wolf, desculpe... William Fawkes, por favor.

– Infelizmente ele não está no local nem está mais a serviço da Polícia Metropolitana, o que provavelmente já mencionei ontem.

– Você pelo menos está encaminhando minhas mensagens pra ele?

– Posso lhe assegurar que qualquer falha dele em contatá-la não está relacionada a uma falha dos nossos rígidos procedimentos e, portanto, podemos concluir que isso depende inteiramente da vontade dele.

– Quem fala desse jeito?! Você é muito irritante!

– Lamento muito que se sinta assim. Se me permite, gostaria de sugerir que a senhora...

– Não. Não permito, não. Falo com você amanhã – retrucou, desligando.

Girando vertiginosamente em sua cadeira, Andrea se perguntou se deveria tentar falar com Maggie novamente. Então, de repente, ela parou. Desbloqueou o celular e percorreu sua extensa lista de contatos, rezando para que um número que não contatava há anos tivesse sobrevivido às atualizações frequentes do telefone...

Por incrível que pareça, lá estava ele.

Thomas voltou para casa e sentiu um cheiro de queimado, o que significava que ou a casa estava pegando fogo ou, que Deus o ajudasse, Baxter estava cozinhando de novo. Ele tirou o casaco e seguiu o som do *post-hardcore* do início dos anos 2000 até a cozinha. Os restos do detector de fumaça rangeram sob seus pés quando Baxter o notou parado ali.

– Ei!

– Oi – respondeu Thomas, dando-lhe um abraço meio frio antes de se servir do que sobrou do vinho.

– Fiz o seu prato favorito! – anunciou ela, sorrindo.

– Qualquer um feito por outra pessoa? – O sorriso dela se desfez. – Desculpa. Foi uma piada. Nem um pouco engraçada. Refresca minha memória... qual é mesmo o meu prato favorito?

– Meu risoto de frango com limão.

– Meu Deus – sussurrou ele um pouco alto demais. – É o novo do One Direction? – perguntou, irônico, baixando o volume da música tenebrosa.

– Glassjaw – respondeu Baxter, voltando a aumentar o volume. – Vinho? – ofereceu ela, abrindo outra garrafa antes mesmo que ele desse o primeiro gole na taça. – Então, eu estava pensando... – começou ela, determinada a estabelecer algum diálogo. – A minha amiga Avril. Ela é bem bonita, né?

Thomas parecia desconfortável.

– Acho que é.

– Ela usa, tipo... roupas legais e femininas – continuou ela, erguendo as sobrancelhas.

– Saias? – sugeriu Thomas, finalmente tomando um gole do vinho.

– Sim, saias... Por que você não transa com ela?

Thomas cuspiu a bebida no chão.

– Como é que é?!

– Acho que ela não se importaria.

– Bem, mas *eu* me importo e *muito*!

Baxter parecia confusa, suspeitando que talvez pudesse ter julgado mal a situação.

– Só estou tentando compensar um pouco as coisas… pra que fique tudo bem de novo.

Thomas pousou a taça na bancada.

– Não tenho absolutamente nenhum interesse nessa sua "compensação", Emily. Eu queria que isso nunca tivesse acontecido. Você não pode simplesmente… – Ele parou de falar, uma expressão triste. – Desculpa. Não estou com fome hoje – disse ele, desistindo da conversa e se retirando. – Vamos, Echo!

O gato, que estava cochilando, abriu os olhos e olhou para Baxter.

– Nem pense nisso – disse ela, parecendo irritada.

Ele desceu da mesa e foi atrás de Thomas.

Baxter bufou.

– Traidor – murmurou ela, dando um gole no vinho.

Faltando apenas cinco minutos para o toque de recolher, Wolf desceu do metrô na Edgware Road e subiu correndo as escadas. Ao dobrar a esquina, viu George esperando por ele na entrada como um pai preocupado. Sem fôlego, ele começou a subir os degraus da delegacia.

– Dez! Nove! Oito! – contou George, despenteando o cabelo de Wolf quando ele cruzou a soleira com sete segundos ainda de sobra. – Eu estava indo preparar uma xícara de chocolate quente pra mim. Quer uma?

Wolf estava ofegante e sua resposta foi incompreensível.

– Vou preparar uma pra você.

Depois de passar dez minutos conversando com George quando ele voltou "para colocá-lo na cama", Wolf tirou do bolso a folha de registro amassada do hospital. Desceu o dedo pelo papel até a entrada que chamou sua atenção:

Nome: Desconhecido
Paciente: Christian Bellamy
Data: 10/01/2016
Chegada: 18h35
Saída: 18h50

Wolf colocou o pedaço de papel de lado e fez uma anotação para si mesmo:

**Visitante??? Solicitar imagens das câmeras de segurança
Domingo, de 18h35 às 18h50**

Ainda não tinha acabado.

Capítulo 25

Domingo, 10 de janeiro de 2016
18h42

Christian virou-se para o outro lado na estreita cama do hospital, entre o sono e a consciência. Enquanto suas pálpebras pegajosas se descolavam, uma figura borrada começou a tomar forma. Ele olhou fixamente para ela por um momento e se sentou de supetão.

Havia um homem na cadeira ao lado da cama, observando-o, um buquê de flores vermelho-sangue repousado em seu colo.

– Sabia que você fala dormindo? – perguntou ele, deixando Christian desconfortável. O comissário olhou ao redor da sala alarmado. – Shhh. Shhh. Shhh. Só quero trocar uma ideia com você. Só isso.

Christian se recompôs e tentou relaxar. Ele se recostou nos travesseiros.

– Sabe – começou o homem, passando as mãos pelos cabelos mal tingidos –, não era pros meninos te machucarem muito. Afinal, você não me serve de nada morto, correto? Mas – disse ele, suspirando pesadamente – parece que essa sua cabecinha não está captando a mensagem... Não posso ter a Polícia Metropolitana na cola dos meus homens desse jeito. Você me disse que iria resolver isso e até agora...

Ele deu de ombros.

– Eu vou... Eu juro – disse Christian, falando por fim.

– Não... Você precisa se recuperar. Vou cuidar disso do meu jeito.

– Não! – Christian deixou escapar antes de se lembrar de sua situação. – Você não precisa fazer nada. Eu tô cuidando disso. Eu tô.

O homem corpulento o fitou por um instante.

– Acho bom cuidar mesmo. Não quero ter que pedir de novo. A gente se conhece há *muito* tempo. Te considero o que chamaria de amigo.

– Eu também, Killian.

– Você é importante pra mim, Christian. Sabe disso, não sabe? – Christian sorriu. – Mas você certamente não é indispensável.

Capítulo 26

Quinta-feira, 14 de janeiro de 2016
8h46

Os faróis automáticos acenderam quando Vanita entrou no estacionamento subterrâneo da New Scotland Yard. Entrando em sua vaga privativa, ela desligou o motor e se preparou para descer do carro.

– Meu Deus! – disse ela ofegante, a mão sobre o coração, no momento em que Christian a assustou ao se apoiar na porta.

Com um sorriso satisfeito nos lábios entreabertos, ele se inclinou para falar com ela.

– Desculpe, Geena. Não queria te assustar. Vi você chegando e resolvi dar oi.

Vanita riu, nervosa.

– Não sabia que ia aparecer aqui hoje – disse ela, pegando suas coisas e saindo, mas ficou presa entre o braço dele e a porta.

– Não estou aqui... oficialmente. Só tenho algumas coisas pra resolver – explicou ele, a intensidade de seu olhar deixando-a pouco à vontade.

– Que bom. Fico feliz em ver que está se sentindo melhor – declarou ela, sorrindo, antes de olhar diretamente para o braço que estava obstruindo sua passagem. – Com licença.

Ele não pareceu tê-la ouvido.

– Você liberou o William Fawkes ontem ou estou enganado?

– Não, não está.

– Eu só estava me perguntando o que... *motivou* essa decisão atipicamente não ortodoxa.

– Achei que você fosse ficar feliz com isso.

– Ah, eu fiquei. Eu fiquei. Só queria saber as razões por trás disso.

Vanita teve que empurrar o braço dele para fora do caminho. Ela começou a andar em direção ao elevador do outro lado do estacionamento deserto.

– Ele teve motivos legítimos, em ambas as ocasiões, pra violar o toque de recolher – explicou ela, forçando-se a caminhar em um ritmo normal. – Achei que merecia mais uma chance.

Ela pressionou o botão do elevador e ouviu o mecanismo zumbir em algum lugar acima deles. Christian estava novamente ao lado dela.

– Nenhum outro motivo? – perguntou ele, observando-a de perto.

– Tipo?

Ele deu de ombros.

– Olha – começou Vanita, sabendo que ambos haviam notado o tremor em sua voz –, como comissária interina, eu tomei uma decisão e…

– Você gosta de brincar de comissária, não é, Geena? – interrompeu ele, a insinuação dolorosamente clara.

Ele sabia muito bem por que ela havia liberado Wolf.

Terminada a encenação, ela se virou para encará-lo.

– Eu poderia me acostumar com isso.

O elevador apitou e as portas de metal se abriram. Os dois entraram.

– Vou dar uma festinha em casa hoje à noite, pra comemorar minha volta ao trabalho. Seria deselegante da sua parte não comparecer.

– Você deveria mesmo aproveitar seus últimos dias de liberdade – disse Vanita, com um sorriso afetado. – Digo, antes de voltar ao trabalho.

As portas do elevador se fecharam e eles começaram a subir.

– Então você vai?

– Não perderia por nada no mundo.

Eles pararam no saguão, onde duas pessoas se juntaram a eles na caixa de metal.

– Bom dia, comissário – cumprimentou um deles, sorrindo.

– Bom dia – disse Christian. – Só pra constar – começou ele, dirigindo-se a Vanita mais uma vez –, acho que você tomou a decisão certa em relação ao Will. Ele deveria mesmo ir até o fim… seja ele qual for.

Enquanto o elevador se aproximava lentamente de seu andar, Vanita se virou para encará-lo.

– Seja ele qual for – concordou ela.

* * *

Baxter passou em seu apartamento para ver como Rouche estava, sentindo que o havia deixado de lado diante de tudo o que estava acontecendo. Ela supôs que a demonstração nada convincente dele de melhora lhe valia uma visita livre de bajulação e preocupação, então, em vez disso, deu-lhe um resumo dos últimos dias.

Ele reagiu às suas chocantes revelações da mesma forma que reagia à maior parte das coisas.

– Ainda fazem aquele Kinder Ovo com o brinquedo dentro?

– O quê…? Sim. Quer que eu traga um pra você?

Ele pensou muito sobre aquilo por alguns segundos.

– Não. Tudo bem.

– Eu trago um pra você – disse ela, bufando. – Então… sobre o comissário assassino… alguma ideia?

– Ah, sim. Isso é bem ruim.

Ela balançou a cabeça.

– Bom, agora que já esclarecemos isso, como vão as coisas com a Holly? – perguntou ela, incapaz de tirar o sorrisinho adolescente do rosto.

Rouche fez um gesto com a mão, refutando a pergunta.

– O que foi?! – disse Baxter. – Ela obviamente gosta de você.

Ele a ignorou.

– Elas iam querer que você fosse feliz – comentou ela, olhando para a fotografia de Rouche, sua esposa e sua filha em cima da mesa de cabeceira.

– Talvez… – começou Rouche, ansioso para mudar o rumo da prosa – seja melhor a Holly arrumar alguém que não vai estar: a) morto, b) na cadeia, ou c) morto na cadeia em algum momento nas próximas semanas.

– Ah, não seja tão melodramático – zombou Baxter. – Mas, falando sério, vê se tenta não morrer – acrescentou ela em seguida.

Quando seu telefone tocou, ela instintivamente olhou para a tela.

– Desgraçado!

– Algum problema?

– *Desgraçado!* – disse ela novamente, lendo a mensagem ofensiva. – Aquele escroto arrogante vai dar uma festa hoje à noite!

– Isso é arrogante… e escroto – concordou Rouche. – E ele convidou *você*?

– Eu tô no grupo de e-mails dos gestores – explicou.

Ela balançou a cabeça e se levantou.

– Você tá bem?

– Eu? Ah, estou maravilhosa. Mil coisas pra fazer. Terei o prazer de informar a Maggie que seu amigo de mais longa data, o homem encarregado da investigação do homicídio do marido dela, o homem em quem ela confia e de quem está até mesmo cuidando, é na verdade o criminoso sem coração, o covarde de merda que fez isso com eles.

Rouche olhou para ela, compreendendo o sentimento. Depois de algum tempo, ele abriu a boca para dizer algo.

– Se é sobre o seu Kinder Ovo *dos infernos* – avisou Baxter –, eu vou te enfiar a porrada.

Ele fechou a boca obedientemente.

Fuzilando-o com o olhar, ela pegou a bolsa e foi embora.

Às 12h30, Vanita estava em sua mesa tentando saborear uma salada sem nenhum sabor quando uma batida na porta a interrompeu.

– Sim! – disse ela, colocando o almoço de lado. Ela relaxou um pouco ao perceber que era uma de suas subordinadas mais profissionais e, portanto, preferidas. – O que posso fazer por você hoje, detetive?

– Preciso de uma assinatura, de uma cama mais macia e de uma autorização pra assistir ao filme novo do Tarantino essa semana – anunciou Wolf, passando na frente de sua escolta para se aproximar da mesa.

– Sim… Não… E talvez uma pequena forçação de barra – respondeu ela, eficientemente. – Obrigada, Knuckles – disse ela, dispensando a detetive de cabelo curto.

Wolf franziu a testa quando a mulher saiu.

– O nome dela é… *Knuckles*?

– Me dá isso aqui – disse Vanita, cansada demais para as bobagens dele.

Wolf largou o IC432-R, também conhecido como um formulário de "passem as imagens para cá, seus merdas", em sua mesa, que ela assinou sem nem mesmo ler.

– Você não quer saber pra que é? – perguntou Wolf, surpreso.

– Imagino que tenha relação com a investigação.

– Tem.

– Nosso estimado líder me surpreendeu no estacionamento hoje de manhã – explicou ela. – Ele sabe que o único motivo pelo qual eu te liberaria

173

seria você ter me contado a verdade, porque eu veria isso como uma oportunidade de derrubar ele do posto. Depois de uma tentativa imprudente de me intimidar, agora não tenho absolutamente nenhuma dúvida de que ele é 100% culpado.

Ela entregou a Wolf a folha assinada.

– A Baxter não poderia ter feito isso por você? – acrescentou ela quando ele se virou para sair.

– Não quero envolvê-la nisso.

Vanita assentiu, pensativa.

– Acho que não é nenhum segredo que eu detesto aquela mulher, seu comportamento abominável, seu título simbólico… – Ela se conteve antes que pudesse se deixar levar pela implicância. – Mas se tem uma pessoa por aí que eu diria que é capaz de cuidar de si mesma… é ela. E Alex Edmunds, seja como detetive ou como investigador particular, vale seu peso em ouro.

Ela se arrependeu de ter aberto a boca quando Wolf interpretou aquilo como um convite para se sentar. Ele olhou para a tigela de folhas abandonada entre eles.

– Sua planta tá morrendo.

– Isso é o meu almoço.

Ele fez uma careta.

– O Finlay me disse uma vez que a única coisa mais perigosa que um homem sem nada a perder é um homem com *tudo* a perder. A coisa vai ficar feia.

– Eu estou preparada pra lutar, se você estiver – respondeu ela. – Falando nisso, ele me convidou para uma festa na casa dele hoje à noite.

Wolf pareceu enojado, mas estava calmo quando falou.

– Imagino que vai ter muita gente importante. Pessoas que ele gostaria de impressionar. Pode ser uma oportunidade de fazer um pouco de pressão.

– Ou de simplesmente deixar ele bêbado a ponto de confessar tudo – sugeriu Vanita.

Wolf refletiu sobre suas opções.

– Posso ser o seu "acompanhante"? – perguntou com um sorriso malicioso.

– Não se estiver pensando em vestir *isto* – disse ela.

Ele olhou para as roupas que vestia e se achou bastante elegante. Então deu de ombros.

Capítulo 27

Quinta-feira, 14 de janeiro de 2016
19h44

O smoking alugado tinha cheiro de cecê e deixava muito pouco para a imaginação em seu derrière, mas foi o que deu para conseguir em tão pouco tempo. Depois de várias tentativas fracassadas, Wolf desistiu da gravata-borboleta, que deixou pendurada ao redor do pescoço. Ele se dera ao trabalho de fazer a barba novamente, e inclusive chegou a tentar pentear o cabelo rebelde.

Sentados em silêncio no banco de trás de um táxi, ele e Vanita cruzavam a floresta em direção ao endereço exclusivo de Christian. Quando finalmente chegaram, havia carros de luxo espalhados por toda a extensão da estrada particular – o motorista arranhou um dos retrovisores enquanto se espremia pelo vão entre um Aston Martin e um Range Rover mal estacionado. Uma cerimonialista profissional aguardava na entrada de carros com uma bandeja de champanhe na mão.

– Bem-vindos! – disse ela, sorrindo e tremendo de frio, enquanto Wolf descia e abria a porta para Vanita. – Seus nomes, por gentileza?

– Acompanhante – respondeu Wolf. – E Geena Vanita.

A mulher verificou a lista, as mãos tão geladas que precisou de várias tentativas para virar a página. Então entregou a cada um deles uma taça de champanhe, que parecia servir como uma versão sofisticada de pulseirinha de boate.

– Podem entrar na casa. O Christian está na sala principal com seus convidados.

Eles caminharam ao longo da trilha de cascalho iluminada com lâmpadas coloridas, passando pelos primeiros impecáveis participantes que haviam escapado para fumar um cigarro, e entraram pela porta da frente já aberta.

– Uau! – exclamou Vanita, tendo a mesma reação que todos que colocavam os olhos pela primeira vez naquele magnífico espaço: três andares de vidro de onde era possível admirar o céu salpicado de estrelas, como a janela de uma nave espacial.

Um piano de cauda havia brotado, quase inaudível em meio ao som das gargalhadas e da autoexaltação da alta classe. Mesmo vestido como estava, Wolf sabia que chamava a atenção entre aquelas pessoas, seu rosto envelhecido carente da expressão de desdém que os outros exibiam como um uniforme.

– William Fawkes? – gritou alguém por perto, atraindo vários olhares curiosos enquanto ia até Wolf para apertar sua mão. – William "Wolf" Fawkes!

– Fawkes, este é Malcolm Hislop, membro do Parlamento pelo distrito eleitoral de Chelsea e Fulham, e provavelmente nosso próximo prefeito – disse Vanita, dando beijinhos no ar sem tocar a bochecha reluzente daquele homem reluzente.

– Geena, sempre um prazer – disse ele, feito um robô, antes de voltar sua atenção para Wolf. – Estou me perguntando... – prosseguiu ele num tom teatral – se talvez não seja mais sensato manter distância de você!

Ele ergueu as mãos na defensiva, para a diversão de sua crescente plateia. Era uma referência ao prefeito Turnble, que fora queimado vivo, de dentro para fora, diante dos olhos de Wolf.

– Então... Podemos rir disso agora? – perguntou um perplexo Wolf a Vanita.

Logo criando um alvoroço, eles inevitavelmente chamaram a atenção de Christian do outro lado da sala, e sua expressão mudou ao reconhecer o penetra. Ignorando os comentários pomposos das pessoas que o cercavam, Wolf ergueu a taça para brindar ao hospitaleiro anfitrião. Ele observou Christian desviar o olhar para retomar sua conversa, mas logo avistou uma figura familiar cruzando a multidão em sua direção.

– Com licença – disse Wolf, abandonando Vanita para interceptar a mulher de vestido preto antes que mais alguém pudesse notá-la.

Baxter estava a apenas três passos de Christian quando Wolf delicadamente a pegou pelo braço e a guiou na direção oposta.

– O que você tá fazendo aqui? – sussurrou ele com um sorriso forçado quando eles começaram a ziguezaguear pela sala.

– Achou mesmo que eu ia engolir aquele seu papinho de "recuar"? – perguntou ela, dando uma risada falsa para não levantar suspeitas.

As pessoas haviam começado a dançar, dificultando a saída.

– Eu estava tentando proteger você.

– Tarde demais – disse Baxter, afastando o braço dele e se virando para encará-lo. – Ele matou o Finlay. Tô dentro.

Um homem de aparência importante se aproximou e estendeu a mão para ela.

– Você me daria o prazer?

– Te dar o pra... o quê? – respondeu Baxter, franzindo a testa e olhando para a mão enrugada como se ele segurasse um gatinho morto.

O homem de repente pareceu menos confiante.

– De dançar comigo?

– Não, não vou te dar nada. Cai fora, seu tarado!

Desculpando-se com um sorriso, Wolf rapidamente a acompanhou para fora da pista de dança e em direção à porta mais próxima.

– Wolf! Aonde a gente tá indo? – reclamou ela. – Eeeeei!

Ele empurrou Baxter para dentro e acendeu a luz. Com a porta fechada, Wolf foi pressionado contra as costas dela, uma pequena pia batendo na lateral de seu quadril.

– Ótimo. Agora a gente tá dentro do menor banheiro do mundo. Feliz agora? – perguntou Baxter, acotovelando-o duas vezes enquanto lutava para se virar no espaço minúsculo.

– Isto não é um banheiro – queixou-se Wolf enquanto levava outro golpe. – Isto é um armário em negação.

Pelo menos agora de frente um para o outro, os seios de Baxter pressionavam firmemente o peito de Wolf. E ele estava fazendo um esforço cavalheiresco para não reagir àquela proximidade.

– Você tá linda.

– Inconveniente – retrucou ela. – Wolf?

– Sim?

– Espero que seja o seu telefone me cutucando – disse ela num tom ameaçador.

– É sim – assegurou ele, ouvindo o celular apitar no bolso do paletó, o aviso de uma mensagem de texto incrivelmente inoportuna.

– Argh, que nojo, Wolf! – repreendeu ela, subindo no vaso sanitário para se afastar.

– O que foi?! Você tá linda!

– Você tem dez segundos – avisou Baxter. – Por que a gente tá aqui dentro?

– Tá bem. Não posso convencer você a não se envolver. E respeito a sua decisão. Mas será que você não pode simplesmente fazer isso... *discreta-mente*, meio que agindo como se não estivesse envolvida?

– Eu não tenho medo dele!

– Bom, talvez devesse ter! – gritou ele de volta, dando um susto nela.

Ele ergueu as mãos se desculpando, e Baxter o observava com atenção.

– Eu não vou me esconder – disse ela.

O paletó de Wolf apitou novamente. Ignorando, ele assentiu, ciente de que jamais seria capaz de convencê-la do contrário.

– Mas vai ficar só entre nós dois. Vamos deixar os outros fora disso.

– Combinado.

Houve uma batida urgente na porta e depois outra.

– Wolf? – sussurrou alguém do outro lado. – Wolf?

Lançando um olhar confuso para Baxter, ele girou a tranca e esbarrou de novo em Baxter quando Edmunds entrou no banheiro apertado para se juntar a eles.

– Edmunds?!

– Baxter?!

Eles espiaram ao redor de Wolf para acenar um para o outro.

– Eu deveria ter adivinhado – disse ele, rindo, seu corpo esquelético engolido pelo smoking barato. – Era pra eu proteger *você* de tudo isso.

– É muito gentil da sua parte. – Baxter sorriu. – Mas vou ficar bem. Sempre fico.

– Então, quando *ele* faz isso, é "gentil"? – perguntou Wolf, aborrecido.

– A propósito, você tá linda – comentou Edmunds.

– Obrigada.

Wolf fez um gesto de frustração antes de machucar os três ao se virar para falar com Edmunds.

– Espero que isto seja o seu telefone me cutucando – avisou Wolf.

– É sim. E eu mandei mensagem pra você... duas vezes. Não consegui ver pra onde você tinha ido.

– Imagino que você também não vai recuar, é isso?

– Claro que não. Aquele desgraçado matou o nosso amigo. Alguém que trabalhava pra ele ou com ele invadiu a minha casa. Preciso fazer parte disso. Preciso ajudar... Aliás, o Saunders e o Joe ainda estão dentro também.

Wolf balançou a cabeça, derrotado, mas depois pareceu confuso.

– Joe?

– O perito – esclareceu Baxter, perdendo rapidamente a paciência agachada em cima do vaso sanitário.

– Alguém já falou com a Maggie? – perguntou Edmunds.

– Eu falei – respondeu ela.

– E como ela...? Ela tá bem?

– Na verdade não. Reagiu mais ou menos dentro do esperado: disse que a gente tinha cometido um erro, perguntou por que estávamos tentando piorar tudo, acusou a gente de usar o Christian como bode expiatório pra manter o Wolf fora da prisão. E, depois, por fim, as peças começaram a se encaixar.

– Obrigado – disse Wolf com sinceridade, dando uma cotovelada no seio dela enquanto se virava.

– Minha nossa, Wolf! – reclamou ela. – Você pode dizer logo qual é o plano pra gente poder sair daqui de dentro?

– O Christian recebeu uma visita enquanto estava no hospital – explicou ele, tentando ao máximo não olhar para o decote dela. – Algumas horas depois, as caixas com as evidências foram destruídas. Confisquei a folha de registro do hospital e a caneta, e solicitei as imagens das câmeras de segurança.

– Essa pessoa não usaria o nome verdadeiro – disse Edmunds, antes que ele e Baxter gritassem porque Wolf estava girando novamente.

– Eu sei. Mas isso nos deu uma janela de tempo pra investigar, uma amostra de caligrafia e, se tivermos muita sorte, as impressões digitais também.

Alguém bateu na porta.

– Tá ocupado.

– Tem gente querendo entrar!

– Cai fora! – gritaram os três ao mesmo tempo.

– Então, estive pensando – começou Edmunds, baixando a voz. – A gente desde o início presumiu que o arrombamento do carro do Saunders, o ataque ao Christian e a invasão da minha casa tinham sido cometidos pelas mesmas pessoas. Considerando o que sabemos agora, o comissário ser espancado quase até a morte parece um tanto contraproducente.

– Pode ter sido pra despistar a gente – sugeriu Baxter.

Edmunds não pareceu convencido.

– Existem maneiras muito mais fáceis e menos dolorosas de fazer isso. Vocês viram como ficaram o carro, a cara dele... O cara podia ter morrido.

– O que você acha que aconteceu? – indagou Wolf.

Baxter estava perplexa. Aparentemente, até *ele* havia percebido quão precioso Edmunds era.

– Que tem alguém trabalhando em conluio com o comissário e que *outra* pessoa executou o ataque contra ele. E as ameaças dessa *outra* pessoa provavelmente foram o que o levou a matar o melhor amigo. Já solicitei as fichas de outros membros do grupo que trabalhava no armazém. A pessoa que escapou do incêndio, seja ela quem for, talvez não tenha sido responsável pela morte do Finlay, mas não tenho a menor dúvida de que está envolvida de alguma maneira.

Baxter se encheu de orgulho. Edmunds valia mais que todos eles juntos.

– O que você quer que eu faça? – perguntou ela a Wolf. – Não vira pra mim!

– Corre atrás do motivo – respondeu ele de costas para ela. – Aconteceu alguma coisa naquele estaleiro que a gente não sabe. O Finlay estava totalmente quebrado, correndo o risco de perder tudo, ao passo que o Christian mora numa mansão. Precisamos preencher essas lacunas.

– Tá bem – disse Baxter, já descendo do vaso sanitário. – Vamos sair daqui e armar uma confusãozinha?

Wolf assentiu.

– Por que não?

Eles praticamente caíram no corredor, ignorando os olhares inquisitivos dos demais convidados, mas rapidamente perceberam que não seriam as únicas pedras no sapato de Christian naquela noite...

Todos na pista de dança estavam imóveis.

A música havia parado.

Todos os olhos estavam voltados para o anfitrião, de pé no meio de seu magnífico salão, e para a mulher vestida de maneira casual que acabara de lhe dar um tapa na cara.

– Maggie! – exclamou Baxter, empurrando a plateia perplexa para chegar até ela.

Maggie parecia completamente atordoada quando Baxter a alcançou – assim como Christian, que tinha a mão erguida na altura da bochecha, a expressão de um homem cujo mundo tinha acabado de desabar. E, quando ela começou a chorar, ele ainda tentou lhe estender a mão, mas foi afastado por Baxter, que levou a aflita amiga para fora.

* * *

Alguns minutos se passaram até que Christian se recuperasse. Ele pigarreou.

– Sinto muito por isso tudo, pessoal! – disse, sorrindo. – Por favor... bebam, dancem e se divirtam. Enquanto isso, vou pegar um pouco de gelo pra colocar aqui!

Risos nervosos deram lugar a um zum-zum-zum. As conversas recomeçaram e as primeiras notas tilintantes do piano preencheram os silêncios eventuais. Ainda um pouco atordoado, Christian quase trombou com Edmunds.

– Senhor comissário – cumprimentou ele, acenando com a cabeça bruscamente antes de se juntar a Vanita, que pareceu encantada em vê-lo.

Christian continuou até o bar, sentindo os olhos dos convidados fofoqueiros em cada movimento seu. Ele estava prestes a chamar o barman quando alguém lhe entregou um guardanapo de pano cheio de cubos de gelo.

– Obrigado... – começou ele, erguendo os olhos, até notar que era Wolf. Então riu amargamente. – Você contou pra Maggie?

– Surpreso?

– Estou surpreso... – ele baixou a voz para não mais que um sussurro em meio ao barulho – ... de você ser tão burro a ponto de não levar o meu alerta a sério – complementou, colocando o pano gelado no rosto.

– Ah, eu levei, sim – retrucou Wolf, seus olhos impetuosos encontrando os de Christian. – Agora, por que você não leva a sério o meu: vai em frente, se esconde nesse seu lindo palácio no meio da floresta. Enche ele com todos os bajuladores e hipócritas que conseguir encontrar. Ilude todo mundo com um monte de bebida cara e mentiras intermináveis... Isso é só combustível pro dia que eu vier tacar fogo nisso tudo...

Christian refletiu sobre a ameaça de Wolf por um momento antes de falar:

– A Maggie vai estar segura. Você tem a minha palavra quanto a isso. Já o resto de vocês...

Ele balançou a cabeça com pesar.

Colocando a mão imensa sobre o ombro de Christian, Wolf se inclinou para sussurrar no ouvido dele:

– Eu sei o que aconteceu naquele armazém.

Então deu um tapa nas costas do comissário, exatamente como Finlay fazia, e foi embora.

– Tudo bem? – perguntou um convidado que estava perto dele ao notar o olhar doentio de seu anfitrião.

Christian não respondeu enquanto observava Wolf cruzar o salão. Edmunds e Vanita estavam do lado oposto e olhavam para ele no momento em que Baxter voltou, depois de garantir que Maggie havia ido embora em segurança.

– Christian... – insistiu o homem – está tudo bem?

– Sim... Sim, tudo ótimo, obrigado, Winston. Só as pressões de sempre de cargos como os nossos. Sabe como é – respondeu ele, sorrindo e ainda sustentando o olhar na direção deles. – Os lobos estão rondando.

Capítulo 28

Domingo, 18 de novembro de 1979
17h07

Christian e Finlay passaram a primeira hora de seu turno fingindo que nada havia acontecido. Nenhuma menção foi feita aos danos que um causou ao outro. Christian mancava bastante, um hematoma vermelho-escuro evidenciando a fratura oculta em sua mandíbula; já o nariz de Finlay havia mudado de direção mais uma vez, e seus olhos estavam roxos... mais uma vez.

– Que que a gente vai comer hoje? – perguntou Christian, com o pé enfiado no acelerador enquanto a nova viatura deles lutava para subir uma ladeira.

– Tanto faz – respondeu Finlay num tom seco.

Christian já estava de saco cheio. Ele girou o volante, virando a esquina de forma imprudente e esbarrando no meio-fio para entrar num local muito bonito, porém famoso por ser frequentado por casais um tanto desinibidos. Finlay apenas assistiu impassível, apesar de seu parceiro quase matá-los. Derrapando até parar, Christian desligou o motor, desceu do carro e se sentou no capô ainda quente. Com o vento batendo em seus longos cabelos, ele colocou as mãos em concha na frente do rosto para acender um cigarro. O sol começava a se pôr sobre a cidade enevoada.

Finlay foi se juntar a ele.

– Eu estava com ciúme – disse Christian, os olhos fixos na paisagem.

– Tinha bebido muito... como sempre. Fui um completo idiota... como sempre... e realmente sinto muito... o que na verdade talvez esteja acontecendo pela primeira vez.

Finlay permaneceu em silêncio.

– A Maggie é... – Christian balançou a cabeça e sorriu. – Ela é uma em um milhão, e vocês dois têm esse lance incrível. Eu estava com ciúme. Mas você não precisa ir embora por causa disso!

– Não.

– Você não vai embora?

– Ah, sim, eu vou embora. Vou embarcar no primeiro avião pra sair dessa cidade chuvosa de merda e nunca mais voltar – esclareceu Finlay. – Mas isso não tem nada a ver *nós dois*. A Maggie tá indo embora... Eu vou com ela.

Christian assentiu.

O sol deu as caras, banhando fugazmente a imensidão cinzenta do interior da Escócia.

– Dividi o dinheiro por dois – contou Christian, jogando a guimba do cigarro nos arbustos antes de acender outro.

– É seu – respondeu Finlay.

Christian deu um suspiro.

– Não quero nenhum centavo – insistiu Finlay. – Mas o que aconteceu naquela noite... e a existência desse dinheiro vão pro túmulo junto comigo. Você tem a minha palavra.

– Não tô preocupado com isso! – disse Christian, rindo. – Você salvou a minha vida! – Ele passou o braço em volta do amigo e o sacudiu afetuosamente. – Confio em você mais do que em qualquer outra pessoa. Só quero que fique bem.

– Não quero o dinheiro – reiterou ele, dando de ombros e se retirando do abraço excessivamente amigável.

– Tenho pensado muito sobre integridade nesses últimos dias – começou Christian. – Sobre como não é uma coisa constante. Não é um traço de caráter definido em algum nível preestabelecido. É mais como... uma aspiração, sempre em conflito com a vida real... testando a gente, fodendo com a gente. E o tempo todo estamos nessa corda bamba: integridade *versus* o que queremos, quando o que queremos é pensar que somos íntegros... É uma doideira.

– Eu me pergunto – disse Finlay, pensativo – quão idiotas são as coisas que você *não* diz.

– Tô só dizendo… que a vida é longa. Metade desse dinheiro é seu, queira você ou não, e no dia em que a vida finalmente esgotar a sua integridade, tudo o que você precisa fazer é pedir. Combinado?

– Isso nunca vai acontecer.

– Então concorda só pra me agradar. Combinado?

– Combinado.

Capítulo 29

Sábado, 16 de janeiro de 2016
11h01

Novamente reagrupada, a equipe inteira havia se reunido no canto mais afastado do King and Country's, alguns até se arriscando a provar as iguarias do deprimente cardápio do pub. Enquanto Wolf tentava pescar alguma coisa aleatória em seu café, Saunders começou a trabalhar em seu café da manhã completo ao estilo inglês. Edmunds, enquanto isso, não pôde deixar de notar Baxter ajustando o sutiã e então notou que Joe também notou.

Ele cutucou Baxter discretamente.

– Desculpa – sussurrou ela, ainda não parecendo confortável.

Fazendo valer o dinheiro do aluguel do smoking, Wolf pigarreou e se levantou.

– Bom dia, pessoal. Espero que estejam aproveitando suas – ele olhou para a mesa cheia de pratos abandonados – vidas. Eu, Edmunds e o perito tivemos um dia agitado ontem preparando uma apresentação completa com folhas de papel A3, revelações chocantes, canetas com cores diferentes e *até* o iPad da noiva do Edmunds.

– Mas, por favor, não contem pra ela – acrescentou Edmunds, observando ansiosamente enquanto Wolf pressionava a tela com seus dedos desajeitados.

– Imagens das câmeras de segurança do hospital mostram o visitante misterioso do Christian – anunciou Wolf, segurando o aparelho para que todos pudessem ver.

O vídeo parou no momento em que a pessoa olhou diretamente para a câmera. A imagem então se ampliou, girando desnecessariamente antes de começar a piscar na tela. Wolf havia se empolgado e se entretinha com o novo brinquedo.

Baxter olhou furiosa para ele.

A imagem mostrava um homem com idade semelhante à de Finlay, porém mais bem-vestido e com uma cabeça farta de cabelos escuros penteados para trás.

– *Este* – informou Wolf – é Killian Caine, o chefe do grupo que trabalhava no estaleiro. Produção de drogas, formação de quadrilha, inúmeras acusações de lesão corporal, implicação em vários homicídios... basicamente, um traste de merda. E, no entanto, aqui está ele visitando nosso comissário de polícia logo após uma surra brutal. Curioso, né?

– E estes aqui – disse Edmunds, colocando um conjunto de fotos em cima da mesa – são seus comparsas conhecidos.

– O que significam as cruzes vermelhas? – perguntou Saunders com a boca cheia de comida.

– Que esses morreram no incêndio do armazém.

– E... – começou Saunders, levantando um dedo enquanto engolia – por que alguns deles são apenas nomes?

– Porque a gente não sabe como eles são – disse Edmunds, sem entender o que o outro poderia esperar como resposta. – Até onde consegui descobrir, essa é toda a rede dele.

– O que significa que o sujeito que escapou do incêndio no armazém deve ser um deles! – anunciou Saunders, sentindo que acabara de resolver o caso.

– Sim – disse Edmunds, com toda a paciência do mundo. – Então, os mercenários e o fogo exterminaram pelo menos metade da equipe do Caine. – Edmunds removeu da mesa as fotos marcadas com as cruzes vermelhas. – Levantei as fichas do restante deles e – ele colocou a mão sobre uma das fotos antigas – *este* aqui foi assassinado apenas uma semana depois do incêndio. E é aí que o Joe entra.

Joe tentou se levantar e impor o mesmo efeito dramático que Wolf e Edmunds, mas se viu preso entre a mesa e a parede. Desistiu.

– Duas balas foram removidas do corpo durante a autópsia. Aí eu pensei: "Dane-se, não tenho nada pra fazer mesmo." Então examinei elas e... quem adivinha? Os mesmos riscos de antes. Vieram da mesma arma!

– Você acha que o nosso suspeito matou um dos homens dele? – perguntou Baxter.

– Acho.

– E – interveio Wolf, com entusiasmo, mostrando nitidamente que tinha esperado por aquele momento – uma testemunha viu uma pessoa fugindo do local e fez uma descrição... – Ele segurou a parte superior de uma folha A3 com a ponta dos dedos. – Que me permitiu produzir isto aqui...

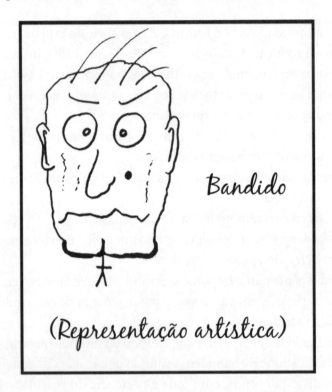

Por alguns segundos, todos ficaram em silêncio.

Saunders abriu a boca, mas então percebeu que até ele estava sem palavras.

– Só uma pergunta, Wolf – disse Baxter.

– Sim?

– Que porra é essa?!

– "Artística" é um pouco generoso demais – comentou Saunders enquanto fitava o desenho.

– Certamente não se parece com nenhuma das fotos – disse Edmunds, incentivando na medida do possível.

– O que significa que podemos descartar estes – disse Wolf e pegou as fotos da equipe de Caine da mesa, deixando apenas os nomes sem rosto.

– Deixa eu ver se entendi – disse Saunders, parecendo perdido. – Ele matou o cara da gangue dele *antes* ou *depois* de atirar no Finlay e no comissário na praça?

– Não se preocupe, meu amigo cabeça de vento! – retrucou Wolf, sorrindo e pegando novamente sua pilha de folhas A3. – Fiz uma linha do tempo que vai ajudar a gente a acompanhar...

– Você é muito babaca, Wolf – disse Baxter.
Edmunds parecia indiferente, enquanto Saunders gargalhava.

– Um gráfico ou uma tabela não teria sido uma maneira muito mais eficaz de passar essas informações pra gente? – perguntou Joe.

– Pois fique sabendo que eu me dediquei muito pra fazer isso – disse Wolf, ofendido. Então parou para pensar e concluiu: – Quando eu digo "muito"... Bom, de todo modo, ainda tem mais um, se alguém estiver interessado...

Saunders foi o único a levantar a mão.

– O que significa esse desenho do coelho? – perguntou Baxter, sem saber por que ainda se importava.

Wolf deu de ombros.

– É só porque eu sou ridiculamente bom em desenhar coelhos.

– De todo modo – disse Edmunds, decidindo tomar a frente da reunião –, com base na *descrição*, tenho descartado alguns dos nomes restantes. Reuni detalhes de fragmentos de relatórios e acompanhado seus vários conflitos com a lei depois de novembro de 1979, e posso dizer com razoável confiança que o fugitivo do armazém é... Eoghan Kendrick.

– Caso encerrado! – exclamou Saunders e riu, sacudindo Joe violentamente.

– Seria – concordou Edmunds –, se *Eoghan Kendrick* não fosse um nome falso... e o homem não tivesse desaparecido da face da terra. Juntando o que a gente sabe *com certeza* e fazendo algumas suposições irresponsavelmente infundadas, o que temos é o seguinte...

Ele colocou os desenhos de Wolf de lado e ergueu sua própria folha, muito mais profissional.

- Alguma coisa aconteceu dentro daquele armazém.
- Eoghan Kendrick sabe o que aconteceu.
- Eoghan Kendrick trabalhava para Killian Caine.
- Killian Caine visitou Christian no hospital (e provavelmente também foi responsável por colocá-lo lá).
- A fortuna de Christian é suspeita.
- Um membro da equipe de Eoghan Kendrick tentou assassiná-lo.
- Eoghan Kendrick desapareceu após esse incidente.

– Alguém consegue enxergar alguma maneira de ligar esses pontos pra formar uma teoria coerente? – perguntou ele.

Todos pareciam aflitos ao contemplar o insolúvel quebra-cabeça.

– Acho que já saquei… – comentou Saunders, esfregando o queixo. – O Christian é o Eoghan Kendrick!

– Mais alguém? – prosseguiu Edmunds, sem muita paciência.

– Fala logo – provocou Baxter.

Edmunds tentou fazer uma expressão inocente, mas desistiu do fingimento.

– Tá. Eu tenho uma teoria – admitiu ele. – Acho que o que quer que tenha acontecido naquela noite, o Christian e o Finlay queriam que ficasse em segredo. O que eles não contavam era com o fato de o Eoghan Kendrick ter escapado do incêndio. Ele conta pro chefe dele, o Killian Caine, que então usa isso para exercer alguma influência sobre o Christian. Talvez o Finlay fosse expor a verdade ou usá-la pra fazer chantagem…

– O Finlay não faria isso – interrompeu Baxter.

– Deixa ele terminar – disse Wolf.

– … e foi por isso que mataram ele – continuou Edmunds. – O Eoghan Kendrick tentou consertar seu erro no armazém, mas não teve sucesso, fazendo com que o Caine tentasse apagar o cara. Só que aí o Eoghan Kendrick mata o assassino dele e se esconde. Quer dizer: a *única* forma de a gente saber de fato o que aconteceu naquela noite é encontrando o Eoghan Kendrick.

– Se ele ainda estiver vivo – disse Saunders, agora comendo as sobras de Joe.

– Se ele ainda estiver vivo – concordou Edmunds. – Sem falar que, se o Christian não sabia que alguém tinha escapado do incêndio, ele certamente sabe agora, e sabe que a gente tá atrás do cara. Então podemos presumir que o Caine e sua gangue *também* estão procurando por ele. É só uma questão de quem chega primeiro ao Kendrick.

Quando a reunião acabou, Edmunds foi se sentar ao lado de Baxter, que ainda ajustava descaradamente o decote.

– Parece que você tá tendo problemas hoje – disse ele com tato, certificando-se de que Joe não estava mais por perto.

– Tá achando eles maiores? – perguntou ela.

Edmunds manteve o contato visual.

– Sei lá.

– Você nem olhou!

Com um forte suspiro, ele olhou para os peitos dela.

– Pra mim parece a mesma coisa... Você não vai comer isso? – perguntou ele olhando para a torrada intocada, ansioso para mudar de assunto.

– Não – disse ela, parecendo um pouco enojada. – Tá com um cheiro estranho.

Edmunds pegou a torrada do prato, cheirou e deu uma mordida.

– Quer ajuda hoje? – indagou ela.

– Claro – respondeu ele com a boca cheia. – Mas preciso pegar umas coisas pra Leila no caminho.

Não tinha smoothie de framboesa e romã na farmácia.

Isso deixou Baxter extremamente irritada.

O jovem espinhento abastecendo as geladeiras talvez não merecesse inteiramente toda a sua fúria acumulada, seu mau humor, nem a aula sobre oferta e procura: ela explicou que, se todas as merdas das lojas da porra do país ficavam sem smoothies de framboesa e romã todos os dias, então talvez, apenas talvez, alguém com o poder divino de tomar decisões importantes como aquela devesse, quem sabe, possivelmente, começar a pensar em estocar mais alguns com antecedência. Ela se sentiu mal, no entanto, quando o lábio dele começou a tremer e ele saiu correndo para chorar no estoque, irritando-se também enquanto esperava Edmunds terminar de fazer compras.

Logo depois, ele emergiu do final de um corredor, a expressão mudando enquanto corria até a amiga que soluçava.

– Baxter? O que aconteceu?

– Nada… Eu só… Desculpa.

– Não precisa pedir desculpas. É minha culpa. Eu não deveria ter ido… ali.

– O que tem de errado comigo?

Ela riu, enxugando os olhos.

Edmunds abriu a boca… olhou para o pacote de fraldas descartáveis nos braços… depois de volta para Baxter, desconfiado.

– Quê? – perguntou ela.

Ele parecia um pouco angustiado.

– O que foi?!

– É… tá se sentindo cansada?

– Sempre.

– Como estão os seios agora?

– Esquisitos.

– Alguma outra comida te enjoou recentemente?

– Talvez.

– Vai começar a chorar de novo no meio da farmácia?

– Muito provavelmente.

– Parabéns.

Edmunds jogou o pacote de fraldas nos braços dela e saiu correndo.

Capítulo 30

Sábado, 16 de janeiro de 2016
15h23

Wolf estava sentado em sua velha mesa no Departamento de Homicídios e Crimes Hediondos, tentando decidir se deveria ou não se arriscar a comer um chocolate que vinha apodrecendo na gaveta muito antes dos assassinatos do Boneco de Pano. Ele verificou a data de validade desbotada, que por si só deveria ser um péssimo indício: "Fevereiro de 2015".

Com a boca cheia, ele prosseguiu com a tarefa: recuperar registros de chamadas e informações de rastreamento por GPS armazenados no número do celular de Christian, sem dizer àqueles que trabalhavam para ele a quem o telefone pertencia, o que estava se revelando ainda mais problemático que o previsto.

Às 15h42, andando em círculos sem a aprovação de Vanita, Wolf recebeu um telefonema que lhe deu um arrepio na espinha.

– Mãe?… Como assim vocês estão a uma hora de distância? Uma hora de distância de onde?… Por quê?… Não, claro que sim. Eu só… Ela fez o quê? – Ele cerrou os dentes. – Sim. Não foi legal da parte dela!… Não. Na verdade, eu não tô mais morando lá – explicou ele, tentando desesperadamente pensar para onde mandar os pais. – Vou te enviar uma mensagem com o endereço… Mensagem!… Te mando uma mensagem!

Algumas pessoas nas proximidades olharam em sua direção. Wolf murmurou um pedido de desculpas.

– Tá bem. Tá bem. Que maravilha. Vejo vocês daqui a pouco, então. Tchau!

Ele desligou, enfiou o resto do chocolate desbotado na boca e apoiou a cabeça entre as mãos.

Edmunds nunca tinha gritado com Baxter antes e os dois estavam se sentindo um pouco esquisitos por conta disso.

Estavam tentando analisar os arquivos de alguns casos em seu galpão quando a conversa inevitavelmente mudou de rumo e Baxter admitiu que havia cometido um grande erro ao dormir com Wolf. Em sua defesa, ela já havia confessado tudo a Thomas, mas a suspeita de uma gravidez não lhe era nada favorável.

Sentindo-se mal, Edmunds suspirou.

– Você vai contar pra ele?

– Qual dos dois?

– Pro Thomas.

Ela deu de ombros.

– Acho que a oportunidade vai surgir quando em algum momento eu parir um bebê irritadinho.

O celular de Edmunds tocou. Ele olhou para a tela e então para Baxter ansiosamente.

– Eu vou só…

Ele não terminou a frase, apenas desapareceu pela porta.

Um minuto se passou, durante o qual Baxter se recompôs e elaborou um excelente insulto para Edmunds, a fim de garantir que ele não se sentisse vitorioso; no entanto, esqueceu tudo assim que ele voltou com uma expressão de perplexidade.

– Era o Wolf – explicou. – Ele estava fazendo um bando de perguntas aleatórias sobre você e o Thomas, onde você estava morando e se alugou seu apartamento ou não.

Baxter endireitou o corpo, a preocupação no rosto.

– E o que você disse pra ele?

Edmunds sentiu que não havia resposta certa.

– Eu... disse... a *verdade*? – respondeu ele.

Baxter deu um pulo de seu banquinho e saiu apressada do galpão.

– A gente precisa impedir ele de entrar lá! – gritou ela para o amigo confuso. – Você liga pra ele no caminho!

– Obrigado, chave reserva! – agradeceu Wolf, contente ao descobrir que ela ainda abria a porta externa do prédio de Baxter.

Foi uma das poucas coisas que ele guardou, outro souvenir de uma vida passada.

Ele havia mandado uma mensagem de texto para a mãe com o endereço na Wimbledon High Street e em seguida pegado o metrô na direção sul. Subindo as escadas até o andar dela, ele selecionou uma chave marcada e destrancou a porta...

O fedor de pus o atingiu instantaneamente.

– Credo, Echo! – reclamou ele, pegando uma lata de purificador de ar ao entrar na sala.

Cobrindo o nariz com o braço, Wolf olhou da bancada coberta de curativos e remédios e para o bilhetinho alegre informando que havia "Massa de cookie no freezer!", e, em seguida, para o homem seminu e armado, que o observava da porta do quarto. Soltando um grito agudo, Wolf ergueu as mãos e disparou um jato de "Pétalas de Rosas" no ar.

– Wolf, certo? – disse Rouche, sorrindo, com a pele grudenta e pálida. Ele abaixou a arma e encostou no batente da porta.

– Certo – respondeu Wolf, surpreso, baixando lentamente as mãos. – E você deve ser o zumbi conhecido oficialmente como Damien Rouche. Eu te vi no noticiário. Prazer em te conhecer.

Seus olhos caíram para a palavra enegrecida no peito de Rouche.

– Eu sei. Tá feio, né?

– O cheiro tá pior – assegurou Wolf, esperando que Rouche não tivesse notado que fazia mais de vinte segundos que o estava pulverizando com Pétalas de Rosas.

– A Baxter tá com você?

– Não. Mas ela me contou *tudo* sobre você... morando aqui... fugindo da prisão... e por aí vai – mentiu Wolf, olhando para o relógio. – Esse é provavelmente um bom momento pra mencionar que em breve teremos visita.

– Visita? – perguntou Rouche, observando enquanto Wolf circulava pela sala e recolhia porta-retratos em que Baxter sempre aparecia irritada por alguém tê-la fotografado.

– Sim. Mas não se preocupa. Você não tem que fazer nada... além de falar pra eles que este é o meu apartamento.

Rouche o encarava em silêncio.

– Só precisa dizer que você é um grande amigo meu e meu colega de quarto... – Ele olhou fixamente para Rouche. – Haywood!

– Haywood?

– Por acaso você tem uma camisa? – perguntou Wolf, abrindo as janelas enquanto arrumava a casa.

– Elas costumam ficar manchadas de sangue – respondeu Rouche, constrangido.

– Que tal uma vermelha, então? – sugeriu ele. O interfone tocou. – Ah, merda! Tudo certo. É hora do show!

Só para irritar Baxter ainda mais, um carro havia estacionado na vaga dela, então ela deixou Blackie abandonado na entrada da garagem e Edmunds sentado lá feito um idiota no banco do carona. Correndo para dentro do prédio, ela subiu em disparada as escadas e irrompeu pela porta de seu apartamento. Wolf a encarou boquiaberto e ela avançou na direção dele.

– O que você pensa que está fazendo?!

Ele parecia nervoso.

– Baxter, eu...

– Tá achando que, depois de tudo que fez comigo, pode simplesmente entrar e...

– Baxter, me deixa...

– Você é como uma porra de uma doença na minha vida. Tem noção disso? Conseguiu estragar tudo!

– Baxter, meus pa...

– Eu tô atrasada, Wolf! – gritou ela, parecendo que ia passar mal.

– Na verdade, em momento nenhum eu convidei você.

– Não, seu merda! Atrasada. Uma forma educada de dizer que embarriguei, que tô embuchada. Sabe, grávida?!

– *Mazel tov!* – veio uma voz do sofá.

Ela se encolheu e virou lentamente a cabeça, encontrando o Sr. e a Sra. Fawkes observando-os, sentados ao lado de Rouche, que havia se posicionado estrategicamente perto de uma janela aberta.

– Beverly! – exclamou Baxter, sorrindo.

– Barbara – corrigiu Wolf.

– E Bob!

– Bill.

– Que surpresa inesperada! Querem beber alguma coisa?

– Não. Não – respondeu o Sr. Fawkes. – O Haywood tá cuidando da gente.

Ela nem se deu ao trabalho de pedir uma explicação.

– Você tá grávida? – deixou escapar Wolf, a ficha finalmente caindo.

– Acho que sim – respondeu Baxter com um sorriso, parecendo um pouco surtada.

– E... temos certeza absoluta de que não é do Thomas? – indagou ele, esperançoso.

– Certeza absoluta! Porque o Thomas cortou o bilau.

Wolf pareceu horrorizado.

– Tipo um... eunuco?

– Não, tipo uma porra de uma vasectomia, seu – ela olhou para os pais dele, que ouviam a conversa – *tonto*.

– Nós, Fawkes, somos muito férteis – William Pai interrompeu no sofá enquanto sua esposa acenava com a cabeça em concordância.

– Que baixaria, pai!

– Bem, esse é o tipo de informação que poderia ter sido útil antes! – disse Baxter meio que gritando.

– Aliás, o Will aqui foi um acidente! – acrescentou o Sr. Fawkes.

– Não sabia disso, pai. – Wolf pareceu um pouco magoado. – Obrigado por compartilhar.

– Então, o que traz vocês a Londres? E, especificamente, a Wimbledon? – perguntou Baxter, mal conseguindo se controlar.

– *O Rei Leão* – respondeu a Sra. Fawkes.

– O... *Rei Leão*?

Ela assentiu.

– Ah, isso foi curioso. Eu estava conversando com a Ethel outro dia quando o telefone tocou e, para minha surpresa, era a Andrea... Você conhece a Andrea?

– Ah, eu conheço a Andrea!

– Bem, ela tinha ganhado dois ingressos caríssimos e uma diária em um hotel chique... e pensou na gente. Não é demais?

– Demais mesmo!

Baxter e Wolf estavam apenas começando a refletir sobre a motivação por trás das ações da ex-esposa dele quando ouviram uma batida na porta.

– Deixa comigo! – disse Rouche, aproveitando a oportunidade de escapar.

Com a conversa chegando a um tenso intervalo, todos ouviram Rouche cumprimentando o visitante não identificado.

Um som de saltos altos se aproximou.

– Andrea! – exclamou a Sra. Fawkes alegremente. – Você recebeu a minha mensagem, então? – disse ela, levantando-se para beijá-la na bochecha.

– Recebi! – Andrea se virou para Wolf e sorriu, finalmente conseguindo localizá-lo. – Will.

Baxter ficou muda de raiva, enquanto Wolf aos poucos saía da sala. O som de passos apressados trovejou escada acima. Desistindo, Rouche manteve a porta aberta para Edmunds, que entrou derrapando na sala lotada.

– A Andrea tá vindo! – anunciou ele, ofegando pesadamente. Ao olhar para sua eclética plateia, percebeu que era tarde demais. – Espera... aquele era... o *Rouche*? – perguntou, virando-se para Baxter com uma cara de marido traído.

– Olá! – acenou Rouche, cansado, notando que os olhos de Andrea se iluminaram ao reconhecer o nome e depois o macilento agente da CIA.

– Eu não queria que você tivesse que guardar mais nenhum dos meus segredos – disse Baxter a Edmunds.

– Por que você não se senta, querida? – disse o pai de Wolf a Andrea, alheio à conversa estranha que acontecia no meio da sala. – Estamos comemorando! O Will e a Emily vão ter um bebê!

– Ah, é? – perguntou Andrea, virando-se para eles com uma expressão presunçosa. – Um bebê, hein? Na maioria das vezes, é o que acontece quando as pessoas fazem… *sexo… umas com as outras.* Bem, sei que essa minha cara pode dar a entender que eu já sabia, mas garanto que o que quero expressar é: que surpresa maravilhosa!

– Deve ser o Botox – concluiu Wolf.

– Will! – repreendeu sua mãe.

– Vou me deitar – anunciou Rouche, que havia chegado ao seu limite.

– Boa noite, Haywood! – disse o Sr. Fawkes.

Enquanto Baxter puxava Edmunds para um lado, Wolf se aproximou de Andrea, interrompendo o pai, que havia acabado de começar a explicar em detalhes por que os Fawkes eram tão férteis.

– Posso falar com você um minutinho? – perguntou Wolf a ela.

Andrea assentiu e se juntou a ele na cozinha. Ela parecia estranha: mais jovem, ainda bonita, mas diferente de como ele se lembrava dela, como uma variação de si mesma vinda de uma realidade alternativa. Infelizmente, não era menos teimosa do que ele se lembrava.

– Você trouxe os meus pais pra cá?

– Você não retornava as minhas ligações!

– Eu estava evitando você! É isso que as pessoas fazem quando querem evitar alguém! – sussurrou Wolf.

– Não estou aqui pra discutir com você – disse ela calmamente. – Quero ajudar.

– Ajudar quem?

– Você.

– Me ajudar… com o quê?

– Com tudo. Sinto muito pelo Finlay. De verdade. E eu só quero… quero compensar algumas das minhas indiscrições do passado.

Wolf balançou a cabeça.

– É verdade! Olha… – Ela abriu o zíper do casaco exibindo a camiseta amarela da campanha atualizada e, indiretamente, os novos seios por baixo dela:

LIBERTEM o LOBO!… *outra vez!*

– Observe que deixei margem para, sabe como é, a próxima vez que você estragar sua vida – disse ela, sorrindo.

– Não quero ver esses… isso. – Wolf se corrigiu rapidamente. – Essa camiseta.

– Você é tão imaturo – disse Andrea, depois abriu um sorriso e o abraçou com força. – Nunca mais faça isso! – sussurrou ela no ouvido dele. – Eu estava muito preocupada com você.

Ignorando o olhar de esperança no rosto de sua mãe, Wolf apertou suavemente as costas dela.

– Tá tudo bem – disse Edmunds, falando com Baxter em particular enquanto ela se perguntava para onde teria ido sua foto no México. – Só fiquei surpreso. Só isso.

– E você poderia ter feito o que exatamente pra ajudar? Nada. Por isso que não te contei.

– Eu podia dividir esse problema com você e…

– … e acabar virando cúmplice nisso tudo – concluiu Baxter.

– Ele tá péssimo.

– Tá melhorando – afirmou Baxter, sem acreditar nas próprias palavras.

– E o seu plano era… qual, exatamente?

– Levar o Rouche pra um lugar seguro. Ele se recupera, deixa a barba crescer e tem um final feliz.

– Eu achava que não existissem finais felizes – disse Edmunds, citando a própria Baxter.

– Ele disse que tá se sentindo melhor – insistiu ela, tendo que levantar a voz para competir com o pai de Wolf do outro lado da sala.

– Mesmo se ele estiver… – começou Edmunds, perguntando-se por que parecia sempre caber a ele o papel de portador de más notícias –, agora a gente tem um problema sério.

Ele olhou para Andrea preocupado – aparentemente a mulher estava presa entre os Fawkes contra sua vontade.

– Vou falar com ela – disse Baxter.

– O Rouche é procurado por homicídio, e isso te torna cúmplice.

– O que quer que eu faça? É o Rouche.

– Você pode ser presa!

– *Ele* vai ser preso!

– Só estou dizendo que um pouco de distância pode ser prudente. Se encontrarem ele morando no seu apartamento…

Baxter assentiu, pelo menos reconhecendo que ele tinha razão.

– Olha só, é o Rouche. Eu devo isso a ele. Ele fica.

Mais uma vez, Edmunds olhou para Andrea.

– Não confia nela.

– Pode deixar – assegurou Baxter, respirando fundo antes de ir até a repórter. – Ei – disse ela, interrompendo o Sr. Fawkes no meio de um discurso inflamado sobre as obras que estavam sendo realizadas nas autoestradas. – Posso falar com você?

Parecendo um pouco apreensiva, Andrea se levantou e seguiu Baxter até a antessala, o único lugar que restava para que pudessem falar em particular.

– Se for sobre você e o Wolf – antecipou Andrea –, eu realmente não...

– Não é.

Ela pareceu surpresa.

– É sobre o que então?

– Você é uma megera desgraçada, cínica e desalmada, e se continuar fazendo plástica na cara nesse ritmo, já, já vai virar o próprio demônio.

– Tá... – respondeu Andrea.

Ela já havia sido chamada de coisa pior.

– Mas sejam quais forem os problemas que *nós* possamos ter, eles não têm nada a ver com o Rouche. Ele é um homem bom, que já perdeu tudo...

– Seu segredo está seguro comigo – interrompeu Andrea. – Eu sei que acha que eu te traí no caso Boneco de Pano, e até certo ponto você tem razão, mas a verdade mesmo é que optei por não fazer um sacrifício totalmente sem sentido pelo bem da nossa amizade, que ainda era recente. Eu podia ter feito, mas teria jogado minha carreira no lixo, e *mesmo assim* você não ia gostar de mim.

– Me poupa desse discurso do "se eu não tivesse feito, outra pessoa faria".

– O meu chefe tinha outra pessoa preparada no estúdio ao lado pra ler exatamente as mesmas palavras que eu. Sinto muito, mas, diante da mesma situação, eu não faria nada diferente.

Baxter riu amargamente e foi até a porta.

– Parabéns... – disse Andrea de súbito. – Estou sendo sincera.

Por algum motivo, Baxter parou e se virou.

– O Will nunca quis ter filhos quando a gente tava junto – continuou ela. – Estou feliz que ele queira agora.

– Apesar do que todo mundo acha – disse Baxter, em tom acusatório –, só cometi esse erro uma vez, e já foi suficiente pra destruir a minha vida.

– E o que ele disse quando soube?

– Lendo nas entrelinhas, o meu melhor palpite é: "Ah, olha lá, minha ex-mulher malvada acabou de entrar por aquela porta dez segundos depois que a Baxter me contou e não tivemos chance de falar sobre isso."

Andrea pareceu culpada.

– Ah...

– Não quero falar sobre isso – declarou Baxter. – Principalmente com você.

– Tudo bem. Então vamos conversar sobre outra coisa. Tipo, sobre como Damien Rouche veio parar na sua casa.

Baxter balançou a cabeça.

– Você tinha mais chances com o papo sobre o bebê – respondeu ela, dando as costas para Andrea e voltando para a sala.

Baxter observava maravilhada enquanto raios seguidos atingiam um mesmo local, uma ponte entre o céu e a terra, rasgando o ar e chamuscando a tampa de um petit gateau industrializado. Ela havia se esquecido de remover o papel-alumínio de cima antes de colocá-lo no micro-ondas e estava finalmente prestes a fazer algo a respeito quando o aparelho a poupou do trabalho queimando um fusível.

– Tá tudo bem aí? – perguntou Thomas, ainda vestido com seu kit de badminton, tendo voltado para casa para mais um jantar improvisado de Baxter.

– Tá! – mentiu ela. Serviu os dois bolinhos e os levou para a mesa, certificando-se de colocar o que estava totalmente cru para si mesma.

Voltando para seu lugar, foi tomar outro gole de vinho quando se deu conta de que provavelmente aquilo não era recomendável.

Ela pôs a taça na mesa.

– Isso é agradável – disse Thomas. Ele sorriu para ela e pegou a garrafa: – Quer mais vinho?

Baxter colocou a mão sobre a taça.

– Não... obrigado. E é meio sobre isso que eu queria falar com você. Eu tenho... uma novidade.

– Ah! – respondeu Thomas, estendendo a mão para segurar a dela... inconscientemente apertando cada vez mais forte.

– Olha, não sou muito boa nesse tipo de coisa, mas… eu… – o telefone dela começou a zumbir sobre a mesa – amo… – ela não pôde deixar de olhar para a tela – *Wolf.*

Thomas largou a mão dela.

– Você ama… o Wolf?

– O quê? Não! Eu amo você. Eu amo você! O Wolf só tá ligando num péssimo, péssimo…

Sua mão pairou sobre o aparelho irritante.

– Mas você não vai atender… *vai?*

– É trabalho. Me dá só um segundo – disse ela se desculpando antes de atender. – Timing impecável como sempre, Wolf. O que você quer?

Thomas bufou alto e cruzou os braços.

– O telefone de Christian voltou limpo. "Sem dados de localização. Nenhuma chamada além do uso normal" – leu Wolf em voz alta. – Sabíamos que seria um tiro no escuro. Ele é cuidadoso demais pra deixar rastros.

– Isso não poderia ter esperado?

– É pelo Finlay – respondeu ele, parecendo magoado.

– Desculpa. Você tem razão – disse ela. – Imagino que seja bem pouco provável que ele tenha usado um computador.

Ela sorriu para Thomas, mas apenas recebeu uma cara feia como resposta.

– Mas ele tem que estar se comunicando com alguém – afirmou Wolf. – Ele estava no hospital na noite da invasão na casa do Edmunds e não consigo imaginar o cara arrombando a fechadura do Skoda do Saunders.

– Pode ser coisa do Killian Caine e dos homens dele.

– Não. Acho que o Edmunds tem razão. De fato, não parece o estilo deles. Por que se dar ao trabalho de se esgueirar no meio da noite depois de espancar o comissário de polícia na frente de várias pessoas?

– Então, ele deve ter outro telefone.

Perdendo a paciência, Thomas pegou a colher e começou a comer a sobremesa.

– Provavelmente – concordou Wolf. – E a gente precisa encontrar. Ou tá na casa dele ou no escritório.

– Isso é violação de domicílio.

– Só se formos apanhados. Eu sei o código do alarme dele – contou Wolf. – A casa fica comigo, mas você e o Saunders são os únicos que podem circular livremente pela New Scotland Yard. E, de vocês dois, você tem a vantagem de *não* ser o Saunders.

– Não tenho como discordar. Vou ver o que posso fazer.

– Obrigado. Ei... acha que a gente pode conversar sobre...

Baxter desligou na cara dele.

– Sua sobremesa vai esfriar – avisou Thomas.

– Não tenho dúvidas disso – murmurou ela, pegando sua taça de vinho. Olhou sedenta para ela e depois a colocou de volta na mesa.

– Então... e a sua *grande novidade*? – instigou ele, como se pedisse a um carrasco para terminar de afiar sua lâmina.

Baxter abriu a boca, enfiou uma colher cheia de sobremesa crua e balançou a cabeça.

– Nada não.

Capítulo 31

Segunda-feira, 18 de janeiro de 2016
9h35

Baxter raramente se aventurava a chegar tão perto da cova dos leões.

Tinha sido chamada à sala de Vanita para um sermão ou outro, e sempre achou aqueles corredores surpreendentemente silenciosos em comparação com o anárquico equilíbrio que sustentava o Departamento de Homicídios e Crimes Hediondos.

Wolf fora avisado por sua nova melhor amiga, Vanita, que ela teria uma reunião com o comissário às nove e meia da manhã, garantindo uma janela de meia hora durante a qual a sala dele estaria vazia. Armada com uma pasta de aparência importante, Baxter passou confiante pelas fileiras de mesas. Os vários assistentes pessoais e administrativos prestaram pouca atenção nela, consumidos inteiramente por suas tarefas triviais. Depois de uma rápida olhada para a esquerda, para garantir que a sala estava vazia, e para a direita, para confirmar que não estava sendo observada, ela passou depressa pela porta.

– Ok – sussurrou, o coração acelerado enquanto ela reparava na elegante sala de Christian, o cheiro de couro e madeira complementando a fraca luz do sol que passava pelas frestas das persianas.

Ela foi até a enorme mesa e abriu a primeira gaveta.

Wolf estava dentro da mansão de Christian em Epping Forest havia quase uma hora.

O portão elétrico danificado havia deixado espaço suficiente para que pudesse se esgueirar por ali, e, depois de esmagar as bolas ao escalar uma parede, ele conseguiu chegar à porta dos fundos. Causando o mínimo de dano possível, forçou a fechadura e então cruzou correndo a antessala para digitar o código de cinco números que silenciava o alarme. Não havia nenhum resquício da festa realizada apenas algumas noites antes, o sol fraco aquecendo o tapete, as cadeiras e o sofá no meio do vasto cômodo. As peças de xadrez estavam prontas para a ação em cima da mesa de centro, e o piano de cauda havia desaparecido, fazendo Wolf se perguntar se havia sonhado com tudo aquilo.

Satisfeito por ter vasculhado completamente o quarto principal, ele foi para o closet levemente iluminado, onde duas fileiras de ternos ficavam em posição de sentido acima dos sapatos.

Um pouco nervoso, Wolf verificou a hora e começou a trabalhar.

Às 9h52, Baxter já havia revistado todas as gavetas da mesa, a maleta aberta ao lado dela e os bolsos do casaco atrás da porta. Estava ciente de que tinha apenas alguns minutos e sentiu o desespero se instalando.

Ela foi até o gaveteiro de aço, com os compartimentos deslizando sem esforço pelo trilho, sua mente vagando até as gavetas que alinham corpos lado a lado nas paredes do necrotério. Mal tinha começado a folhear quando ouviu a voz de Vanita se aproximando.

Ela congelou.

O perfil de Christian apareceu na janela, a sobrancelha franzida enquanto eles continuavam a discussão.

Encurralada, Baxter fechou suavemente o gaveteiro, procurando ao redor da sala por algum lugar, qualquer lugar, onde pudesse se esconder – desde as janelas até a árvore frondosa no canto, passando pelo casaco comprido pendurado em um gancho e pela mesa imponente. Ela percebeu que Vanita estava olhando diretamente em sua direção enquanto ela permanecia ali, sem saber para onde correr.

– Eu sabia que ia esquecer alguma coisa! – Baxter a ouviu dizer do outro lado do vidro. Vanita sutilmente se reposicionou de modo que Christian ficasse de costas para a janela. – Recebi um e-mail da Pearson que queria repassar com você.

– Claro. Me manda.

Observando a maçaneta, Baxter se afastou da porta.

– Na verdade, você se importa de a gente fazer isso agora? – perguntou Vanita, sua voz mais aflita do que ela pretendia. – Está aberto na minha tela e consideravelmente atrasado.

– Eu tenho coisas pra...

– Considere isso um gesto de reconciliação – insistiu ela.

– Bom, nesse caso, é claro... deixa só eu pegar uma coisa. – Christian se virou e abriu a porta, dando à sua subordinada um olhar questionador quando ela arquejou. Ele seguiu o olhar dela até a sala vazia. – Volto num minuto – disse ele.

Vanita ainda estava lá quando Christian fechou a porta. Ele caminhou até a janela e puxou as cortinas para se aquecer ao sol de janeiro por um segundo antes de se sentar na frente do computador.

O joelho de Christian estava a apenas alguns centímetros do rosto de Baxter. Prendendo a respiração, ela puxou lentamente sua bota para perto do corpo, contorcendo-se embaixo da mesa. Observou o sapato chique dele se arrastar em sua direção e se afastou, espremendo-se contra a madeira e chegando a levantar o corpo do chão. Quando o pé dele deslizou por baixo dela, suas pernas começaram a tremer sob a tensão daquela posição insuportável.

Wolf havia encontrado algo que poderia não ser nada, mas certamente era mais promissor que qualquer outra coisa que ele havia desenterrado da casa: certificados de investimento que datavam de junho de 1981. Desbloqueando seu telefone para tirar fotos, ele de repente se deu conta da hora.

Baxter deveria sair da sala de Christian às 9h55 no máximo. Ela tinha prometido mandar uma mensagem para ele assim que estivesse em segurança.

Ele escreveu uma breve mensagem:

Já saiu???

Pairando o polegar sobre o botão "enviar", ele ponderou se deveria ou não dar a ela mais um minuto.

Baxter podia ouvir Christian digitando no teclado diretamente acima de sua cabeça enquanto o tecido da calça dele roçava seu braço.

Ela sabia que Wolf aguardava sua mensagem. Sentindo o celular contra o quadril, ela rezou para que ele não ligasse. Colocando três dedos no bolso da calça, conseguiu tatear o metal com a ponta dos dedos, mas não segurar o telefone com firmeza. Forçando um pouco mais, o tecido fino rasgou e fez com que sua mão escorregasse, raspando no sapato de Christian.

Ele parou de digitar.

Baxter não se atreveu a respirar, seus olhos arregalados e alertas, o coração batendo acelerado tentando traí-la. Ela o viu mudar de posição como se fosse pegar algo na mesa.

– Kessie, você poderia marcar um almoço com Malcolm Hislop amanhã, por favor?

Aproveitando a oportunidade, Baxter tirou o telefone do bolso e passou de "vibrar" a "silencioso" segundos antes de a tela se iluminar com a mensagem de texto de Wolf. Ela o segurou contra o peito para esconder o brilho.

– Qualquer lugar tá bom. Me surpreenda! – disse Christian, com uma risada, encerrando sua ligação.

Ela o ouviu colocar o fone no gancho antes de abrir e fechar uma gaveta. Ele se levantou e inundou o espaço apertado com luz, o som de seus passos se afastando, seguido pelo de uma porta se fechando. Baxter desabou no carpete, agoniada por ter se mantido naquela incômoda posição por tanto tempo. E então franziu a testa ao notar o celular barato preso com fita adesiva por baixo da gaveta.

Esgotada demais para se permitir o mínimo gesto de conquista ou de alívio, ela estendeu a mão e o arrancou dali.

Às 10h17, Christian havia terminado com Vanita e estava voltando para sua sala quando sua assistente o interceptou com uma xícara de café muito bem-vinda e uma pilha de correspondências não tão bem-vinda assim.

– Almoço no Culpeper amanhã, já que deve fazer sol e a estufa no rooftop é incrível!

– Obrigado, Kessie – disse ele, pegando cuidadosamente a caneca quente da mão dela.

– Ah, você viu que a inspetora-chefe Baxter deixou uma coisa pra você? Ele quase conseguiu disfarçar a surpresa.

– Como?

– Emily Baxter – esclareceu ela, suspeitando que havia novamente falado algo de errado. – Tem uns 45 minutos que ela veio aqui e entrou na sua sala. Só presumi que...

– Ah, sim!

Christian sorriu. Sua assistente ficou visivelmente mais relaxada.

– Ah, é verdade. Obrigado – mentiu ele, mantendo o sorriso firme até voltar à sala e fechar a porta.

Correndo até sua maleta, ele encontrou tudo em ordem. Parecia intocada. Então abriu cada uma das gavetas e descobriu que não estava faltando nada. Por fim, enfiou a mão embaixo da mesa e ficou aliviado ao encontrar o celular preso com fita adesiva no lugar. Olhando para o telefone fixo em cima da mesa, Christian se perguntou se eles o teriam grampeado. Era um insulto pensarem que ele poderia ser tão descuidado. Considerou a possibilidade de que, em desespero, tivessem grampeado sua sala, e ficou um tanto tranquilo diante dessa ideia, porque era só isso que tinham: desespero.

Ele arrancou o frágil aparelho da madeira, saiu da sala e entrou no banheiro masculino. Depois de jogar um pouco de água gelada no rosto, certificou-se de que estava sozinho antes de ligar hesitantemente para o único número armazenado no aparelho. Foi direto para a caixa postal.

– Sou eu. Preciso que resolvam um problema pra mim.

Capítulo 32

Segunda-feira, 18 de janeiro de 2016
18h48

Rouche havia dormido a maior parte do dia, mas tinha programado um alarme, como garantia, para que tivesse tempo de acender as luzes, tomar um banho rápido, arrumar o apartamento e arejar um pouco o ambiente antes que Holly chegasse. De pé no banheiro da suíte, ele olhou para o espelho embaçado, mal sendo capaz de se reconhecer – as olheiras fundas e as bochechas encovadas...

ETENOIRAM

As letras, pretas e imponentes, pareciam mais com algo escrito com marcador sobre o vidro do que um reflexo de seu próprio peito. Ele estendeu a mão para apagá-las e, por um segundo, quase se iludiu pensando que havia funcionado quando seu polegar molhado borrou a imagem no espelho. Respirou fundo e olhou para baixo a fim de fazer sua avaliação noturna: veias azuis proeminentes irradiavam ao redor da carne moribunda.

Houve um barulho no corredor.

Preocupado, pensando que Holly poderia ter chegado cedo, Rouche fechou a torneira, pegou uma toalha e foi até a porta do quarto. Ele franziu a testa ao ouvir uma série de cliques e arranhões, pegou um suéter do chão e o vestiu.

Houve um baque agudo e, muito lentamente, a porta da frente se abriu.

Deu um passo para trás em direção ao quarto e viu um homem corpulento entrar no apartamento segurando uma arma pesada em uma das mãos e fechar a porta com a outra. Rouche olhou impotente para sua arma do outro lado da sala, o cabo saindo do coldre. Ele sabia que jamais conseguiria cobrir a distância a tempo. Refletiu sobre os recursos que tinha à disposição: uma tesoura de unha que Baxter havia deixado no armário do banheiro, vários aerossóis, um frasco de alvejante. Poderia arrancar a cabeça de sua escova de dentes para fazer uma faca de plástico.

Ele encostou a porta conforme o intruso atravessava a antessala. O homem parecia ter 60 e poucos anos, pelo que Rouche foi capaz de ver através da fresta, mas havia coberto o rosto com a mão para se proteger do mau cheiro. Ele parou do lado de fora do banheiro social, empurrando a porta com cuidado para se certificar de que estava vazio.

Rouche considerou sair correndo e felizmente hesitou no momento em que o homem se virou e entrou na cozinha, a arma erguida na direção da sala de estar. Preparando-se para agir outra vez, uma tábua do assoalho rangeu e denunciou sua localização. A cabeça do homem girou no mesmo instante para fitar o quarto, a arma apontada diretamente para Rouche enquanto ele observava, imóvel, pela fresta que havia deixado entre a porta e o batente.

Ele começou a se aproximar.

Desesperado, Rouche olhou para a janela do quarto, ciente de que nunca escaparia da queda de dois andares em condições de correr. Ele tinha mais chances se tentasse lutar, mesmo tão debilitado. Observou o homem se aproximar, parando apenas para olhar a variedade de medicamentos espalhados pela bancada da cozinha.

Aproveitando a oportunidade, Rouche abriu a porta apenas o suficiente para se arrastar até a estante de livros, o movimento atraindo a atenção do intruso, que novamente voltou sua atenção para a porta do quarto.

Rouche não se atreveu a se mover, a parede de janelas escuras refletindo o interior do apartamento como um espelho. Incapaz de se esconder tanto do atirador quanto do próprio reflexo, ele não tinha para onde ir, sabendo que seria descoberto se o homem virasse a cabeça um centímetro. O intruso, no entanto, parecia preocupado com a porta oscilante, permitindo que Rouche se movesse entre os móveis para evitar ser visto enquanto o atirador se aproximava com cautela do último cômodo.

De costas para o sofá, Rouche podia ver seu coldre pendurado tentadoramente na bicicleta ergométrica, mas não se atreveu a ir até ele. Ainda não.

Holly chegou cedo.

Ela havia passado o dia inteiro ansiosa para ver Rouche e fizera compras para o jantar já na hora do almoço, enchendo sacolas com vinho, frango em cubos, queijo e bolo.

Com a cabeça longe, ela não reparou que a porta do prédio estava entreaberta. Não reparou na lasca de madeira no carpete sob a fechadura quebrada. Subindo as escadas apressada, pegou as chaves, que tilintaram contra a maçaneta enquanto ela segurava com dificuldade as sacolas de compras. Empurrou a porta com o pé e entrou. Abriu a boca para saudar Rouche quando uma mão áspera cobriu seu rosto, um braço apertado envolvendo seu peito, prendendo-a no lugar.

Ela não conseguia respirar, muito menos gritar, enquanto lutava contra seu agressor.

– Shhhh! Shhhh! Sou eu! – sussurrou Rouche em seu ouvido.

208

Holly parou de se debater imediatamente, permitindo que ele retirasse o braço ao redor dela e apontasse a arma de volta para o corredor.

– Vai – sussurrou ele, tirando a mão de sua boca, os olhos fixos na porta aberta do quarto.

Aterrorizada, ela obedeceu, voltando para a porta de entrada quando sentiu Rouche se mover atrás dela; ele disparou um único tiro ensurdecedor e a puxou em sua direção em um movimento fluido. Parte da porta explodiu logo acima de sua cabeça quando ela caiu para trás, Rouche involuntariamente a estrangulando enquanto a arrastava para a cozinha, dando mais dois tiros enquanto eles se protegiam atrás dos armários.

Tudo ficou silencioso por um momento, exceto pelo som da respiração de Holly, que estava em pânico.

Rouche olhou para ela pela primeira vez e sorriu, como se estivessem desfrutando de um passeio tranquilo pelo parque, em vez de estarem se escondendo para salvarem suas vidas na cozinha de Baxter. Ele apertou a mão dela, mas se encolheu quando uma sequência de três tiros fez cacos de vidro e granito quebrado caírem na cabeça deles.

Holly gritou e se virou para Rouche com olhos petrificados. Com cacos de vidro brilhando em seu cabelo, ele pegou as mãos de Holly e as colocou sobre as orelhas dela. Piscou para ela e então se levantou, disparando mais três tiros antes de cair no chão. O intruso saiu correndo para a porta da frente, atirando ao passar, implodindo o reflexo de Holly na janela.

Lutando para se levantar e ir atrás dele, Rouche deu apenas quatro passos antes de desabar no chão novamente.

– Rouche! – gritou Holly, rastejando sobre os cacos de vidro para alcançá-lo enquanto ele ofegava, os olhos se enchendo de lágrimas enquanto segurava o peito em agonia. – Rouche! O que foi? Fala comigo! – Ela examinou freneticamente o corpo dele em busca de ferimentos de bala, mas não encontrou nada. – Você levou um tiro?!

Ele balançou a cabeça.

– Eu só… não consigo respirar.

Ela já estava pegando o celular quando ele gritou de dor.

– Você vai ficar bem – garantiu ela, levando o telefone ao ouvido. – Preciso de uma ambulância, por favor.

Rouche agarrou a mão dela, a cabeça pendendo fracamente.

– Eu tô chamando ajuda! – prometeu Holly.

Ele puxou o telefone dela, as lágrimas rolando pelo seu rosto.

– Lá pra fora – sussurrou ele.

Ela não entendeu.

– Me leva... lá pra fora.

– Você não pode se mover! – disse ela, alarmada.

Ele começou a se arrastar pelo chão.

– Rouche! – gritou ela. – Tá bem! Tá bem! – Ela segurou o telefone contra o ouvido. – Wimbledon High Street, em frente ao pub. Vocês vão ver a gente. Por favor, rápido. Tem um homem... Acho que ele tá morrendo.

Baxter tinha visto a luz azul irradiando sobre os edifícios a quase um quilômetro de distância.

Ela acelerou, ultrapassando os carros em meio ao tráfego conforme entrava na High Street. Parando ilegalmente a algumas centenas de metros de seu prédio, ela desligou o motor e olhou consternada para a cena à frente: carros de polícia haviam bloqueado completamente a rua. Ela contou quatro viaturas, uma unidade armada e vários outros auxílios não identificados.

O telefonema frenético de Holly a havia preparado até certo ponto, mas a situação tinha claramente piorado desde então. Ao descobrir os ferimentos incriminadores de Rouche, a equipe da ambulância solicitou reforço da polícia, que, ao cruzar a informação com comunicados de tiros na vizinhança, havia enviado praticamente todo mundo.

Baxter pegou seu telefone e mandou uma mensagem para Holly. Menos de trinta segundos depois, ela a viu saindo do meio da multidão e depois correndo pela rua em direção ao carro. Certificou-se de que ninguém estava olhando para ela, abriu a porta e se sentou no banco do carona, abraçando Baxter.

– Levaram ele, mas não me disseram pra onde! – disse ela, soluçando. – Nem sei se ele ainda está vivo!

Saindo delicadamente do abraço, Baxter olhou para a velha amiga de escola: seu cabelo e suas roupas estavam cobertos de pequenas manchas, e as mãos exibiam sangue seco.

– Você está ferida – disse ela.

Holly balançou a cabeça.

– Não muito. Só cortei minha perna em um vidro.

– O que eles sabem? – perguntou Baxter, determinada a reprimir a própria angústia tentando ser pragmática.

– Nada. – Holly fungou. – Ele me obrigou a levá-lo pra rua – explicou ela, envergonhada. – Ele estava pensando em você mesmo quando... quando...

Ela começou a chorar de novo, o que quase tirou Baxter do sério.

– Então eles não sabem da invasão?

– Não.

– Não sabem que eu moro lá?

– Claro que não.

– E os tiros?

– Metade da rua ouviu e todo mundo acha que os tiros vieram de seus próprios prédios.

– E quem eles acham que você é?

– Só uma maluca emotiva que estava passando e chamou a ambulância.

Baxter assentiu e tranquilizou a amiga, lhe dando um tapinha no braço. Até aquele momento, ela acertara todas as respostas. Parecia uma ocasião inoportuna para alertá-la de que teria de mentir várias vezes antes que a polícia a deixasse em paz.

– Ele salvou a minha vida – sussurrou Holly, voltando-se para ela.

– A minha também.

– Não acredito que ele se foi.

Os olhos de Baxter tinham um brilho azul enquanto ela observava as luzes pulsando no para-brisa.

– Não... nem eu.

Capítulo 33

Terça-feira, 3 de maio de 1994
10h04

– ... **L**infoma de Hodgkin – disse o médico com delicadeza. – É um tipo de câncer.

Maggie apenas assentiu, o distanciamento imperturbável de uma enfermeira de carreira enraizado fundo demais em sua psique para permitir qualquer outra reação. Finlay, por outro lado, ficou parado, boquiaberto.

Estava um dia cruelmente lindo do lado de fora; a brisa soprando nas persianas era o único som no tranquilo consultório.

Maggie vinha perdendo peso constantemente desde o ano-novo e, aos 33 anos, não deveria estar se sentindo sempre tão exausta, o que a levara a consultar um médico amigo seu. A situação rapidamente evoluiu para uma sucessão de exames e um alarde muito maior do que ela gostaria.

– Agora, Maggie, eu sei que isso vai ser um choque pra você... pra vocês *dois*, mas quero que saiba que...

– Qual é o... o... – interrompeu Finlay, travando ao não conseguir se lembrar da palavra correta. – Qual é o promi...

– Prognóstico? – sugeriu Maggie, sorrindo para ele.

– Sim, isso. Qual é o *prominóstico*?

O médico assentiu, nitidamente já prevendo a pergunta.

– Nesse estágio inicial, não tenho como dar uma resposta. Precisamos fazer mais exames...

– Mais exames – resmungou Finlay.

– ... pra descobrir *se* ou *até onde* ele se espalhou. – O homem olhou para Maggie. – Mas ela é durona e tem uma saúde de ferro, então vou me arriscar aqui e dizer que o prognóstico é ótimo.

Maggie abriu um sorriso de incentivo para o marido, que pareceu um pouco consolado pela opinião totalmente infundada e, em última análise, sem sentido. Ela estendeu a mão e apertou a dele.

– Fiquem tranquilos – prosseguiu o médico – que a Maggie vai ter o melhor que o nosso sistema de saúde pode oferecer.

Finlay franziu o cenho diante do comentário que pretendia acalmá-lo. E, enquanto Maggie e o médico continuavam a conversa, seus pensamentos retornaram pela primeira vez em anos a um porta-malas cheio de dinheiro roubado, cuja metade era dele.

Christian havia permanecido em Glasgow por quase um ano e meio após a partida de Finlay, até que finalmente decidiu voltar para casa, em Essex. Com a ajudinha de seu velho amigo, ele conseguiu um emprego na Polícia Metropolitana, inclusive trabalhando no mesmo departamento por um tempo antes de assumir um cargo de gerência de nível intermediário em outro. Eles haviam passado por várias fases na tentativa de manter contato, mas não se falavam há mais de dois anos quando Finlay ligou para ele do nada.

Apenas três dias após o diagnóstico de Maggie, os dois homens estavam sentados em uma cafeteria juntos, o sol persistente levando-os a mudar para uma mesa ao lado do rio.

– A vida venceu – anunciou Finlay, assim que a conversa fiada se esgotou.

– Como é?

– Quinze anos atrás – lembrou Finlay –, você me disse que um dia a vida esgotaria a minha integridade. Bem... você tinha razão. A vida venceu.

A testa de Christian franziu.

– Preciso da minha metade – declarou Finlay.

– Claro. É sua – respondeu ele, antes de fazer uma careta. – Mas não é tão fácil quanto simplesmente te entregar uma maleta.

A expressão de Finlay mudou.

– Não se preocupe! – acrescentou Christian rapidamente. – Tá tudo comigo... Tem muito mais, na verdade. Mas esse é o problema. Não enterrei o dinheiro numa caixa de sapatos no quintal. Investi, diversifiquei, comprei ações e títulos... propriedades. Fiz um planejamento para o longo prazo.

– Eu preciso da *porra* do meu dinheiro! – esbravejou Finlay, dando um soco na mesa, o que derramou as bebidas.

– E você vai ter – disse Christian com calma, dando à garçonete assustada um sorriso tranquilizador. – Mas a gente precisa ser inteligente. Se eu simplesmente resgatar metade da minha carteira de investimentos e der na sua mão, vai parecer um *pouco* suspeito. Concorda?

Finlay grunhiu.

– Por que acha que ainda tô trabalhando feito um cachorro? – perguntou Christian ao amigo, que parecia desolado enquanto olhava para a água. – O que está acontecendo? Se você estiver *tão* desesperado assim, pode ser que eu tenha algumas ações de curto prazo que não vão dar muito prejuízo.

– Faz isso então.

Christian assentiu.

– Hoje à tarde... mas só se você me contar o que está acontecendo.

Finlay fechou os olhos para se preparar.

– É a Maggie... Ela não tá bem.

Capítulo 34

Terça-feira, 19 de janeiro de 2016
9h03

— Que merda foi aquela ontem à noite?

– A merda foi que você mentiu pra mim. Foi isso que aconteceu!

– Eu disse pra você ser discreto, pra dar só um susto nela. Aí eu acordo e tá lá o seu trabalho malfeito no jornal.

– Você disse que tinha uma mulher desarmada morando lá. Não um agente da CIA armado até os dentes!

– Ele estava *dentro* do apartamento dela?

– Pois é. E no final o lugar ficou bem detonado.

– Que confusão!

– Eu quero o dobro.

– O dobro?! Não vou te pagar nem metade. O trabalho não foi feito.

– Eu levei um tiro! Quase morri por sua causa.

– Tiro? Foi grave?

– Não foi leve!

– Você precisa de alguma coisa?

– Não. Já passei por coisa pior.

– Tá bem: o dobro... depois que o trabalho estiver concluído.

– Combinado. Então, se ela não tá morando lá, tá onde?

– Na New Scotland Yard. Na verdade, estou olhando pra ela nesse minuto.

– Já chego aí.

– Só segue ela por enquanto. Vê aonde ela vai. Mas, se tiver uma oportunidade...

– Entendido.

– Audi preto. Faz parecer que ela sofreu um acidente. Placa: Romeo, Victor, zero, nove, Hotel, Charlie, Golf.

– Entendido.

– Me atualiza mais tarde.

* * *

Holly não tinha dormido nada.

Ela havia passado a noite inteira pesquisando na internet notícias relacionadas à prisão de Rouche, numa vã esperança de que alguma delas pudesse revelar detalhes novos. Ligou para o trabalho avisando que estava doente e, seguindo as instruções de Baxter, voltou para o apartamento e fez o policial que cuidava do cordão de isolamento acreditar que ela morava lá. Ao entrar, ela se abraçou contra o frio, só então se lembrando da janela quebrada na sala e decidindo fechá-la com plástico antes de sair. Incapaz de fazer grande coisa a respeito dos buracos na parede do corredor, ela foi para a cozinha, onde a arma de Rouche ainda estava caída no chão. Ela abriu a mochila e a colocou lá dentro, empilhando todos os medicamentos e curativos por cima.

Ao entrar no quarto, Holly se deteve para olhar cada uma das fotos emolduradas, recolhendo-as junto com a carteira, o telefone, as chaves e todos os outros vestígios de Rouche que conseguiu encontrar.

Às 9h26, Baxter recebeu uma ligação urgente de Steve, o técnico do setor de tecnologia que os estava ajudando com a investigação do telefone descartável de Christian. Ignorando a reunião que tinha com Vanita, ela foi até o Departamento de Homicídios e Crimes Hediondos, onde encontrou Steve, como sempre entusiasmado com a mais mundana das tarefas. Vestindo uma camisa manchada de café e um pouco apertada, ele a conduziu até uma sala reservada.

– Tenho recebido atualizações da rede em intervalos de quinze minutos desde ontem à tarde – começou ele, sentando-se – tanto do telefone que você encontrou mas não quer me dizer de quem é, quanto do número do telefone que não vai me dizer de quem é e estava armazenado no telefone que você encontrou mas não quer me dizer de quem é – explicou ele, parecendo um pouco rancoroso. – Faz sentido?

– Não.

– Enfim, os dois estavam completamente mortos, ou seja, os chips e as baterias tinham sido separados dos celulares. Isso até as nove da manhã de hoje, quando consegui um sinal da torre mais próxima. E então, às 9h03, o telefone 1 fez uma ligação pro telefone 2. Duração: 75 segundos. Localização do 2: algum lugar entre a Bow Street e a Saint Martin's Lane.

Baxter olhou para o relógio. Meia hora havia se passado desde então.

– Tem mais – continuou Steve. – Essa não é a primeira vez que esse telefone é usado nesse local. No dia 11, ele foi usado pra uma ligação de dois minutos na mesma área.

– O que significa que você pode ter descoberto onde ele está hospedado! – disse Baxter, com entusiasmo. – Consegue mais alguma informação?

– Não sem um mandado. A gente pode reunir dados sobre mensagens e chamadas feitas e recebidas, mas não o conteúdo dessas comunicações.

– Malditos burocratas – resmungou Baxter.

– Tá tendo muita comoção pública em relação à privacidade – disse Steve, surpreso.

– Se eles não estivessem fazendo nada de errado, não teriam nada a esconder – comentou Baxter. – A localização é precisa?

– Graças ao número de torres no centro da cidade, sim, bastante. Dentro de um raio de algumas centenas de metros, eu diria.

– Tá bem. Vou dar uma verificada.

Ela se virou para sair.

– Ninguém nunca me conta nada – soltou Steve –, mas não pude deixar de notar que a localização do outro telefone, o que fez a chamada, era... bem, *aqui*.

Baxter assentiu, reflexiva.

– Confia em mim, quanto menos você souber...

– Imaginei – disse Steve e sorriu. – Boa sorte então!

Ele tinha acabado de parar sua motocicleta quando avistou um Audi preto, que combinava com a descrição de Christian, saindo do estacionamento da New Scotland Yard. Colocando o capacete ao subir novamente na moto, ele saiu atrás do carro e manteve distância enquanto atravessavam o engarrafamento ao longo do rio. Estava ciente de que estava fazendo o mesmo trajeto que acabara de realizar, só que no sentido contrário, e foi ficando preocupado ao passarem pelas enormes faixas de *O Rei Leão* que sufocavam a fachada do Teatro Lyceum.

O Audi parou na Henrietta Street, ignorando as linhas duplas amarelas, o que o forçou a passar direto a fim de evitar chamar atenção para si mesmo. Com opções limitadas e o medo de perdê-la de vista, dobrou a esquina e estacionou na calçada em frente à pousada onde estava hospedado. Correndo de volta para o cruzamento, ele observou Baxter e um homem que não conseguiu reconhecer descendo do carro. Eles estavam olhando para os prédios ao longo da rua, procurando por algo...

... procurando por ele.

Rapidamente ele puxou o celular desmontado do bolso da jaqueta de couro, juntou as peças e ligou o aparelho.

– Então, ouvi dizer que você e o Wolf vão ter um filhote.

– Vai se foder, Saunders! – retrucou Baxter antes de atender ao telefone. – Sim?

– Chefe, é o Steve... do TI.

– Tem meia hora que a gente se falou, eu me lembro de você – garantiu ela enquanto caminhavam pela movimentada rua sob mais um límpido céu azul.

– Ele acabou de ligar o telefone! Foi uma ligação de só dez segundos, mas consegui uma localização mais precisa.

– E?

– Ele ainda tá lá: esquina da Henrietta com a Bedford Street.

Baxter olhou para os dois lados da rua.

– Bom trabalho.

Ela desligou e se voltou para Saunders.

– Ele tá aqui. Avisa todo mundo.

Baxter e Saunders passaram os quarenta minutos seguintes visitando hotéis, pousadas e cafeterias nas proximidades. Indagavam sobre um homem caucasiano corpulento na casa dos 50 ou 60 anos e provavelmente viajando sozinho; eles anotaram os detalhes de qualquer um que correspondesse vagamente à descrição do cúmplice de Christian, que lhes fora fornecida por Holly.

Edmunds havia ligado para dizer que estava a cinco minutos de lá quando Baxter recebeu outra ligação de Steve.

– Baxter – atendeu ela abruptamente.

– Ele está usando o telefone de novo: Henrietta Street.

Ela assobiou alto para atrair a atenção de Saunders e depois dobrou a esquina correndo de volta à rua em que haviam estacionado. Havia dezenas de pessoas se movendo em ambas as direções: um sujeito barrigudo vestindo um terno barato, um hipster de barba comprida, um homem com roupas de couro para motoqueiro, trabalhadores da construção civil com capacete...

– Onde ele está agora?! – perguntou ela quando Saunders a alcançou.

– Continua na Henrietta Street, seguindo para nordeste em direção à Covent Garden.

– Você pode conectar o resto do pessoal à ligação? – perguntou Baxter enquanto ela e Saunders continuavam descendo a rua, eliminando as pessoas que entravam em edifícios ou mudavam de direção.

Dando um tapinha em Blackie enquanto eles passavam, ela verificou o para-brisa em busca de uma multa por estacionar em local proibido.

O telefone de Saunders tocou e ele entrou na teleconferência.

– Continuem andando – aconselhou Steve.

Aumentando o ritmo, a ampla praça de Covent Garden começou a se abrir diante deles.

– Parece que ele parou – disse Steve. – Alguém parou?

A famosa armadilha para turistas estava agitada como sempre, o mercado municipal era uma ilha no mar de paralelepípedos sobre os quais artistas de rua se apresentavam. Baxter examinou diversos rostos, sem saber quem estava procurando.

– Cheguei! – anunciou Edmunds ao telefone, parecendo sem fôlego. – Tô perto da Opera House. Pra onde eu vou?

– Ok. Ele está se movendo de novo! – gritou Steve, empolgado. – Tá indo em direção ao mercado e tá indo depressa!

Os três correram em direção à estrutura central do mercado, passando entre colunas de pedra, até se verem debaixo de um telhado de vidro abobadado. Posicionando-se cada um de um lado, eles se espalharam pela galeria enquanto um quarteto de cordas entretinha as pessoas que jantavam lá embaixo.

– Ele parou de novo – informou Steve. – Espera um pouco… Saunders, tô rastreando você.

– Me rastreando?

– Vai reto em frente.

Saunders obedeceu, prestando atenção em todos que conseguia ao passar pelas lojas caras.

– Continua… Continua… Para!

Mais uma vez, ele fez o que lhe foi pedido, olhando em volta confuso para as pessoas que passavam. Então esticou o pescoço por cima da grade para o caso de o alvo estar abaixo dele.

– Não tem ninguém aqui! – gritou ele em meio a um bando de turistas adolescentes.

– Você tá colado nele! Deve estar bem na sua frente!

Saunders caminhava para cima e para baixo no passadiço, procurando desesperadamente por alguém que correspondesse à descrição.

– Tô te dizendo, não tem ninguém a menos de três metros de mim.

– Liga pra ele – sugeriu Edmunds, observando do outro lado do saguão. – Steve, liga pro telefone!

– Chefe? – perguntou Steve, ansioso.

– Liga.

Passados alguns segundos bastante tensos, uma melodia abafada começou a tocar.

– Sai! Sai! Sai! – gritou Saunders para um grupo de estudantes enquanto seguia o som até uma lata de lixo. – Ele jogou o celular fora! – informou ele, vasculhando a lixeira em meio a embalagens de alimentos descartadas e copos de café para viagem, recuperando o aparelho antes de se juntar aos outros para saírem do mercado.

Baxter olhou desesperada para o mar de gente que entrava e saía da praça. Seus instintos lhe diziam para observar a saída pela qual haviam entrado, na esperança de que qualquer atração que a Henrietta Street oferecesse para seu suspeito pudesse atraí-lo de volta para lá uma última vez. Seus olhos recaíram sobre um homem vestido com roupas de couro para motoqueiro, reconhecendo-o como uma das pessoas que eles haviam seguido até a praça.

– Desculpa o atraso! – disse Wolf, finalmente se juntando a eles.

Baxter o avistou entre a multidão.

– Wolf, o cara de couro preto indo na sua direção!

Wolf parou, seu porte físico sendo suficiente para redirecionar o tráfego humano ao seu redor.

A menos de dez metros de distância, o alvo estava olhando direto para ele, então o reconheceu e imediatamente mudou de direção, mantendo a velocidade para não chamar atenção enquanto era engolido pelas pessoas.

Wolf foi atrás dele, abrindo caminho por entre um grupo de turistas, e encontrou apenas um amontoado de couro nos paralelepípedos.

– Merda! Ele tirou a jaqueta – disse aos outros. – Perdi ele de vista.

* * *

Edmunds já estava seguindo o homem quando ele emergiu das colunas da igreja.

Mantendo distância, ele passou por trás de um artista de rua que fazia malabarismo com fogo e que ocupava uma área considerável da calçada. Vendo a silhueta do suspeito se distorcer com o calor dos bastões em chamas, ele ergueu o telefone para atualizar a equipe, então hesitou.

Sentiu a raiva e a adrenalina aumentando, e imaginou aquela pessoa não identificada que se esgueirava pela plateia fazendo o mesmo dentro de sua casa, carregando o recipiente com o líquido corrosivo tão perto de sua esposa e sua filha adormecidas, imagens de um pesadelo que o atormentavam toda vez que parava para se perguntar o que poderia ter acontecido se elas tivessem acordado...

Correndo pelo espaço aberto, Edmunds distraiu o artista, que deixou cair no chão seus pinos em chamas. Derrubando várias pessoas sobre os paralelepípedos, ele travou o braço em volta do pescoço do suspeito e o puxou para o chão. Ficou sem ar quando o homem pesado caiu em cima dele e ainda levou vários golpes violentos no processo. Mesmo assim, Edmunds se manteve firme, apertando o braço ao redor do pescoço grosso.

Saunders foi o primeiro a alcançá-los.

– Isso aí! O Edmunds acabou com ele! – contou ele rindo ao telefone e parou na frente dos dois.

– Uma ajudinha, por favor! – implorou Edmunds, ofegante, agora começando a se cansar. – Ele é pesado pra cacete!

– Ah, sim – disse Saunders, procurando suas algemas. – Foi mal.

Capítulo 35

Terça-feira, 19 de janeiro de 2016
11h42

Os veículos do serviço de emergência haviam atraído uma multidão no momento em que Edmunds ajudava a colocar o prisioneiro na traseira da van da polícia. Vasculhando a carteira do homem, ele se juntou aos outros, que se aqueciam com um merecido café sob o sol fora de época.

– Joshua French – anunciou Edmunds, semicerrando os olhos para ver a carteira de motorista desbotada. – Bem que eu achava que conhecia ele de algum lugar.

Eles esperaram até que ele desse mais informações.

– Ele apareceu algumas vezes nos arquivos dos casos antigos – explicou. – Trabalhava em Glasgow com o Finlay e o Christian.

– O Finlay precisava de uns amigos melhores – ponderou Saunders, observando as portas se fecharem na cara emburrada do homem.

– Ele tinha a gente – retrucou Wolf. – Nós não o decepcionamos. Temos o cúmplice do Christian sob custódia. Isso tá *muito* perto de acabar.

– Vamos encerrar o expediente, então? – sugeriu Saunders, derramando o resto de sua bebida, que serpenteou entre os paralelepípedos.

Wolf deu um tapa afetuoso nas costas dele enquanto se encaminhavam para a van da polícia que os aguardava. Ele parou e então voltou para se dirigir a Baxter, que continuava no mesmo lugar.

– Você não vai querer estar lá pra ver isso? – perguntou ele.

– Mais que tudo nessa vida – respondeu ela. – Mas tenho um malabarista com queimaduras de segundo grau, um turista chinês com um iPad quebrado e dois contorcionistas norte-americanos que não estão parecendo nada flexíveis no momento. Sabe como é, coisas chatas de inspetora-chefe. Mas vão indo. Acabem com ele por mim.

Wolf assentiu.

– Posso te ligar mais tarde?

– Pode – disse ela, acenando para eles.

Não teria sido necessário conduzir o prisioneiro pelo saguão da New Scotland Yard, mas Wolf tinha três bons motivos para fazê-lo: primeiro, ele precisava se registrar na recepção de qualquer maneira; segundo, não havia nenhuma hipótese de French ficar longe da vista dele; e terceiro, ele estava no clima de provocação.

Todo mundo no edifício sabia que Wolf estava trabalhando no caso de "suicídio" de Finlay Shaw; portanto, ele não tinha dúvidas de que a notícia de que ele estava desfilando com um prisioneiro pelo saguão lotado alcançaria os andares superiores antes mesmo que eles chegassem até lá. E era isso que ele queria. Queria que Christian soubesse que estava acabado; deleitava-se com a ideia de ele estar sentado sozinho em sua sala, com medo de sair. Wolf queria que ele passasse pelo constrangimento de cruzar com todos os colegas sob seus olhares de julgamento. E, enquanto esperavam pelo elevador, ele até se permitiu imaginar Christian subindo no parapeito da janela, sem ver outra saída, e se jogando de lá – um fim bastante merecido e poético.

Vanita esperava por eles quando as portas do elevador se abriram. Ela havia reservado a Sala de Interrogatório 1 para o resto do dia e remarcado o restante de seus compromissos. Também havia discretamente dado uma palavrinha com seus contatos da imprensa, prevendo a possibilidade de convocar uma coletiva antes do fim do dia.

– Não vou dizer uma palavra sem a presença da minha advogada – informou French, parecendo bastante entediado com tudo aquilo enquanto o acompanhavam pelos corredores.

– Vou resolver isso agora mesmo – prometeu Wolf, empurrando-o pela porta da sala de interrogatório.

– Mas... eu não te passei o nome dela ain... – começou French quando a porta bateu na cara dele.

Alguém mais paciente havia telefonado para a advogada de French, atrasando os procedimentos, e Wolf começou a ficar inquieto. Parecia errado estar sentado ali sem fazer nada com o assassino prestes a ser indiciado, aguardando seu desfecho apenas alguns andares acima.

– Fiquem de olho nele – instruiu Wolf a Edmunds e Saunders ao se levantar.

– Aonde você vai? – perguntou Saunders.

– Dar uma volta – respondeu Wolf.

Christian estava olhando para o nada quando Wolf bateu na porta.

– Entra! – gritou ele, pegando uma pilha aleatória de papéis para parecer ocupado.

Ele não pareceu nem um pouco surpreso ao ver Wolf, que mostrou os bolsos vazios e levantou a camisa para garantir que a conversa seria privada. Fechando a porta, ele fez uma cena ao remover a bateria de seu telefone antes de se aproximar da mesa.

– Senta – disse Christian, cansado, o que Wolf aceitou educadamente.

O sol preguiçoso enchia a sala espaçosa; o ambiente relaxante parecia um cenário inesperado para o último ato.

– Você teve um dia agitado – disse Christian. – O Fin sempre me disse que você era esperto.

– Não tive nenhuma participação – admitiu Wolf. – Foi tudo a Baxter. – Uma expressão cruzou o rosto do comissário, mas ele não conseguiu decifrar. – Estamos todos esperando a advogada do French agora – continuou ele, reprimindo um bocejo. – Ele com toda a certeza vai fechar um acordo.

– Com certeza – concordou Christian.

– Pensando nisso, queria saber se você gostaria de descer comigo – disse Wolf tranquilamente.

– Não. Obrigado, mas vou ficar aqui mesmo.

– Tudo bem – respondeu Wolf. – Só achei melhor perguntar. Já, já estaremos prontos pra você, então... A janela é ali – apontou ele, apenas no caso de Christian ter esquecido.

O comissário riu antes de indagar:

– O que exatamente você acha que vai acontecer aqui?

Wolf deixou escapar um suspiro exasperado.

– Acabou, Christian.

– Ah, é?

– Pegamos o seu peão.

– Mas sacrificaram a rainha pra fazer isso.

As palavras demoraram um instante para serem absorvidas.

Wolf estava prestes a dar uma resposta irreverente, como de hábito, mas havia algo de errado na maneira como Christian sorria para ele...

Flores de inverno estrangulando umas às outras para ocupar seu lugar ao sol... Um animal encurralado em um canto sem saída...

Sobrevivência acima de tudo.

– O que você fez? – perguntou Wolf, o pânico atrapalhando seus movimentos enquanto remontava o telefone. – O que você fez?!

Christian recostou-se na cadeira e sorriu.

Com o celular lentamente voltando à vida, Wolf saiu às pressas da sala e disparou pelos corredores em direção à escada.

No momento em que Wolf estava fora de vista, Christian começou a hiperventilar. Deslizando para o chão atrás de sua mesa, ele despejou no chão o conteúdo da lata de lixo, achando que ia vomitar.

* * *

Baxter estava se sentindo bastante orgulhosa de si mesma enquanto caminhava de volta para onde havia "estacionado" Blackie. Ela havia mostrado ao turista chinês que carregava o iPad esmagado a direção da Apple Store logo na esquina, tinha apaziguado os dois norte-americanos com um almoço e no final só se aborreceu mesmo com o malabarista, que ameaçou entrar com um processo judicial.

– Para sua sorte, essa roupa protege oitenta por cento do meu corpo, e por isso não fui muito lesado.

– Pois eu tenho quase certeza de que você é cem por cento lesado.

Esse comentário provavelmente seria usado contra ela no futuro.

Jogando a bolsa no banco do carona, ela se sentou e olhou o celular para ver se havia alguma notícia sobre French. Diante da ausência de novidades, decidiu voltar para a New Scotland Yard. Ligou o motor, que rangeu e engasgou de modo preocupante, principalmente porque ela ainda não tinha ido a lugar nenhum, e colocou o telefone de volta na bolsa, perdendo a ligação de Wolf no momento em que saiu com o carro.

Entrando numa via de mão única que circundava a orla, ela não chegava nem a vinte quilômetros por hora no trânsito da hora do almoço. Então, quando finalmente alcançou o cruzamento com a Strand, bem ao estilo Baxter, ela acelerou agressivamente para pegar os semáforos abertos, ouvindo um estalo ameaçador quando pisou no freio.

Um segundo depois, ela atingia uma scooter na sua frente e estava passando com tudo por um cruzamento. Ela engoliu em seco e pisou no pedal do freio repetidamente enquanto os carros borravam ao seu redor, buzinas soando. Puxando o freio de mão, ela milagrosamente conseguiu atravessar ilesa, mas estava em rota de colisão com uma calçada movimentada onde havia uma saída da estação de metrô Temple. Sem tempo para pensar, ela enfiou a mão na buzina, ouvindo os gritos dos pedestres que se dispersavam enquanto o carro despencava nos largos degraus, raspando ao longo da parede, e Baxter tentava inutilmente controlá-lo. Agarrou o câmbio trepidante e engatou a segunda, o motor gritando em protesto, mas se recusando a desacelerar.

Quando o para-choque dianteiro atingiu o pavimento de baixo, o carro seguiu derrapando para as quatro pistas que ladeavam o rio. Ela foi atingida de lado, o carro desequilibrado sacudindo enquanto ela era atingida mais uma vez, depois outra, e girava entre os veículos feito uma bolinha de pinball, a água escura do rio se aproximando...

Parando com dificuldade, o Audi tombado oscilou na margem e seu capô amassado pairou acima da água gelada, balançando suavemente enquanto os primeiros bons samaritanos emergiam de seus carros para ajudar. Baxter sabia que estava ferida e olhava atordoada para o telefone zumbindo contra o teto do carro, abaixo dela:

Wolf (Novo)

☎ Chamada recebida

Ela estendeu a mão para pegá-lo... e então sentiu que estava caindo.

Capítulo 36

Quarta-feira, 25 de dezembro de 2009
Dia de Natal
12h25

Baxter enfiou um punhado de pipocas na boca, algumas rolando sobre seu cobertor xadrez e caindo nos vincos inexplorados do sofá de couro enrugado de Finlay e Maggie. Na TV acima das meias natalinas, ela assistia a Harry e Marv serem atingidos por latas de tinta na cara e depois ameaçarem arrancar os *cojones* de uma criança de 8 anos. O clima estava ficando meio pesado.

– Qual é esse mesmo? – perguntou Finlay em sua poltrona favorita.

– *Esqueceram de mim* – respondeu Baxter com a boca cheia.

– Um ou dois?

– Um. O dois é em Nova York.

– E onde é esse aí?

– Não sei. Acho que ninguém sabe. Não importa.

– Importa se for Nova York, porque aí significa que é o dois.

– Não é o dois, *caramba*!

Baxter ergueu as mãos cheias de pipoca, irritada.

– Parem de brigar, vocês dois – disse Maggie em um tom enérgico, mas incapaz de esconder o sorriso.

Ela parecia preocupantemente magra, tendo há pouco tempo reiniciado a quimioterapia, que mais uma vez havia roubado os cabelos escuros que ela tanto amava.

Uma mão suja de batata Pringles pousou na tigela de Baxter. Ela se virou para Wolf, aborrecida.

– Pega uma pra você! – retrucou ela, jogando algumas pipocas nele, devolvidas com o dobro de força.

– Crianças! Crianças! – Maggie repreendeu os dois detetives.

Uma última pipoca acertou o olho de Wolf e todos voltaram ao filme.

– Uma vez, cuidei do caso de um cara que levou uma lata de tinta na cara – contou Baxter, enquanto esticava a mão para pegar um chocolate.

– Coitado – disse Maggie.

– Que nada... Ele era um merda.

– Olha a boca! – disseram Finlay e Maggie em uníssono, Baxter olhando furiosa para o colega, aquele hipócrita desbocado.

– Ficou tudo bem com ele? – perguntou Maggie.

– Não muito... A cabeça dele implodiu!

– Emily! – disse Maggie franzindo a testa, enquanto Finlay ria no canto da sala.

– Mas essa nem foi a parte mais estranha – continuou ela, para o horror de Maggie. – A cabeça dele implodiu e o conteúdo da lata explodiu pra todos os lados. Tipo, não tinha uma única gota de sangue, só um rosa-chiclete escorrendo pelas paredes e pingando do teto como se ele fosse um alienígena ou alguma coisa assim.

Wolf se voltou para ela e disse:

– Porra nenhuma!

– Olha a boca!

– É verdade! – insistiu Baxter.

– Onde eu estava nesse dia? – perguntou Wolf.

– Suspenso.

Ele pensou por um segundo e então acenou com a cabeça, aceitando a resposta, que parecia bastante plausível.

– Mas – começou Baxter – isso não foi *nada* comparado ao cara que...

– Presentes! – interrompeu Maggie. – Que tal a gente trocar os presentes? Pode ser que alguém precise abrir eles logo antes de manchar meu chão de novo – disse ela, lançando um olhar significativo para o marido.

Animada, Baxter se sentou, pausou o filme e enfiou a mão em sua sacola de lanches para entregar o primeiro presente, embrulhado de um jeito deplorável. Ela o entregou a Wolf.

– Eita, isso é constrangedor – disse ele. – Nem pensei em comprar alguma coisa pra você.

Baxter pareceu chateada.

– Ignora ele – disse Maggie. – Tá lá em cima. Por que não vai buscar, Fin?

Resmungando, Finlay fez um drama ao se levantar da poltrona enquanto Wolf rasgava o papel de embrulho.

– Não acredito! – disse ele, segurando a camiseta desbotada da turnê *Keep the Faith*, do Bon Jovi. – Onde encontrou isto?

– No eBay.

Ele se virou para mostrar a Maggie.

– Eu fui nesse show, mas não tinha dinheiro pra comprar uma camiseta na época. – Ele se voltou para Baxter. – Não acredito que se lembrou disso! Então, você *de fato* me escuta?

– Só quando absolutamente inevitável.

– Obrigado.

Ele se inclinou para abraçá-la. Maggie observou Baxter enquanto ela fechava os olhos e o apertava de volta.

– Que pena que a Andrea não conseguiu vir – deixou escapar Finlay, reaparecendo na porta. – Pra onde você disse que ela foi mesmo?

Wolf soltou Baxter e voltou para seu lado do sofá.

– Pra casa do pai dela.

– E onde ele mora?

– No Hades – respondeu Wolf, com ironia, esticando seu presente sobre o braço do sofá. – Bedworth. Eu não quis ir.

– Não te julgo… Posso trazer, então? – perguntou Finlay, carregando a caixa de plástico por uma alça e colocando-a no chão.

Ele soltou as travas, permitindo que o gato peludo saísse direto para o tapete.

Os olhos de Baxter se iluminaram.

– Um gato! – gritou ela, feito uma criança empolgada, jogando os braços ao redor de Wolf enquanto Maggie ria de sua reação. – Não acredito que você fez isso!

– *Ele* fez isso? – perguntou Finlay, rancoroso. – O trouxa que tem alimentado ele nas últimas duas semanas *sou eu*!

– Shhhhh! – repreendeu Maggie.

– Eu não conseguia suportar a ideia de você estar naquele lugar sozinha. Agora não vai estar mais – explicou Wolf, constrangido. – Ele foi resgatado. Eu e o Finlay escolhemos juntos.

O sorriso de Baxter se tornou um pouco forçado.

– Resgatado? Como assim…? O que tem de errado com ele?

– Não tem nada de errado com ele!

– *Wolf?*

– Ele só precisa de um comprimido uma vez por dia…

– *Wolf?!*

– … na bunda.

– Que nojo! – reclamou Baxter, deslizando até o chão para conhecer seu novo animal de estimação.

– Espera um pouco – disse Finlay, orgulhoso. – A gente tem um truque… Olá! – disse ele, se dirigindo ao gato, que miou de volta para ele. – Olá! – O gato se virou e miou de novo, fazendo todos rirem. – Eu venho chamando ele de "Echo", mas tenho certeza de que você vai pensar em algum nome muito melhor.

Baxter se levantou e deu um grande abraço em Finlay.

– Obrigada – sussurrou ela, olhando para o gato. – Echo é perfeito.

Finlay carregou Maggie para a cama.

Ela tinha aguentado o máximo que pôde, mas adormecera na poltrona no meio da tarde.

Apesar da insistência de Finlay em dizer que eles podiam ficar, seus convidados deram suas desculpas e os deixaram em paz: Baxter precisava voltar para casa e descansar um pouco antes de seu turno naquela noite e Wolf tinha que ligar para Andrea e para seus pais.

Finlay achou bom, e havia inclusive pedido ao filho que adiasse sua visita até a noite seguinte.

– Eu, é… Comprei outro presente que não queria dar na frente dos outros

– disse Finlay, nervoso. Ele entregou a Maggie uma caixa de papelão. – Não sei se vai ficar bom, ou não, ou… Só abre.

– O que deu em você? – perguntou ela, desconfiada, levantando a tampa e olhando surpresa para o conteúdo.

Ela enfiou a mão dentro, tirou a peruca de fios castanhos encaracolados e caiu na gargalhada.

– Mas o que é que é isso?!

Finlay pareceu ofendido.

– Foi cara.

Maggie riu ainda mais, secando as lágrimas dos olhos antes de colocar o penteado afro sintético na cabeça, e nesse momento Finlay também desatou a rir.

– Eu tentei – disse ele, deitado na cama ao lado dela, ainda rindo, mas claramente decepcionado.

Maggie o abraçou o mais forte que pôde e então apoiou a cabeça em seu peito.

– Meu herói – murmurou ela, já começando a cochilar enquanto Finlay acariciava seu braço.

Ele visualizou a caixa de sapatos com o dinheiro que havia desembrulhado escondido naquela manhã, outra parcela simbólica de Christian, que não cobria nem sequer seis meses de despesas médicas.

– Não sou nenhum herói – sussurrou ele baixinho, ouvindo a respiração de Maggie mudar à medida que o sono se aprofundava. – Eu mataria até o último ser vivo na face da terra pra salvar você.

Capítulo 37

Terça-feira, 19 de janeiro de 2016
15h09

Thomas havia chutado a bolsa de uma idosa enquanto disparava pelos corredores em direção ao pronto-socorro. Era a coisa mais radical que ele já havia feito, até o momento em que voltou para recolher o conteúdo para ela enquanto se desculpava profundamente. A recepcionista rabugenta apontou na direção de uma salinha de espera, onde ele encontrou Wolf, Edmunds e Maggie.

Apesar dos protestos de Saunders, Wolf tinha insistido que ele permanecesse na New Scotland Yard para ficar de olho em Joshua French. Incapaz de encarar o namorado de Baxter nos olhos, ele voltou seu olhar para o chão.

– Você deve ser o Thomas – disse Maggie, levantando-se para abraçá-lo.

Ela claramente tinha chorado e se afastou para permitir que Edmunds lhe desse um abraço constrangido.

– Oi.

– Alex – respondeu Thomas, ansioso, seus olhos se voltando para Wolf no canto.

Inconscientemente, ele endireitou as costas para parecer um pouco mais alto.

– Como falei no telefone, ela sofreu um acidente de carro… bem feio.

– Você disse que eles… tiraram ela de dentro do rio?

– Foi feio – reiterou Edmunds. – Ela ainda não acordou…

– Ah, meu Deus!

– … mas *apenas* porque estão mantendo ela sedada até que façam a ressonância magnética. É um procedimento normal.

Thomas assentiu e, sentindo-se impotente e sem mais nada a dizer, sentou-se para esperar com eles.

– Como ela está? – perguntou Saunders, falando ao telefone do lado de fora da sala de interrogatório.

A advogada de French havia passado quase uma hora com seu cliente antes de desaparecer escada acima com Vanita.

– Na mesma – respondeu Wolf.

– Bem, talvez isto te anime um pouco – disse Saunders, indo para um canto tranquilo porém mantendo a porta bem à vista. – O French tá disposto a contar tudo… Como o comissário pagou a ele 2.500 libras pra localizar e destruir as caixas de evidências, outras 2.500 pra invadir o apartamento da Baxter, o que por si só já levou a outros problemas, e… – ele hesitou – como sabotou o carro dela.

Alguém enviou algo para a impressora, que começou a clicar e a zumbir alto, forçando Saunders a voltar para a sala de interrogatório.

– O que ele quer em troca? – perguntou Wolf.

– A Vanita tá discutindo isso com a advogada dele nesse minuto. Mas, ei!... você vai poder colocar as algemas no chefão assim que voltar. Já é alguma coisa, certo?

Wolf levou alguns segundos para responder.

– Só não perde ele de vista.

– Pode deixar.

Às 16h46, um médico animado apareceu na porta.

Thomas e Edmunds se levantaram cheios de expectativa.

– Olá. Eu sou o Dr. Young. Sou o responsável pela Emily. Tenho o prazer de informar que até agora só recebi boas notícias – disse ele, sorrindo. – A ressonância magnética não mostrou nada e aplicamos fluidos intravenosos para aumentar a temperatura dela. Vamos manter o colar cervical apenas por precaução, pois precisamos que ela esteja totalmente bem antes de removê-lo.

– Ela está acordada? – perguntou Thomas.

– Está. Posso autorizar que apenas *um* de vocês a veja por alguns minutos, se quiserem.

Wolf se levantou da cadeira.

Thomas olhou para ele como se fosse de fato explodir. Edmunds balançou sutilmente a cabeça.

Maggie pegou o braço de Wolf e delicadamente o puxou de volta para baixo.

– Certo. – Wolf fez que sim com a cabeça, se desculpando. – *Você* deveria ir – disse ele a Thomas.

Seguindo o médico, Thomas foi conduzido a um cômodo onde Baxter estava deitada em meio a máquinas e telas que zelavam por ela. Era estranho vê-la com a camisola do hospital. Ela parecia encolhida, a roupa larga enfatizando quão delicada e frágil ela realmente era.

– Vou dar um minutinho a vocês – disse o médico, fechando a porta.

Thomas se sentou ao lado da cama e apertou a mão dela.

– Ei.

Baxter gemeu e suavemente apertou de volta. Ele falou sobre trivialidades por alguns minutos, embalando-a de volta ao sono. Segurando a mão dela, Thomas olhou ao redor daquele local nada inspirador. Incapaz de evitar, ele estendeu a mão para pegar o prontuário do hospital na parte inferior da cama e começou a folhear.

O médico havia lhes dado mais tempo do que deveria, pois não gostava de separar as pessoas de seus entes queridos. Ele bateu na porta e então entrou, encontrando Baxter sozinha no quarto.

Thomas escancarou a porta.

Wolf, Edmunds e Maggie olharam alarmados.

– Ela está grávida! – gritou ele na direção de Wolf.

– Mmm... sim – respondeu ele, sem jeito.

– Você sabia? – perguntou Thomas, sem conseguir acreditar, antes de olhar para Edmunds e Maggie, que pareceram um pouco constrangidos. – *Todos* vocês sabiam?!

Finalmente perdendo o controle, Thomas empurrou Wolf contra a parede enquanto Edmunds corria para intervir.

– Confia em mim – alertou Edmunds –, você *definitivamente* não quer comprar essa briga.

– Olha, Thomas, eu... – começou Wolf, sem conseguir concluir o pensamento porque o delicado namorado de Baxter tinha dado um belo soco nele, acertando-o, de maneira nada convencional, na orelha.

Wolf pareceu confuso por um segundo, mas depois caiu no chão estatelado.

– Meu Deus! – disse Thomas com um arquejo, olhando apavorado para seu punho latejante. – Acho que apaguei ele. Será que devo chamar alguém?

– Vamos sair daqui – sugeriu Edmunds, levando-o para fora enquanto Maggie bebia tranquilamente seu chá.

– Não é melhor colocar ele de lado?

– A Maggie já tá fazendo isso nesse momento – assegurou Edmunds.

Assim que Thomas estava longe, onde não poderia ouvi-lo, Edmunds enfiou a cabeça pela porta para se dirigir a Wolf.

– Já pode se levantar.

Baxter não conseguia virar a cabeça, com a espuma do colar cervical restringindo seus movimentos, mas tinha recuperado força suficiente, pelo menos, para se endireitar. Ela pegou o copo d'água ao lado da cama, mas o derrubou, ainda sentindo os efeitos da anestesia. Reuniu forças e olhou para baixo a fim de avaliar os danos, tranquilizando-se ao encontrar todos os membros no lugar; no entanto, um momento de alívio rapidamente se transformou em pânico desenfreado.

Arrancando o colar, ela estendeu a mão para puxar a campainha, surpreendendo-se com sua reação. Segundos depois, uma enfermeira de rosto descansado entrou apressada no quarto e a encontrou com as duas mãos pousadas sobre o abdômen.

– O bebê tá bem? Quer dizer, sei que não tem um bebê ainda, mas... vai ter? – perguntou ela, apreensiva.

A mulher estava claramente perdida.

– Vou chamar o médico.

Saunders viu a advogada de French irromper em sua direção, razoavelmente confiante de que não tinha dito nada ofensivo demais e que estivesse ao alcance dos ouvidos dela. Parando perto dele, ela pegou o casaco e marchou de volta sem dizer uma palavra.

– Por que ela está tão irritada? – perguntou para Vanita, que vinha logo atrás em um passo mais lento.

– Acabou de ser substituída por um advogado mais experiente do escritório – explicou ela, observando a mulher sair.

– Acha que o comissário está tramando alguma coisa?

– Ela disse que, por causa da natureza das alegações e de quem elas envolvem, o chefe dela achou aconselhável intervir. Plausível, mas...

Vanita balançou a cabeça, parecendo preocupada.

Meia hora depois, o novo advogado de French era levado ao Departamento de Homicídios e Crimes Hediondos. O barbudo se portava com a autoconfiança de um figurão e parecia quase flutuar entre as mesas em uma nuvem de sua própria presunção.

– *Odeio* advogados – murmurou Saunders.

– Todo mundo odeia – disse Vanita, sorrindo para o visitante ao se apresentar.

Eles o acompanharam até a sala de interrogatório.

– Sr. French... ou posso chamá-lo de Joshua? Meu nome é Luke Preston – cumprimentou ele, sorrindo e dando um passo em direção ao cliente.

– Pode parar aí – alertou Saunders, bloqueando a passagem.

O advogado recuou a mão e começou a tirar várias coisas da maleta.

– Vou assumir no lugar da Laura, que fez um excelente trabalho ao me informar sobre os detalhes da conversa de vocês. Agora… Estou com oitenta mil coisas nas minhas mãos nesse momento e tenho certeza de que você tem *oitenta mil* perguntas – disse ele, chamando a atenção de French.

Saunders franziu a testa ao ouvir aquela frase pouco natural, assim como Vanita. O advogado, no entanto, continuou a esvaziar inocentemente a maleta.

– Então, me diga… Estou certo em pensar que você vai se declarar *culpado* de ser o *único arquiteto* desses crimes, pelos quais pode pegar até *dois anos* de prisão?

Novamente ele encontrou os olhos de seu cliente.

– Que porra é essa? Do que você está falando? – disparou Saunders, mas o advogado continuou como se ele não tivesse falado nada.

– Essa modesta sentença, é *claro*, leva em consideração os motivos por trás de sua avalanche de contravenções desesperadas contra o serviço da polícia, remetendo à sua demissão *flagrantemente* injusta há quase trinta anos.

– Ei! – vociferou Saunders, batendo com a mão na mesa entre os dois homens.

Mas já era tarde demais.

Todos se voltaram para French, atentos ao zumbido das engrenagens enquanto ele avaliava suas limitadas opções. Após uma breve pausa, ele assentiu com a cabeça.

– Isso mesmo… Vou me declarar culpado.

Wolf encerrou a ligação com Saunders e esfregou o rosto, exausto. Ficou parado no mesmo lugar por um minuto, de pé no corredor insípido, olhando para o chão. Christian havia comprado French bem na frente deles, e não havia nada que pudessem fazer para provar isso. A influência aparentemente ilimitada dele chegava longe, a ponto de inviabilizar tudo o que tinham contra ele sem que precisasse sequer se levantar de sua mesa.

Forçando um sorriso preocupado, ele voltou para o quarto de Baxter.

– Boas notícias? – perguntou ela, esperançosa, no momento em que ele passou pela porta, os grandes olhos de Baxter brilhando de animação.

Ele não teve coragem de dizer a ela, não depois de tudo que ela havia passado.

– Ainda não – mentiu ele, sabendo muito bem que estava tudo acabado.

Christian tinha vencido.

Nove dias depois...

Capítulo 38

Quinta-feira, 28 de janeiro de 2016
11h58

Rouche havia recebido alta do hospital, o que era bom e, portanto, significava que estava bem o bastante para comparecer ao Tribunal de Highbury Corner, o que era ruim. Ele havia tido permissão para receber breves visitas de Holly e Baxter, o que também era bom, mas certamente estaria sob custódia no final da tarde, o que não era.

Depois de ficar uma semana acamado durante a maior parte do tempo, recebendo transfusões e antibióticos intravenosos, além de ter passado por uma remoção do tecido necrosado, ele compareceu diante do juiz parecendo mais forte, mas ainda não estava cem por cento. Como havia perdido mais de cinco quilos desde a última vez que vestiu seu terno azul-marinho, estava sendo engolido por ele. Tinha penteado o cabelo grisalho para trás, do jeito que Baxter gostava, e até deixara crescer a barba apenas para a ocasião, o que era uma formalidade absolutamente inútil apenas com o objetivo de informar o que todos os presentes já sabiam.

– Por conta da gravidade das acusações apresentadas contra o réu e das especificidades em torno da extradição de um cidadão britânico que cometeu um crime em solo britânico enquanto operava sob a tutela do governo dos Estados Unidos, encaminhamos o assunto para o Tribunal da Coroa, em uma data a ser definida – anunciou o juiz roboticamente.

Baxter e Holly estavam sentadas nos fundos da sala de audiências vazia, de onde viam de longe as costas de Rouche. Entediado diante da leitura de sua própria sentença, ele se distraía com um fiapo flutuante.

– Mais uma vez, por conta da natureza das acusações, o réu deve ser mantido sob custódia, sem possibilidade de fiança.

– Excelência – começou o advogado de defesa de Rouche, dirigindo-se ao juiz –, gostaríamos de solicitar que meu cliente cumpra seu período de prisão preventiva no Presídio de Woodhill.

– E qual é o motivo? – indagou o homem, sem alterar o tom de voz.

– Evitar que meu cliente entre em contato com detentos cujas prisões tenham tido seu envolvimento direto, tanto por causa de seu próximo julgamento quanto, é claro, de sua segurança.

– É um pedido razoável – concluiu o carrancudo juiz, olhando para Rouche, que sorriu com cara de bobo quando, como esperava, o emaranhado de poeira flutuante desceu diretamente sobre a cabeça calva do homem. – Deferido. Sessão encerrada.

Rouche se virou para cumprimentar Holly. Então deu a Baxter um aceno de cabeça expressivo enquanto o policial o escoltava para fora.

Wolf havia levado Maggie à sua consulta no hospital particular, que mais parecia um palacete, perto da Harley Street. Sentando-se ao lado da lareira, ele tentou sem sucesso ler uma revista de automóveis, preocupado demais com a importância do que estava acontecendo na outra sala para se concentrar.

Com tudo o que estava ocorrendo, Maggie não quisera sobrecarregar nenhum deles com seu compromisso iminente: exames de imagem e uma biópsia para determinar se o câncer estava em remissão ou se ela seria forçada a voltar ao tratamento com quimioterapia para lutar pela vida mais uma vez. Ela vinha bancando a corajosa, mas estava claro que a perspectiva de enfrentar aquela batalha recorrente sem Finlay ao seu lado a apavorava. Por fim, acabou se abrindo com Wolf, fazendo-o prometer que o assunto ficaria entre eles, pelo menos enquanto aguardavam os resultados.

A mente dele vagou, preparando-o para o pior. Imaginou Maggie recebendo a má notícia, tendo vivido apenas tempo suficiente para perder o amor de sua vida nas mãos de seu amigo mais confiável antes de deixar o câncer levá-la, como sempre fora destinado a acontecer.

A vida era injusta à beça.

Em um acesso de raiva, Wolf atirou a revista no fogo, as chamas consumindo as páginas brilhantes avidamente enquanto ele se levantava para andar de um lado para outro pela sala.

Vanita entrou na sala de Christian com o arquivo que ele havia solicitado. Ele ria com alguém ao telefone e acenou para ela como se estivesse chamando um cachorro.

Desde que Joshua French havia abruptamente mudado de ideia, a vida tinha aos poucos voltado ao normal: as estratégias de relações públicas e as estatísticas de crimes com faca ganhando mais importância que o fato de Vanita saber que seu superior era um sociopata assassino que faria de tudo para se proteger. Fingir que nada daquilo havia acontecido parecia a melhor política. Ela colocou a pasta na frente dele – havia restado apenas algumas pequenas marcas da surra violenta que tinha levado – e se virou para sair.

– Malcolm, eu te ligo depois – falou Christian, desligando o telefone. – Geena!

Ela se virou para encará-lo.

– Obrigado por me trazer isso – disse ele, segurando a pasta.

– De nada.

– Em que pé estamos no caso do Finlay Shaw?

Vanita ficou tensa, sem saber se estava sendo provocada ou testada, ou se talvez o homem diante dela fosse completamente louco.

– Perdão?

– Nosso futuro prefeito está perguntando por que William Fawkes ainda está solto por aí, uma vez que a investigação claramente chegou a um beco sem saída.

– Ele não está solto. Está sob regime semiaberto, como sempre esteve – respondeu Vanita, lutando para manter a voz calma. – E, com todo o respeito, talvez essa seja uma preocupação *futura* para o nosso *futuro* prefeito.

– Foi por pensar assim que você não conseguiu este cargo – disse Christian.

Ela cravou as unhas nas palmas das mãos.

– Bom… me atualiza, então – prosseguiu Christian. – Qual é o estado atual do caso?

Vanita chegou quase ao ponto de confrontá-lo, mas hesitou, depois baixou os olhos para o chão, submissa.

– Inconclusivo – respondeu ela, odiando-se por isso. – A recusa de Joshua French em cooperar fez com que a investigação fosse paralisada.

– E tem alguém ainda trabalhando ativamente no caso?

– Só fazendo os arremates.

– Então manda trazer o Fawkes. Isto é uma ordem.

Ela abriu a boca para discutir, mas foi amordaçada pelo sentimento de autopreservação mais uma vez.

– Sim, senhor.

* * *

Baxter sentia falta de Blackie.

Ela tinha o Audi A1 havia quatro anos, chegando até a usá-lo para perseguir o líder de um grupo terrorista. Para completar, deixara seus tênis de corrida no banco de trás. Ela e Blackie haviam passado por muita coisa juntos, e ela sentia que ele merecia uma despedida muito mais digna que afundar no rio Tâmisa.

A falta do carro a havia obrigado a pegar o ônibus de volta a Wimbledon, o que, além de forçá-la a passar quarenta minutos na companhia de diversas pessoas esquisitas, deu-lhe tempo para refletir sobre seu fugaz reencontro com Rouche. Ela não conseguia colocar em palavras o alívio que tinha sido vê-lo. Por nove dias, o FBI havia obstruído todas as tentativas de conseguir notícias dele, a ponto de ela questionar seriamente se ainda estava vivo.

Ele havia escutado seu tsunami de notícias preocupantes com a imperturbável leveza de sempre e depois passou seus minutos finais fazendo Baxter recapitular os dois últimos episódios de *The Walking Dead*.

– Então não aconteceu nada no final das contas?

– Nada.

Após o acidente, Baxter voltou a morar no próprio apartamento. Thomas havia insistido que "não era necessário", o que parecia um sentimento um tanto diferente de não querer que ela fosse embora. Mas ela realmente não podia julgá-lo, levando em consideração tudo o que tinha acontecido. Mandou trocar o vidro da janela, remendou a parede para preencher os buracos de bala e estava quase acabando de pintar, o que apagaria todos os vestígios de Rouche. Seria apenas uma questão de tempo até que alguém se desse conta de que ele foi encontrado do lado de fora do prédio dela e viesse bisbilhotar.

Às 18h25, a campainha tocou. Baxter apoiou o rolo na bandeja e limpou as mãos nos jeans rasgados. Espiando pelo olho mágico, ficou surpresa ao ver Thomas parado ali, parecendo inseguro como sempre.

– Oi.

– Oi. Eu, é... Achei que você podia querer jantar – disse ele com um sorriso, segurando uma sacola cheia de comida indiana, o cheiro nauseante.

– Meu Deus! – disse ela, segurando o vômito e correndo para o banheiro.

* * *

Cinco minutos depois, ela voltou e encontrou Thomas examinando um dos buracos de bala mal preenchidos. Ela teve certeza de que o havia visto literalmente morder a língua enquanto se afastava sem fazer nenhum comentário. Depois de um abraço desajeitado, eles se sentaram no chão coberto de poeira para comer.

– Sabe – começou Thomas, engolindo a comida –, dizem que comida indiana pode induzir o trabalho de parto.

Deixando de lado seu naan e seu arroz, Baxter se perguntou qual havia sido o sentido de passar os vinte minutos anteriores desviando do assunto e falando de amenidades.

– Nossa! Me desculpa – disse ele. – Não sei por que isso de repente passou pela minha cabeça. Quer dizer, eu sei, claro... mas não sei por que decidi dizer isso em voz alta.

– Tudo bem – assegurou Baxter. – E acho que ainda falta muito para isso.

Thomas olhou para a barriga dela.

– Você tá olhando pra minha barriga.

– Desculpa – disse ele novamente, enquanto continuava a fazê-lo. – É só... um pouco estranho, não acha?

– Ah, definitivamente é um pouco estranho.

– Não quero estragar o jantar...

Baxter fez uma cara feia para ele.

– ... mais do que já estraguei – acrescentou ele –, mas você entende que esse não é um "curry do perdão", né? É um "curry da saudade". É completamente diferente.

– Entendido.

– Você ia saber se fosse um curry do perdão. Eu ia trazer *bhajis* e samosas e... Não tô falando nada com nada, né?

Baxter riu e beijou a bochecha dele.

– Por que isso? – perguntou Thomas.

– Porque eu também sinto saudade de você.

Rouche havia passado mais de uma hora com o médico do presídio; a enfermaria estava facilitando um pouco sua aclimatação à vida na prisão, mas, por fim, alguém veio buscá-lo.

Haviam explicado a ele que, em um mundo ideal, os presidiários detidos provisoriamente ficariam separados daqueles já cumprindo pena. Eles poderiam usar suas próprias roupas e seriam obrigados a seguir um conjunto de regras mais flexíveis que os demais.

Então explicaram a ele que aquele não era um mundo ideal.

Como a maioria dos escoltados pelo labirinto de portas que, uma a uma, roubavam sua liberdade, Rouche demonstrava coragem. Por fora, parecia calmo, até mesmo entediado, quando na verdade nunca tivera tanto medo, sem saber se era sua fobia de espaços confinados ou a pura covardia gritando para ele correr, implorar, barganhar seu caminho de volta para o lado de fora.

O agente penitenciário parou ao lado de uma das portas bege idênticas e a abriu.

Embora já soubesse o que esperar lá dentro, Rouche ficou ainda menos inclinado a entrar ao espiar pela fresta cada vez maior.

O homem olhou para ele.

Apreensivo, ele cruzou a soleira, voltando-se para observar a porta pesada se fechar atrás dele, trancando-o do lado de dentro.

Capítulo 39

Quinta-feira, 31 de dezembro de 2015
Véspera de ano-novo
18h19

Christian parecia aflito enquanto observava o amigo processar sua vergonhosa confissão.

– Como assim "não tem dinheiro"? – perguntou Finlay, seu tom enganosamente calmo apenas por conta de Maggie, que estava em algum lugar no andar de baixo.

Christian suspirou profundamente e balançou a cabeça.

– Eu... Eu não sei o que te dizer.

– Mas... Eu já gastei! Quase tudo que tem espalhado pela casa está prestes a ser tomado pelo banco – sussurrou Finlay em um raro momento de pânico.

– E eu juro que vou te ajudar do jeito que eu puder.

Finlay estava absorto demais para registrar aquela promessa de político que Christian lhe fazia.

– Você disse que teria o dinheiro na mão!

Pensando que Maggie poderia ouvir, Christian pediu que ele baixasse a voz.

– Você disse... – continuou Finlay – que, no dia em que eu me aposentasse, você teria o dinheiro na mão!

– Eu sei o que eu disse... E você precisa acreditar em mim, Fin. Eu quis te dizer isso *muitas* vezes, mas...

– E aquela mansão onde você tá morando?

– Não é minha! – disse Christian, rindo com amargura. – Nada disso – ele puxou o terno estiloso como se a roupa o prendesse – é de fato meu. Eu tenho *permissão* pra desfrutar de um determinado estilo de vida, desde que seja benéfico pro *Killian Caine*. A casa vai ser vendida no seu devido tempo, o dinheiro, lavado, e seu inquilino incontestavelmente íntegro será encaminhado pro próximo projeto. – Ele parecia totalmente perdido. – Ele tem controle sobre mim há muito, muito tempo. Ele *ficou sabendo* do que a gente fez.

– Como?

– Não sei como! A gente nunca deveria ter pegado o dinheiro naquela noite... Sinto *muito*.

– Então a gente vai na polícia – disse Finlay, decidido. – Tira o Caine da equação.

– Eu não vou fazer isso.

– Desculpa, vou reformular a frase: *eu vou* na polícia.

– E eu protegeria você o máximo que pudesse, mas mesmo assim não vai ter dinheiro nenhum. Eu seria preso, e o Caine mandaria alguém atrás de você.

Finlay chutou uma tábua de madeira que esperava para ser colocada no lugar.

– Tudo bem com vocês aí em cima, meninos? – perguntou Maggie na base da escada.

– Claro que sim! – gritou Finlay. Ele se voltou para Christian. – E o tratamento da Maggie? – perguntou ele, sua voz tensa.

– A gente vai dar um jeito.

– A gente vai dar um jeito? – repetiu Finlay, apático, já pensando em qual seria seu próximo passo. – Já volto.

Descendo as escadas, Finlay elogiou Maggie e seu vestido de festa; ela sabia que era melhor não tentar persuadi-lo a se juntar a ela e seus amigos. O ano-novo era "nada além de uma desculpa para que todos agissem como um bando de animais ao mesmo tempo" – esse era seu resumo da comemoração que vinha boicotando há uma década. Ele desapareceu na garagem e saiu poucos minutos depois segurando um saco plástico empoeirado. Mantendo-o fora da vista de Maggie, subiu de novo para o segundo andar.

Voltou para o quarto inacabado e hesitou antes de perguntar:

– Você sabe o que é isto?

Algo em seu tom fez Christian se levantar do chão para olhar mais de perto. Ele estendeu a mão para inspecionar a sacola.

– *Não. Não. Não* – disse Finlay, puxando-a para longe dele. – Só pode olhar.

Christian estreitou os olhos em direção à sacola amarelada e então seus olhos se arregalaram de surpresa.

– Parece a porra de uma arma enorme!

– Exatamente. Não só uma porra de uma arma enorme, veja bem. É a arma de um crime… ainda coberta com as suas digitais.

Christian estava confuso.

– Você matou um homem, Christian, e *esta* é a prova.

Seu amigo parecia estar se sentindo traído.

– Você guardou isso esse tempo todo.

– Você quer que eu faça o quê? Meu instinto me disse que um dia talvez pudesse ser útil – disse Finlay, sentindo-se mal. – Eu não sou ganancioso. Eu estou desesperado. Cem mil hoje à meia-noite…

– Não tem a menor chance…

– Mais cem na semana que vem e a arma é sua. Isso é só *parte* do que você me deve, mas é o suficiente.

– Fin, é véspera de ano-novo!

– Eu sei. E não tô nem aí pro que você vai ter que fazer: implorar, pedir emprestado, roubar… Só me dá o meu dinheiro. – Finlay olhou para seu relógio Casio. – São seis e meia… É melhor você se mexer.

* * *

Às 23h53, Christian estava parado do lado de fora da casa, o som de uma dezena de festas diferentes ecoando e insultando-o com aquela alegria toda. Ele podia ver Finlay lá dentro, trabalhando à luz de uma lâmpada exposta, a única janela iluminada, e se perguntou como daria a notícia a ele – que só tinha sido capaz de reunir um pouco mais de um décimo do que fora pedido em um prazo tão curto.

Com os primeiros fogos de artifício impacientes já colorindo o céu, Christian entrou na casa, fechando a porta da frente.

– Sou eu! – gritou ele.

– Aqui em cima!

Subindo, Christian entrou no quarto todo de madeira, que havia evoluído drasticamente desde a última vez em que o vira. Finlay estava usando uma cadeira da cozinha como apoio enquanto pintava o teto, a sacola suja tentadoramente desprotegida no parapeito da janela.

Finlay desceu ao flagrar Christian olhando para ela.

– Quer beber? – ofereceu ele, pegando a garrafa de uísque do chão.

– Claro.

Desabotoando o casaco, Christian tirou quatro maços de dinheiro e os atirou no chão entre eles.

Finlay entregou-lhe um copo.

– O que é isso? – perguntou ele, olhando para a pilha pouco inspiradora.

– Oito mil em dinheiro – respondeu Christian. – E isso aqui – ele entregou dois cartões de débito dentro de envelopes – é pra acessar duas contas das quais ninguém tem conhecimento. Você vai poder sacar quinhentos por dia sem levantar suspeitas. Treze mil, duzentos e cinquenta ao todo.

Ele mal conseguia respirar, sem saber como Finlay reagiria.

– É um começo. Tem como você conseguir mais?

– Tenho. Mas vai demorar um pouco.

Finlay assentiu, aparentemente satisfeito. Ele se ajoelhou para recolher o dinheiro, empilhando-o de maneira organizada dentro de uma imensa caixa de metal sob o chão em um canto do quarto antes de se levantar.

– Saúde, então – disse ele com um sorriso.

Aliviado, Christian ergueu o copo e deu um gole generoso.

– Se você soubesse o que eu passei pra conseguir isso… – disse ele rindo e dando um passo em direção à janela.

Finlay o deteve com uma mão firme no peito dele.

– Eu disse que é um começo.

Ao se virar para encarar seu amigo de mais longa data, os poucos segundos de calma já pareciam uma memória distante.

– Essa arma pode acabar com a minha vida – disse Christian.

– É exatamente por isso que ela vai ficar comigo.

– Eu vou conseguir o dinheiro pra você!

– *Porque* eu estou com a arma – enfatizou Finlay. – Sinto muito, mas tá me fazendo escolher entre você e a Maggie... E eu escolho ela. A arma fica.

Christian assentiu, esperando até a mão de Finlay relaxar antes de se lançar no parapeito da janela. Agarrando-o pela roupa, Finlay o puxou para trás. Christian tropeçou em uma lata de tinta enquanto Finlay pegava a sacola encardida. Mas Christian logo se jogou em cima dele, forçando o braço de Finlay atrás de suas costas enquanto lutavam pela arma incriminadora.

Ela caiu no chão fazendo um baque oco.

Ao ver uma oportunidade, Finlay deu um gancho de esquerda, mal conseguindo perceber o momento em que Christian se esquivou e puxou o escocês para o chão. Rolando para cima de Finlay, Christian alcançou a sacola, sentindo o metal sólido sob o plástico, e conseguiu envolvê-lo com os dedos. Atacando desesperadamente, Finlay segurou o cano, as mãos trêmulas com o esforço, e colocou a arma entre eles enquanto continuavam a brigar, rolando de novo e de novo em busca de alguma vantagem um sobre o outro.

A arma disparou.

Os dois homens instantaneamente ficaram inertes, a fumaça escapando do pequeno orifício na sacola enquanto caía no chão de madeira.

– Fin? – chamou Christian, seu amigo um peso morto em cima dele. – Fin?! – chamou ele novamente e começou a entrar em pânico enquanto rolava Finlay para longe dele, revelando o buraquinho vermelho em sua têmpora. – Ah, meu Deus! Fin! Fin! – Christian sentiu o pulso, tentando ouvir a respiração enquanto um filete constante de sangue escuro manchava a madeira abaixo deles. – Fin? – murmurou, a mão trêmula ao colocá-la sobre o corpo imóvel do melhor amigo.

Começando a hiperventilar, Christian deslizou para trás contra a parede, os olhos fixos em Finlay no meio do quarto enquanto tirava o celular do bolso. Ia ligar para a polícia, mas parou, de repente se dando conta do cenário ao seu redor: sinais claros de luta, a arma coberta por suas digitais.

Sem saber o que fazer, Christian pensou em sair e levar a arma com ele. Mas, tendo sido uma das duas últimas pessoas a ver Finlay vivo, e na ausência de um álibi sólido, ele ainda seria, sem dúvida, o principal alvo da investigação. E isso antes mesmo de alguém começar a investigar suas suspeitas atividades financeiras daquela noite. Forçando seu olhar para longe do cadáver quente de seu amigo, ele tentou se concentrar.

– Pensa. Pensa!

Seu carro estava estacionado no final da rua, e ele havia passado por pelo menos três pessoas em diversos estados de sobriedade do lado de fora. Alguém se lembraria dele. Mais importante do que tudo isso, no entanto, era o simples fato de que ele não poderia deixar Maggie voltar para casa e encontrar o marido daquele jeito.

– Vamos! – gritou para si mesmo, frustrado.

Ele precisava pensar como um policial.

O estouro de uma centena de fogos de artifício distantes dali sinalizou o início do novo ano, o céu negro do outro lado da janela salpicado de luz. E então ele percebeu que a única maneira de evitar que fossem feitas perguntas para as quais ele não tinha respostas era garantindo que não houvesse razão para isso acontecer em primeiro lugar… por exemplo, se a morte fosse inquestionavelmente considerada um suicídio.

Avaliando as ferramentas à sua disposição, Christian olhou da arma ensacada para o buraco sob as tábuas no chão, da garrafa meio vazia de uísque para a cadeira da cozinha solitária, da lata de selante para a porta sem fechadura.

Rastejando com relutância até o corpo, ele pegou o telefone de Finlay e deslizou de volta para a parede o mais rápido que pôde. E, como as explosões ateando fogo ao céu do lado de fora – a beleza nascida da violência –, ele lançou a primeira peça de seu plano desesperado, imperfeito, mas belo à sua maneira:

Bellamy, Christian

☎ Chamando…

Capítulo 40

Sexta-feira, 29 de janeiro de 2016
6h56

Rouche olhava para o teto encardido havia horas quando os primeiros estrondos e vozes anunciaram o início de um novo dia.

Ele tinha sobrevivido à sua primeira noite.

Seu companheiro de cela não se chamava T-Dog ou Estrela da Morte como ele tinha imaginado, mas Nigel: um homem calvo, de óculos e acima do peso. E, embora provavelmente não fosse a primeira escolha de Rouche para dividir um cômodo de sete metros quadrados e o banheiro exibicionista, ele parecia bastante inofensivo.

– Hora do banho – disse Nigel na cama de baixo do beliche, bocejando e levantando-se para tirar o uniforme pela cabeça, o qual, como um presidiário já condenado, era ligeiramente diferente do de Rouche.

A porta estava destrancada, permitindo que eles se juntassem à procissão colorida que se arrastava em direção ao pavilhão dos chuveiros. Rouche aproveitou o tempo para se familiarizar com os rostos daqueles que viveriam ao seu lado.

– Precisa de alguma coisa? – perguntou Nigel uma vez lá dentro, oferecendo-lhe um sabonete bastante usado de sua sacola enquanto estava completamente nu.

– Não... mas obrigado – disse Rouche com um sorriso, desviando os olhos enquanto Nigel e seu traseiro feioso se afastavam.

Esperando que todos saíssem do vestiário, Rouche, constrangido, tirou a roupa e pendurou a toalha no pescoço para cobrir o peito o máximo possível.

Não podendo adiar mais, ele seguiu o som de água corrente até o cômodo molhado. Escolheu o chuveiro mais distante dos outros, pendurou a toalha no gancho, apertou o botão e entrou debaixo da água quente.

Ele fechou os olhos.

O jato do chuveiro abafou o som dos outros internos. Rouche sorriu, brevemente capaz de se imaginar de volta em casa, a batida da música pop chiclete reverberando pela parede do quarto de Ellie enquanto Sophie se maquiava diante do espelho do banheiro. Ele podia ver sua silhueta distorcida através do vidro fosco e empurrava a porta, explodindo de ansiedade só para ver seu rosto...

– Que *porra* é essa?!

A casa se dissolveu no momento em que Rouche foi arrastado de volta à realidade. Todos os pares de olhos estavam voltados para ele, para seu peito, para as letras grosseiramente cortadas em sua pele:

MARIONETE

O jato acima dele parou, deixando Rouche parado em silêncio, olhando para sua plateia indesejada. Alguns pareciam ter medo dele, outros estavam irritados, e também havia uns enojados. Ele percebeu Nigel sair depressa antes que alguém tivesse a chance de se lembrar de tê-los visto conversando. Como uma matilha de cães esperando que ele corresse, eles observaram cada movimento de Rouche enquanto ele lentamente se enrolou na toalha e caminhou, confiante, em direção à saída, os pés descalços batendo contra os ladrilhos molhados.

Por fim, ele chegou à porta.

No momento em que estava fora de vista, agarrou suas roupas do banco e correu para fora dos vestiários.

Tia segurava a filha em um braço e o celular no outro, enquanto apertava um botão para pagar a conta do gás antes de verificar o saldo, ou a falta dele, da conta conjunta. Pela janela da cozinha, ela viu seu noivo sair do galpão no jardim, fechando rapidamente a porta sobre a nuvem de fumaça que o perseguia para fora. Ela assistiu impassível enquanto Edmunds escorregava na grama molhada, tentando desesperadamente tapar buracos na madeira com os dedos.

– O que seu pai fez agora? – perguntou ela a Leila com uma voz brincalhona. – Se ele queimou alguma coisa de novo, nós não vamos apagar o fogo, vamos? Não, não vamos!

Supondo que fosse melhor perguntar, ela saiu vagarosamente sob a garoa.

– Estou usando um fumigador – disse Edmunds antes de notar a fumaça saindo ao redor da porta. – Talvez seja melhor não chegar muito perto – sugeriu ele. – É um que o Thomas recomendou. – Tia pareceu indiferente. – Todas as empresas têm problemas iniciais nos primeiros meses – disse ele. – Vou dar um jeito nisso.

Tia passou Leila para o outro braço.

– Todas as empresas encontram um ninho de vespas acima da impressora, perdem uma grande parte da parede, acordam e descobrem suas instalações mais inclinadas que a Torre de Pisa no espaço de uma semana? – perguntou ela secamente enquanto Edmunds empurrava seu corpo contra outro buraco.

– Em minha defesa – começou ele, embora um pouco distraído –, só perdi aquela tábua da parede porque joguei um tijolo no ninho de vespas... e a agência só está inclinada porque eu não tinha percebido que o tijolo estava sustentando as fundações.

– A Emily já te pagou? – perguntou ela pela enésima vez.

Edmunds parecia envergonhado.

– Quê?

– A Emily já te pagou?

– Não. Ainda não. Mas vai pagar.

– Vou sair com a Leila.

Edmunds começou a sufocar conforme o ar foi ficando nebuloso.

– Pra onde?

– Pro médico.

– Por quê? – perguntou ele, tossindo.

– Pra ver os dentinhos doloridos... Deixa que eu cuido disso – disse ela, se afastando.

– Tá bem. Tchau! – gritou ele, antes de acrescentar alegremente: – Não me abandona!

Vinte minutos depois, Edmunds estava de volta ao galpão para empacotar os arquivos dos casos antigos de Finlay, concluindo que não havia mais nada a aprender com eles e nada mais que pudesse fazer para ajudar na investigação.

Ele fez uma pausa ao se deparar com uma foto assustadora de uma ficha criminal. De alguma maneira, a mulher parecia ainda mais macilenta e frágil pessoalmente, uma vida inteira de vícios e más decisões, tornando-a nada mais que um fantasma esquelético de um ser humano. Ele se lembrou do cheiro de cecê que irradiava do outro lado da mesa, da maneira como ela só conseguia mordiscar a comida de que seu corpo precisava tão desesperadamente. E se sentiu culpado por contribuir para seus abusos entregando-lhe as 50 libras conforme combinado, sabendo que dentro de uma hora estariam correndo por suas veias.

Ele empilhou as caixas em um canto a fim de abrir espaço para sua nova tarefa: localizar um cavalheiro vestindo um conjunto esportivo que devia a pensão alimentícia de duas das três mulheres com quem teve cinco de seus seis filhos. Aparentemente, ele também havia "roubado o Xbox das crianças", um sinal, como se fosse necessário mais algum, de que Edmunds estava lidando com um verdadeiro gênio do crime.

Sentindo-se insatisfeito com a falta de encerramento de seu caso anterior e nada entusiasmado com a trivialidade deste novo, ele começou a trabalhar a contragosto.

A BBC exibia um antigo filme de Columbo, que Wolf desfrutava com um saco de batatas chips light, no desconforto de sua cama na cela da delegacia.

– Eu com certeza dei uma de Columbo com ele! – disse ele, orgulhoso, observando Peter Falk fazer sua mágica.

Houve uma batida na porta. Sempre um cavalheiro, Wolf se deu ao trabalho de tirar algumas das migalhas maiores de sua camisa enquanto se sentava.

– Tô vestido – gritou ele.

George entrou, seguido de perto por Vanita.

– Você tem visita – revelou ele desnecessariamente. – Agora, não quero que você se preocupe ou fique naquele seu humor…

– Que humor?

– Só tô dizendo que…

– Estou aqui para prendê-lo oficialmente – declarou Vanita. – Ordens do comissário.

George pareceu irritado com a falta de tato da mulher.

– Tá um cheiro de chulé aqui dentro – comentou ela, fazendo uma careta.

– Deve ser o meu pé – disse Wolf, identificando o culpado. – Me prender?

– *Oficialmente* – reiterou Vanita. – Você pode arranjar algumas cadeiras pra gente? – pediu ela a George, não muito satisfeita com a aparência da cama desarrumada.

Os três preencheram a papelada juntos a fim de que ela tivesse algo para levar a seu superior. Enquanto George foi tirar uma fotocópia, Vanita e Wolf tiveram alguns minutos para conversar.

– Vou segurar isso aqui o máximo que puder – prometeu ela –, mas você deve ser transferido em uma semana, no máximo. Bem, o que eu tô querendo dizer é que, se vai fazer alguma coisa, é melhor fazer logo.

– Não está nas minhas mãos – disse Wolf e deu de ombros, percebendo que seus dedos ainda estavam cobertos de farelinhos crocantes e chupando-os para limpar, o que deixou Vanita enojada.

– De todo modo, você tem uma semana. E lembre-se de que prendi você – disse ela, levantando-se. – Estou me expondo aqui. Não vou mais conseguir te proteger depois que você sair desse prédio. Portanto, se for fazer isso, é melhor que valha a pena.

O horário de visita era das 15 às 16 horas.

Rouche havia ficado surpreso ao ser convocado até o grande salão aberto, onde o mundo real colidia precariamente com aqueles aprisionados em uma cápsula do tempo: crianças que nunca paravam de crescer nem de chocar seus pais lhes fazendo visitas obrigatórias de aniversário; pais enumerando os parentes e vizinhos que morreram no último ano como uma lista de chamada em um memorial de guerra; namoradas comparecendo cada vez menos à medida que a vida real as atraía para longe daqueles que existiam como uma memória que podiam acessar de vez em quando.

Rouche avistou Baxter assim que entrou. Acenando em sua direção, ele começou a andar até ela quando foi empurrado com tanta força nos ombros que caiu no chão.

– O meu irmão tava naquele trem, sua aberração de merda – cuspiu o homem de cabeça raspada, tatuagens intrincadas adornando cada centímetro visível de seu corpo até a mandíbula, como se estivesse se afogando nelas.

– Para com isso! – vociferou um agente penitenciário que vigiava o local.

O homem ergueu as mãos inocentemente, revelando a suástica tatuada na palma da mão esquerda. Ele sorriu e foi embora.

Ainda segurando o peito de dor, Rouche se levantou com dificuldade e foi se juntar a Baxter, que pareceu preocupada quando ele desabou na cadeira à sua frente.

– Já tá fazendo amigos, pelo visto.

– Sim, eles acham que eu sou… – Rouche fez uma pausa, não querendo preocupá-la. – Eles acham que sou esquisito.

– Você *é* esquisito – confirmou ela. – Tá bonito de barba – disse antes de chegar ao verdadeiro motivo de sua visita. – Vamos conseguir pra você o melhor advogado que o dinheiro pode pagar. Estou falando de um cara foda mesmo. Ele é perfeito – completou ela. – A minha história não vai mudar: não achei que você tivesse conseguido sair da estação. Persegui o Keaton até o parque, perdi ele na nevasca e, quando o encontrei, ele já estava morto.

– Baxter, agradeço o que você tá tentando…

– A *sua* história é a seguinte – continuou ela, atropelando-o –, você estava fazendo o seu trabalho. Foi atrás do nosso principal suspeito, acreditou que o dispositivo na mão era um detonador e não teve opção a não ser atirar nele quando ele se recusou a largá-lo.

Rouche olhou para ela com ar cansado.

– E eu desapareci por mais de três semanas porque…?

– Não existe um psiquiatra nesse mundo incapaz de fazer uma conexão entre a explosão da última bomba e o fato de você ter perdido a sua família num incidente semelhante.

– Não quero usá-las desse jeito – disse Rouche, fazendo Baxter se sentir mal de tanta culpa.

– Não me importo com o que você quer fazer ou não. *Eu* preciso de você por perto. Você não vai me deixar… Você perdeu a cabeça. Não estava pensando com clareza. Encontrou um lugar para se esconder e teve um apagão de memória.

– Se eles pegarem a gente mentindo – disse Rouche –, você também vai presa.

Baxter deu de ombros.

– Então é melhor a gente mentir de um jeito bem convincente.

Capítulo 41

Sexta-feira, 29 de janeiro de 2016
17h21

Steve não costumava receber muitos visitantes, ainda menos mulheres, e menos ainda mulheres importantes, então ficou bastante surpreso ao ouvir Baxter no departamento de TI perguntando por ele.

– Tô procurando o Steve.

– Quem?

– Steve... Steve, o técnico.

– *Ah!* Lá no canto.

Steve se levantou quando ela se aproximou da mesa, enfiando rapidamente a camisa amassada por dentro da cueca samba-canção.

– Podemos conversar em particular? – perguntou Baxter, consciente dos pares de óculos que os observavam com interesse.

– Claro. – Ele a conduziu até uma sala vazia e fechou a porta. – Então, o que tá rolando?

– Se alguém estivesse atrás de alguma evidência do caso Marionete... tipo um daqueles celulares modificados que, sei lá como, nunca foram usados como provas... Você teria, primeiro, um que esteja funcionando pra me emprestar e, segundo, discrição suficiente pra manter a boca fechada em relação a isso?

Steve parecia desconfortável como sempre, por isso era muito difícil dizer o que ele estava pensando até responder.

– Com certeza... E talvez.

Baxter franziu a testa.

– Espera. Não. Eu quis dizer, talvez tenha algum... e com certeza consigo – disse ele, se corrigindo. – Então, o que eu ganho com isso além da gigantesca possibilidade de ser demitido?

– Fico te devendo uma...

Ele pareceu um pouco decepcionado.

– ... *e* juro que usarei o termo "mensagem suicida" em *todas* as entrevistas e coletivas de imprensa a partir de agora, até que ele vá parar no *Dicionário Oxford.*

Os olhos de Steve brilharam diante da ideia de ser imortalizado por meio de sua descoberta e do nome que ele cunhou para as mensagens irrecuperáveis e que só podiam ser lidas uma única vez, usadas por aqueles por trás do planejamento dos assassinatos para se comunicar com seus seguidores.

– Fechado.

Após sua consulta com o médico do presídio, Rouche foi escoltado até o refeitório e a fileira de cubas contendo gororobas em vários tons de marrom. Incapaz de reavivar o apetite perdido, ele acrescentou uma concha de ervilhas para dar um pouco de cor e depois saiu com sua bandeja em direção às mesas. As pessoas o observavam de bancos lotados enquanto ele passava, as cabeças balançando quando ele se aproximava das poucas lacunas restantes. Rouche continuou até o fundo da sala, avistando uma mesa com apenas algumas figuras solitárias espalhadas ao longo dela, e reconheceu um dos homens dos vestiários naquela manhã.

Ele respirou fundo e se aproximou.

– Boa tarde. Vocês se importam de eu me sentar aqui?

O homem corpulento parecia ter tido uma vida difícil. Ele estava na casa dos 50 anos, tinha feições encovadas e cicatrizes antigas entremeadas às rugas de seu rosto.

– Depende. Você é uma daquelas Marionetes? – perguntou ele, com um melódico sotaque irlandês.

– Não. Não sou – respondeu Rouche, animado. – Na verdade, essa é uma história *muito* interessante – prometeu ele, apontando para o assento vazio.

Após alguns segundos de deliberação, o homem fez um gesto para que ele se sentasse.

– Damien Rouche – apresentou-se, estendendo a mão.

– Sem querer ofender – disse o homem, olhando ao redor –, mas acho que se eu apertar sua mão vou acabar esfaqueado por aí.

– Sem problemas.

Rouche sorriu, recolhendo a mão e levando uma colherada da comida à boca. Fez uma careta antes de empurrar a bandeja para longe.

– E a história? – instigou o homem.

– Sim, claro. Então, eu não sou uma Marionete. Eu sou policial... Bom, eu era. Da CIA, na verdade.

O homem olhou nervoso para seus vizinhos.

– Pior ainda – sussurrou ele.

– É? – perguntou Rouche, distraidamente dando uma segunda colherada.

– Se você é policial, o que tá fazendo com essas cicatrizes no peito? E por que ia estar trancado aqui com um monte de bandidos?

– Eu trabalhava no caso Marionete. Estava tentando impedi-los, e a única maneira de me infiltrar entre eles era desfigurar o meu corpo com isso – respondeu Rouche com sinceridade, levando a mão ao peito. – E estou aqui porque estava perseguindo o homem por trás de tudo...

– Supostamente. Sempre diga *supostamente*.

– Tá. Então, eu *supostamente* persegui o homem por trás de tudo, do Piccadilly Circus até o St. James's Park, onde *supostamente* o desarmei e, em seguida, *supostamente* executei aquele *suposto* desgraçado com um número *supostamente* excessivo de tiros no peito, o que me trouxe até aqui, sentado com vocês, comendo...

Ele olhou para sua gororoba, confuso.

– Bife Wellington – revelou o prisioneiro experiente.

– ... comendo bife Wellington – concluiu ele. – *Supostamente*.

O homem olhou para Rouche, sem saber exatamente como avaliá-lo.

– Ou talvez você seja só mais um policial corrupto.

– Talvez – disse Rouche, tomando um gole de seu suco de laranja aguado. – Deus sabe que tem muitos deles por aí. – Ele fez uma pausa quando seu conhecido neonazista passou pela mesa com alguns de seus camaradas a reboque. – Mas, sabe de uma coisa? Eles sempre têm o que merecem... no final.

– Você acredita nisso?

– Ah, acredito *totalmente*.

Ele balançou a cabeça.

– Otimismo! Faz tempo que não ouço alguém falar assim... Você não vai durar muito aqui.

– É por isso que preciso de um amigo – disse Rouche, estendendo a mão novamente. – Damien Rouche.

Seu companheiro de almoço hesitou.

– Vamos lá. Não me deixa na mão.

Com um suspiro pesado, e certo de que se arrependeria, o homem estendeu a mão sobre a mesa para apertar a de Rouche.

– Kelly... Kelly McLoughlin.

* * *

Baxter queria muito ainda poder beber vinho.

Às 19h29, ela se perguntou o que diabos estava pensando quando se levantou para atender a porta.

– Andrea.

– Emily.

A repórter-celebridade a seguiu até a sala de estar, onde Baxter desabou no sofá. Com uma postura perfeita, Andrea se sentou e começou a descarregar o conteúdo de sua bolsa na mesa de centro.

– Como você está?

– Péssima – respondeu Baxter, parecendo um pouco desbotada em comparação com a âncora, pronta para as câmeras.

– Eu trouxe o que você me pediu – disse Andrea, tirando as camisetas "Libertem o Lobo" de vários tamanhos, preparando-se para o impulso final da campanha.

– Obrigada. A Vanita deu uma semana pra ele.

– E, se a gente conseguir que ele não seja preso – começou Andrea, cautelosamente –, acha que vocês dois vão...?

Baxter gemeu e esfregou o rosto.

– Vamos o quê? Que diferença faz pra você a essa altura?

– Nenhuma. Mas acho que falo em nome de todos que já viram, e ainda vão ver, você e o Will juntos quando digo que esse joguinho que continuam fazendo já tá ficando um pouco chato.

– Eu estou com o Thomas! – rebateu Baxter, rolando para longe de sua convidada na esperança de encontrar uma posição menos dolorosa.

– Eu sei.

– Ele é um homem maravilhoso.

– E o Will não é – completou Andrea. – Mas *essa* é a questão, né?

Baxter não respondeu.

– Você sabe por que o nosso relacionamento acabou, não sabe? – perguntou Andrea. – Quer dizer, o *verdadeiro* motivo. A questão era que, por mais que ele me amasse, e ele me amava de verdade, e por mais que ele cuidasse bem de mim, era impossível deixar de lado o fato de que ele amava outra pessoa ainda mais... você.

Baxter cobriu a cabeça com uma almofada.

– Isso não é da minha conta, na verdade. Mas por que você estaria sofrendo desse jeito se tivesse tomado a decisão certa?

Baxter lentamente se endireitou para olhar para a ex-esposa de Wolf.

– Dá pra saber que a vida tá muito, muito louca quando *você* é a única pessoa que eu tenho pra falar sobre isso – disse ela, rindo de si mesma. – Foda-se. Vou te mostrar.

Ela se levantou para pegar algo no bolso da jaqueta, entregando o pedaço de cartão dobrado para Andrea enquanto se sentava.

– Encontrei isso escondido nas coisas do Finlay – explicou ela, dando à outra alguns minutos para ler. – No começo, eu carregava comigo pro caso de ser uma pista. Mas agora... Não sei mais por quê. É a letra dele, mas ele não escreveu isso pra Maggie. Ele a amava mais do que amava a própria vida, mas não escreveu *isso* para ela.

Andrea dobrou o papel e o devolveu a Baxter.

– Parece bastante... possessivo.

– Sim. E apaixonado. E furioso. E desesperado. Você consegue imaginar amar alguém *tanto* assim? Alguém amar você *tanto assim*? É isso que tá bagunçando a minha cabeça – admitiu Baxter.

– Mas o Finlay e a Maggie foram felizes – afirmou Andrea –, não importa pra quem esse bilhete tenha sido escrito.

– Sim, foram – concordou Baxter, encerrando o assunto de maneira inconclusiva. – Obrigada – disse ela sarcasticamente.

– Sempre que precisar – respondeu Andrea, remexendo suas coisas sobre a mesa de centro. – Você viu o Rouche hoje?

– Vi.

– Essa é uma história que você ainda não compartilhou comigo – lembrou Andrea.

Baxter pareceu dividida.

– Posso confiar em você?

– Claro.

– Por onde quer que eu comece?

Andrea refletiu por um instante.

– Dia 21 de dezembro. À noite. Londres está sufocando debaixo de trinta centímetros de neve enquanto Lucas Keaton cruza os portões do St. James's Park...

Baxter respirou fundo e começou a falar.

Atrás da pilha de camisetas baratas, uma luz vermelha piscava, a caixa do tamanho da palma da mão ouvindo e registrando cada palavra dela.

Capítulo 42

Sexta-feira, 21 de maio de 2010
Aniversário do Finlay
20h02

— Você tá linda – disse Wolf a Andrea, pegando sua mão enquanto se sentavam lado a lado no metrô.

– Obrigada. Você também.

Ela sorriu, inclinando-se para ajustar a gravata que o havia obrigado a usar antes de recostar a cabeça em seu ombro, ignorando os olhares dos outros passageiros.

Com a proximidade do veredito do julgamento do Cremador, que seria logo após o fim de semana, não tinha sido fácil convencer Wolf a sair de casa. Mas, com exceção de ter que cruzar o jardim de um vizinho para evitar ser seguido pelos paparazzi, aquela parecia uma noite normal de sexta-feira, uma pausa muito necessária nas intermináveis controvérsias e acusações que vinham perseguindo seu marido por semanas.

– Cansada? – perguntou Wolf, beijando o topo da cabeça de Andrea. Ela assentiu. – Vamos só dar um oi e cair fora. Às dez, no máximo, você vai estar na cama com um chazinho de hortelã vendo um episódio de *Grey's Anatomy*.

Ela o abraçou com força enquanto o vagão tentava embalá-la para dormir.

– Promete?

– Prometo.

Seguindo a trilha de balões, eles subiram as escadas até o salão de eventos privado do restaurante à beira do rio, uma extravagância incomum para o frugal amigo de Wolf.

Maggie estava dando as boas-vindas e os abraçou calorosamente.

– Peguem uma bebida e vão pro sol – instruiu ela. – Ele tá na varanda...

já bêbado feito um gambá – disse ela, com uma irritação afetuosa. – Quer que eu leve isso pra você? – perguntou ela a Andrea, que entregou o cartão e o presente.

– O que a gente comprou pra ele? – sussurrou Wolf enquanto eles se dirigiam para o bar.

– Aquele perfume que ele sempre usa.

Wolf pareceu confuso.

– De kebab e cigarro?

Andrea deu uma gargalhada.

– Que maldade!

Finlay e Wolf começaram um jogo envolvendo bebida, que se tornava mais escandaloso a cada segundo, enquanto Andrea e Maggie observavam preocupadas.

– Será que é melhor separar os dois? – perguntou Andrea.

– É uma ideia. Seria educado se o Fin interagisse com pelo menos *alguns* dos outros convidados. Ele nem cumprimentou o Benjamin e a Eva ainda – reclamou Maggie, enquanto as duas se aproximavam para acalmar seus maridos malcomportados.

– Ok, meninos – disse Andrea, tirando o copo da mão de Wolf. – Vamos considerar esse jogo empatado. Venha, Will. Quero dançar.

Andrea o estava conduzindo para a pista de dança quando Baxter entrou acompanhada de um homem que usava o cabelo caindo no rosto. Soltando a mão de sua esposa, Wolf cambaleou até eles.

– Baxter! – exclamou ele sorridente, dando-lhe um abraço desajeitado.

– Emily – disse Andrea.

– Andrea – respondeu Baxter.

Alheio ao clima não muito amigável, Wolf avançou.

– E este deve ser o Gavin! – disse ele, esmagando a mão pequena do homem enquanto a apertava. – Quer beber alguma coisa?

– Tenho certeza de que eles vão conseguir encontrar o caminho até o bar sem a sua ajuda – interveio Andrea, rindo e tentando afastá-lo. – Vamos. Vamos dançar.

– Sim, mas – continuou Wolf com a voz arrastada, afastando o braço dela – a Baxter tá com aquele caso importante agora.

– Nada de falar de trabalho durante a festa – sugeriu Andrea, apreciando os esforços de todos para contornar a questão da recém-descoberta fama de Wolf.

– Ah – começou Gavin, estalando os dedos de um jeito um pouco arrogante enquanto se lembrava do assunto. – Aquele dos homossexuais que foram encontrados no rio?

– Esse mesmo, Gav – afirmou Wolf. – Quarta à noite: Baxter e Chambers na lancha da polícia. Vai ser divertido. Tô com inveja.

Gavin se voltou para Baxter.

– Não esquece que eu preciso de você na quinta de manhã.

– O que vai ter na quinta-feira? – quis saber Wolf.

– Acho que quando alguém fala baixinho com outra pessoa significa que não é da nossa conta – comentou Andrea rispidamente.

– Tudo bem – disse Gavin, simpático. – Perdi minha mãe. O velório é quinta-feira.

– Ah – disse Wolf.

– Meus pêsames – lamentou Andrea, sorrindo tristemente enquanto enfim conseguia afastá-lo.

Mais de uma hora depois, Andrea havia conseguido convencer Wolf a levá-la para casa. Ele demorou uma eternidade para se despedir de pessoas que veria na manhã seguinte e depois saiu tropeçando até o banheiro para um "último xixi".

– Você é o Will, né? – perguntou o cavalheiro de cabelos prateados no mictório ao lado, que parecia ter uma pontaria bem melhor que a dele. – Eu sou o Christian, um velho amigo do Fin.

– *Enchanté* – respondeu Wolf, cambaleando fortemente.

– Ele me falou muito de você.

Wolf deu um sorriso bêbado.

– Bom, boa sorte na segunda-feira – disse Christian, educadamente desistindo da conversa.

Tropeçando de volta para o salão principal, Wolf logo prestou atenção na varanda, onde Baxter e Gavin estavam tendo uma discussão acalorada. Como o restante da festa, Andrea fingia não ter percebido e tentava desesperadamente direcionar o marido para as escadas.

– Não é da nossa conta, Will. – Ele nem sequer a ouviu, atento ao momento em que Baxter se afastou como uma flecha de seu namorado enfadonho.

– Will! – chamou Andrea, quando ele começou a se mover em direção às portas abertas. – Will! – gritou ela em vão.

Ele chegou ao lado de fora no exato instante em que Gavin segurou o braço de Baxter, o qual ele logo soltou assim que Wolf o empurrou para trás em cima de uma mesa, fazendo copos e velas rolarem no chão.

– Wolf, para com isso! – gritou Baxter enquanto ele se aproximava do homem uma segunda vez. – Wolf!

Gavin caiu no chão feito uma pedra, recuando enquanto colocava a mão no nariz sangrando.

O resto da noite era um borrão para Wolf. Ele se lembrava de Baxter ficar furiosa com ele, de seus colegas se aglomerando na varanda para escoltá-lo para fora do local e de Andrea aos prantos se recusando a proferir uma única palavra no trajeto para casa.

Mas, acima de tudo, ele se lembrava de sua ingenuidade em acreditar que a noite havia acabado quando ele desabou no sofá puído da sala de estar.

Capítulo 43

Sábado, 30 de janeiro de 2016
7h06

Mais uma vez, Rouche não tinha dormido. Era como se ele pudesse sentir as paredes se fechando ao seu redor cada vez que fechava os olhos. A escuridão combinada com as medidas limitadas da cama de cima do beliche fazia o teto baixo parecer a tampa de um caixão. Seu colega de cela não falava com ele desde que vira as cicatrizes na manhã anterior e se vestiu como se Rouche nem estivesse lá. Quando a porta da cela foi destrancada, eles se juntaram à mesma fila embaralhada do dia anterior, percorrendo a passarela de metal na direção do pavilhão onde ficavam os chuveiros.

Parecia não haver mais sentido em tentar esconder o peito naquele momento, então Rouche tirou a camiseta primeiro, desafiando os olhares e insultos.

– Ainda não consigo acreditar que você fez isso a si mesmo – disse Kelly, que começava a se despir ao lado dele.

– Bom, eu tive uma ajudinha – admitiu Rouche, o vestiário de ladrilhos lembrando um pouco o vil banheiro masculino em que Baxter deslizara uma faca de cozinha em seu peito. – Mas parece que você também tem as suas histórias – disse Rouche, observando o corpo decorado do homem.

Uma cicatriz grande e fina corria ao longo da parte interna do braço esquerdo dele, enquanto uma velha queimadura descoloria o outro. Havia vestígios de várias cirurgias malfeitas e um caroço perfeitamente circular logo acima do coração.

– Como você ainda tá vivo? – perguntou Rouche, fazendo-o rir.

– Na maior parte do tempo, eu tinha alguém lá em cima cuidando de mim.

– Você quer dizer... *Deus?*

– Não. Quero dizer um sniper.

– Ah.

– Sim, a maioria delas foi nas Forças Armadas – explicou Kelly. – Elas parecem piores do que realmente são.

– Isso foi um tiro?

– Ah, sim. *Esta* foi bem feia – admitiu ele, esfregando a cicatriz.

– Vai ter que me contar a história um dia – disse Rouche, enrolando-se na toalha.

– Não... Não vou – respondeu Kelly. – Vai na frente. Eu te alcanço.

Seguindo os outros pela porta, Rouche tinha dado apenas dois passos para a área dos chuveiros quando foi atingido por algo pesado. Escorregando no chão molhado, ele caiu mal e sentiu mãos por todo o corpo ao ser arrastado pelos ladrilhos ásperos. Quase inconsciente, foi apoiado contra uma parede baixa enquanto o ataque se intensificava, com o impacto dos chutes e socos, o zumbido em seus ouvidos quando sua cabeça acertou o chão duro, mas incapaz de registrar totalmente a dor.

Kelly entrou na área dos chuveiros. Sentiu o clima tenso e soube imediatamente o que estava acontecendo: um grupo de cinco homens reunidos em um único local, a água manchada de vermelho descendo pelo ralo. Ele hesitou, não querendo se envolver, mas então praguejou baixinho.

– Guarda! – gritou ele a plenos pulmões. – Guarda!

Os homens se dispersaram, um deles parando para cuspir no corpo inerte de Rouche deitado no chão.

Kelly foi até ele quando os primeiros agentes penitenciários entraram correndo. Enquanto um relatava o incidente, outro começou a evacuar a área, sem saber o que fazer enquanto esperavam por assistência médica.

Contrariando as orientações do médico, Rouche se recusou a ficar em observação e às 14h55 desceu cambaleando a escada da enfermaria até o curto corredor que levava à sala de visitação. Capaz de enxergar através de apenas um de seus olhos inchados, ele atravessou o corredor formado por presidiários na base da escada na esperança de que seus nomes fossem chamados.

– É o mínimo que você merece – zombou um deles.

– Você teve sorte! – gritou outro, atirando algo nele.

Ignorando-os, Rouche passou mancando.

A expressão de Baxter mudou ao vê-lo se aproximando. Ela queria desesperadamente ir até ele, ajudá-lo, mas sabia que seria impedida de fazê-lo.

– Meu Deus, Rouche – disse ela, arfando, enquanto ele desabava na cadeira. – O que aconteceu?

– Me meti numa briga... Não tô totalmente convencido de que ganhei – brincou ele.

– Vou te tirar daqui. A gente vai te transferir pra outro lugar.

– Não.

– Você pode ir pra solitária até lá – continuou ela. – Vou falar com o...

– Não! – interrompeu ele, dando um tapa na mesa.

Dois agentes foram na direção deles, mas Baxter acenou para que se afastassem.

– Eu dou conta – afirmou Rouche.

Ela queria estender a mão e segurar a dele mais que qualquer coisa no mundo.

– Eu *vou* te tirar daqui – prometeu ela. – Aguenta só mais um pouco.

Christian atendeu ao telefone.

– Sim?

– Andrea Hall está aqui para vê-lo, senhor – informou uma voz que ele não reconheceu, já que sua assistente estava aproveitando o fim de semana, como ele deveria estar fazendo.

– Pode pedir pra ela entrar, por favor. – Levantando-se da mesa para cumprimentar sua visitante famosa, Christian vestia camisa polo e calça de sarja, em vez do traje formal de sempre. – Ah! Srta. Hall. Pode entrar. Fica à vontade – disse ele, apertando a mão dela e dispensando a subordinada ao bater a porta na cara dela. – Então, me conta, o que é tão importante que não podia ficar pra segunda-feira? – perguntou ele.

– Retirar as acusações contra o Will – respondeu ela, simplesmente.

Rindo alto, Christian voltou a se sentar atrás da mesa.

– E você pode, por gentileza, me dizer por que eu faria uma coisa dessas?

– Você não tem nada contra ele – disse ela, com um aceno de desprezo. – Você matou um dos melhores amigos dele! Ele *tinha* que tentar acabar com você. Realmente esperava menos dele?

Ele congelou.

– Não tô com nenhuma escuta – garantiu Andrea. – E, se estivesse, estaria me comprometendo. Estou aqui pra fazer um acordo. O Will já era. Acabou.

Christian assentiu com cautela.

– Chute um cachorro várias vezes e ele aprenderá a ficar longe – disse ele, enigmático.

– Ah, e ele entendeu a mensagem. Perfeitamente – assegurou Andrea. – Olha, não consigo entender todas essas vinganças e essas picuinhas. Mas o que eu *consigo* entender, e respeitar, é um homem fazendo o que tem que fazer pra proteger seus interesses.

Christian meneou a cabeça diante do elogio, mas sem se esquecer de com quem estava falando.

– A minha proposta é a seguinte – continuou Andrea. – Você solta o Will com uma punição leve e eu não fecho este lugar com outro protesto. Além disso, em troca eu te entrego Emily Baxter *e* Damien Rouche de bandeja. Os dois são peixes muito maiores, tenho certeza de que você vai concordar. – Christian se inclinou para a frente, interessado, quando Andrea tirou um celular da bolsa. – A gravação de uma conversa particular que tive com Emily Baxter na qual ela detalha os acontecimentos que levaram à morte de Lucas Keaton, admitindo que ela estava presente… junto com Rouche, além de ter assistido à *execução* do prisioneiro desarmado e ferido, e de ter abrigado um *suspeito de homicídio* em seu apartamento em Wimbledon pra garantir que ele não fosse capturado.

– Isso definitivamente parece incriminador – disse Christian, agora confiante de que a conversa deles não seria compartilhada com ninguém. – Bom demais pra ser verdade, talvez?

– O que me importa é o Will. A Emily acabou com o meu casamento. O Damien Rouche não significa nada pra mim, exceto uma grande história.

– Ahhhh, tem mais? – perguntou Christian, sentindo aonde Andrea queria chegar com aquilo.

– Uma entrevista exclusiva com o Rouche.

– Feito.

– Antes do julgamento.

– Talvez seja difícil.

– Hoje à noite.

– Agora ficou impossível.

Andrea apertou um botão no celular; a voz crepitante de Baxter começou a falar:

"O Rouche estava na frente... Nevava muito. Eu não conseguia acompanhar. Ouvi o primeiro tiro... O Keaton estava gravemente ferido, mas ainda vivo quando cheguei até ele. Tentei estancar o sangramento, mas..."

Pressionando o botão mais uma vez para interromper a chocante confissão de Baxter, Andrea estendeu o telefone para ele, balançando-o como o pêndulo de um relógio.

– Uma entrevista no presídio com Damien Rouche *e* Will solto em 48 horas. É a minha última oferta.

Sorrindo, Christian observou a mulher resoluta sentada na frente dele. Ele estendeu o braço e pegou o telefone da mão dela.

– Tá bloqueado – disse ele.

– Você já tem a gravação. Vai receber a senha quando honrar o nosso acordo.

– Gosto de você.

– Pouco me importa. Temos um acordo? – perguntou Andrea.

– Sim, Srta. Hall... Temos um acordo.

* * *

Rouche deixou cair a bandeja, espalhando o ensopado nada apetitoso ou a sopa preocupantemente espessa, não era possível dizer, pelo chão da cantina. Sob o coro de risadas maldosas, ele se ajoelhou para pegar a tigela quebrada.

– Larga isso aí – vociferou um guarda do outro lado da sala.

Tomando cuidado extra desta vez, Rouche tinha acabado de pegar outra bandeja quando alguém chamou seu nome.

Curioso, Kelly observou o diretor do presídio em pessoa chamando Rouche para uma palavrinha. A conversa durou pouco mais de um minuto; então o mandachuva fugidio desapareceu tão rapidamente quanto entrou, deixando Rouche em paz para jantar.

– O que o diretor queria? – perguntou Kelly, estremecendo com o estado de seu rosto machucado. – Saber da briga?

– Em parte – respondeu Rouche, sentando-se. – Ele quer que eu faça uma coisa... Uma entrevista.

– Entrevista? – perguntou Kelly, confuso.

– Aham – assentiu Rouche, sem dar mais detalhes.

– Você tá bem? O que o médico disse?

– Que eu fui golpeado no rosto... um bocado – respondeu Rouche. – Eu queria te agradecer pelo que fez mais cedo. Ouvi você chamando o guarda.

Kelly fez um gesto com a mão, dispensando o agradecimento.

– Mesmo se eu não odiasse aqueles nazistas de merda, e acredite, eu odeio muito, *muito* mesmo, não tem nada que eu deteste mais do que uma briga injusta.

– Mesmo assim... obrigado – insistiu Rouche, enquanto se esforçava para comer um pouco.

– Sabe, você tem que dar um jeito nisso – disse Kelly, olhando furiosamente para o grupo de clones de cabeça raspada xingando uns aos outros a apenas alguns bancos de distância. – Não dá pra deixar essas coisas passarem batido.

– Não – concordou Rouche, colocando sobre a mesa entre eles um pedaço considerável de plástico quebrado coberto de sopa. – Não dá.

Kelly olhou hesitante para aquela reles imitação de arma.

– Bem, se você não pode vencer, sempre pode simplesmente tacar fogo em tudo – declarou ele e sorriu, passando adiante o conselho que, para o bem ou para o mal, sempre o inspirou.

Rouche assentiu e colocou seu guardanapo sobre a lâmina improvisada antes de se inclinar para a frente num tom conspiratório.

– Olha, não tenho muito tempo... Precisamos conversar sobre uma coisa.

Capítulo 44

Domingo, 31 de janeiro de 2016
8h37

– A entrevista tá confirmada! – gritou Andrea no meio do estúdio para quem quisesse ouvir. – Preciso do Rory, do pessoal de som e iluminação no Woodhill às seis da manhã de amanhã pra montar tudo, de uma transmissão ao vivo a partir das sete e de espaço na programação pra passar a cada hora ao longo do dia!

– Damien Rouche é notícia velha, já tem um mês – apontou seu editor-chefe com um café na mão quando saiu da sala logo ao lado.

– Confia em mim. – Andrea sorriu para ele. – Alguma vez eu te decepcionei?

– Ih, já vi esse olhar antes – disse seu chefe, rindo. – Quem você ferrou dessa vez?

– Ninguém que não merecesse.

– Guarda! – gritou Rouche. – Me ajuda! Por favor! – gritou ele desesperadamente enquanto o concreto manchava com o sangue derramado. Ele pressionava as mãos sobre a ferida na barriga de Kelly quando uma multidão começou a se reunir. – Guarda!

Um experiente agente penitenciário veio correndo pelo pátio de recreação lotado.

– Pra trás! – gritou ele para a multidão crescente, já pedindo ajuda pelo rádio. – Pra trás! *Você* fica aí – ordenou a Rouche, reconhecendo que ele estava tentando ajudar. – Preciso de um médico aqui e temos que esvaziar o pátio. Tem muito sangue. Parece um ferimento a faca. – Ele se voltou para Rouche: – O que aconteceu?

– Eu não vi nada – respondeu Rouche, sem escolha a não ser seguir a etiqueta da prisão diante de tantos ouvidos atentos. Sob suas mãos, Kelly se contorcia de dor. – Você vai ficar bem – garantiu Rouche, as manchas escuras já escorrendo pelas mangas.

A cavalaria chegou, arrebanhando os internos para permitir que o médico atendesse seu paciente.

– A gente precisa levar ele pra enfermaria agora! – disse ele aos guardas.

Limpando as mãos ensanguentadas na camiseta, Rouche recebeu ordens de se juntar aos demais prisioneiros na outra extremidade do pátio, assistindo impotente enquanto seu único aliado era colocado em uma maca e levado embora.

Baxter estava no banho. Esperando que a visita de Holly levantasse o ânimo de Rouche, ficara livre para passar o dia inteiro com Thomas, que apareceu em sua porta vestindo uma camiseta vagabunda de loja de souvenirs em que se lia:

I ♥ LONDON

Baxter, é claro, recusou-se terminantemente a usar a dela, mas concordou com seu plano de visitar todas as armadilhas para turistas que os moradores da cidade tentavam evitar a todo custo.

Vestindo seu conjunto berrante de gorro e luvas, ela ficou com ele na fila por mais de uma hora no frio para entrar na Torre de Londres; depois, tiraram uma selfie obrigatória do lado de fora do Palácio de Buckingham. Após o almoço no Hard Rock Cafe, eles passearam pelos jardins do Palácio de Kensington com cafés em copos descartáveis para se manterem aquecidos, um lembrete de que, apesar de todos os horrores, a morte e a maldade corroendo suas fundações, uma cidade histórica e fascinante resistia resolutamente à tempestade.

Tinha sido o melhor dia do qual Baxter conseguia se lembrar, antes mesmo de descobrir a caixinha preta que Thomas havia deixado em seu travesseiro. Experimentando seu anel de noivado, ela sentiu um enorme peso finalmente ser retirado de seus ombros. Fechou os olhos e mergulhou de cabeça: sua decisão estava tomada.

* * *

Foi uma caminhada solitária para Rouche, que encontrou um lugar tranquilo para jantar. Ele tinha deliberadamente se arrastado para chegar ao refeitório a fim de minimizar seu tempo lá dentro. Os nazistas o observavam de sua mesa de costume, mas logo perderam o interesse quando um detento negro inadvertidamente se aproximou demais deles, provocando uma enxurrada de ofensas raciais.

Aproveitando ao máximo aquele breve respiro, Rouche tentou engolir um pouco de comida. Só que não estava nem um pouco com fome, não por causa de sua mandíbula dolorida, mas da culpa que sentia. Fora para a entrada da sala de visitação às três da tarde esperando encontrar Baxter, mas, ao ver o rosto ansioso de Holly olhando ao redor da sala, ele se afastou, incapaz de suportar que ela o visse naquele estado deplorável. Lamentou sua decisão, empurrou a bandeja e ficou sentado em silêncio, observando o refeitório se esvaziar gradualmente.

A mesa nazista foi uma das últimas a se levantar, os homens menos dominantes inconscientemente circulando seu alfa enquanto lutavam por uma posição; um deles buscava aprovação empurrando outro detento contra a parede.

Rouche removeu com calma do cós da calça uma toalha de rosto enrolada, desembrulhando o pedaço de plástico manchado de sangue em seu colo. Ele pegou sua bandeja e caminhou entre as mesas vazias a caminho da saída, parando momentaneamente para colocar a arma no banco onde o grupo estivera reunido.

E então, assobiando inocentemente, ele os seguiu.

Christian estava de muito bom humor quando chegou em casa.

Trancou a porta da frente e fez uma pausa quando instintivamente foi levantar a maçaneta, concluindo que era um hábito sem o qual poderia viver. Ajustando o alarme, caminhou pela sala principal iluminada pela lua e ouviu a chuva congelante bater contra as janelas. Serviu-se de uma dose dupla de uísque e depois se sentou em sua poltrona favorita, posicionada bem no meio do silencioso palácio.

Embora certamente não fosse o fim de semana que ele havia planejado, tinha assegurado sua parte no acordo fechado com Andrea Hall, marcando a inviável entrevista e apresentando os documentos iniciais referentes à liberação de William Fawkes. Registrara o telefone contendo a incriminadora gravação como evidência e agendara uma reunião urgente com a corregedoria para discutir o caso da inspetora-chefe Baxter. Também havia falado com Devon Sinclair, o agente do FBI encarregado do trabalho nada invejável de resolver o fiasco envolvendo Lucas Keaton, tanto para compartilhar as boas notícias quanto para expressar a expectativa de ser publicamente creditado por sua contribuição.

O que quer que a tenaz jornalista fosse capaz de arrancar de Rouche pela manhã apenas consolidaria ainda mais o caso contra ele.

Christian tomou outro gole do uísque e olhou para o tabuleiro de xadrez em cima da mesa de centro, atribuindo a cada um de seus inimigos uma peça enquanto reposicionava a sua em volta deles... todos menos um.

Killian Caine e sua equipe ainda estavam atrás de Eoghan Kendrick, um homem que muito provavelmente não estava mais vivo e que, em mais de trinta anos, não havia se apresentado com sua ultrajante história envolvendo policiais corruptos e milhões desaparecidos.

Ele não tinha grande importância.

Sentindo que finalmente conseguia respirar, Christian ergueu o copo em um brinde na direção do tabuleiro de xadrez:

– Xeque-mate.

Capítulo 45

Segunda-feira, 1º de fevereiro de 2016
6h26

Até Andrea parecia cansada, e sua equipe, pior ainda. Rory dava a impressão de que ia de fato morrer, enquanto um agente penitenciário notavelmente meticuloso – ou apenas ridiculamente obsessivo – desatarraxava uma placa de metal da câmera de televisão.

– Lá se foi a garantia – disse Rory em meio a um bocejo com bafo de café.

Ignorando-o, o homem retirou o painel para inspecionar as entranhas do equipamento extremamente caro em busca de algo ilícito.

Depois de começarem o dia tão cedo para chegar ao Presídio de Woodhill às seis da manhã, eles estavam levando 26 minutos para atravessar uma distância de aproximadamente três metros, sendo parados no bloqueio junto ao portão de segurança enquanto cada item de seu kit era retirado e examinado um a um.

– Isso ainda vai demorar muito? – questionou Andrea, ciente de que precisava entrar no ar ao vivo em pouco mais de meia hora.

O homem olhou para ela, deu de ombros e começou a remover outro painel.

A exaustão finalmente havia vencido Rouche, que conseguira ter quase cinco horas de sono, mas estava bem acordado quando ouviu passos se aproximando de sua cela às 6h53, pouco antes da movimentação dos prisioneiros pela manhã. Ansioso por chegar ao seu destino antes disso, ele desceu do beliche e já estava esperando no meio da cela quando o guarda veio buscá-lo.

Escoltado escada abaixo, seu uniforme azul era a única centelha de cor enquanto caminhava pelo pavilhão de celas deserto. Destrancando e trancando novamente as portas conforme eles passavam, enfim chegaram ao corredor para a sala de visitação. Rouche ergueu os olhos para a escura enfermaria, lembrando-se da expressão nos olhos de Kelly quando deslizou o caco afiado em sua pele macia logo abaixo da caixa torácica.

– Ei! – chamou o guarda, segurando a porta para ele.

– Desculpa – disse Rouche, grato por ter sido afastado daquela lembrança.

– Parede – gritou o policial ao chegar à última porta.

Rouche obedientemente se virou para a parede cinza enquanto o guarda digitava um código de cinco dígitos, passando seu cartão de identificação pelo leitor antes de abrir a porta. Eles entraram no espaço familiar, onde a equipe de TV ainda arrumava seus equipamentos enquanto Andrea ajeitava a maquiagem com o auxílio de um espelhinho.

– Seu entrevistado! – anunciou o homem, claramente tietando um pouco a repórter famosa.

Andrea ficou de pé e acenou com a cabeça em saudação ao homem que havia vendido para seu inimigo em comum. Rouche sendo Rouche, sorriu de volta e retribuiu o gesto com um aceno alegre.

Por volta das 6h59, o Dr. Yuán chegava ao fim de seu quarto turno noturno consecutivo e nunca tinha ficado tão animado com a perspectiva de dois dias de folga e uma noite de sono decente. Assim como os fins de semana pareciam despertar algo naqueles que viviam além dos muros – a ilusão de terem menos responsabilidades, a indulgência com os excessos dos quais se sentiam privados durante a semana, a confiança exacerbada –, as noites de sexta e sábado dentro dos muros eram infalivelmente agitadas: sete brigas, um traumatismo craniano exigindo transferência para outra instituição, um par de punhos cortados e uma facada.

Ele estava exausto.

Organizando tudo antes da chegada de seu colega – e, com a graça de Deus, antes que alguém mais acabasse se machucando –, o Dr. Yuán deu uma olhada em seus três pacientes da noite, todos ainda dormindo pacificamente, sem poder fazer nada para aliviar seu próprio cansaço. Iluminado pelo brilho aconchegante dos equipamentos e das telas cantando suas canções de ninar monótonas, ele quase cochilou na porta. Acordou com o próprio ronco e esfregou os olhos lacrimejantes, imediatamente ciente de que algo havia mudado.

Ele deu um passo à frente e cerrou os olhos para focar sob a luz fraca, franzindo a testa enquanto observava as três camas, os olhos se arregalando ao perceber que a do meio estava vazia.

Então se virou para correr, sem perceber que um vulto havia aparecido na porta atrás dele.

Kelly saiu para a luz, um grande bisturi na mão.

– Nem pense nisso, doutor – disse ele calmamente quando o homem olhou para o botão de pânico na parede. – Não precisa se preocupar. Não vou te machucar, desde que você não faça nada idiota.

O médico ergueu as mãos.

– Melhor assim – disse Kelly, recolhendo os pertences pessoais do médico da bandeja ao lado dele. – Tá com o seu cartão de identificação aí?

– Tô. Mas não vai ajudar muito – respondeu o médico, o cansaço amortecendo os efeitos da adrenalina. – Meu acesso é limitado.

– Ah, é? – perguntou Kelly, indiferente.

– É. Por conta de situações como essa.

– Fuma?

– Perdão?

– Você... fuma? – O médico balançou a cabeça. – Fósforo? Isqueiro?

– Segunda gaveta de baixo – informou, apontando a direção certa.

Sem tirar os olhos do médico, Kelly recuou em direção ao móvel, vasculhando até encontrar a caixa de fósforos. Acendendo meia dúzia de uma vez, ele os aproximou do detector de fumaça acima de sua cabeça.

– Você nunca vai conseguir sair – disse o médico, observando o homem ferido lutar para manter a chama firme.

O alarme estridente disparou, seguido por outro próximo dali e depois outro. Segundos depois, o rugido aterrorizante de centenas de presos enjaulados respondeu ao chamado.

– Ainda bem que não estamos tentando sair – declarou Kelly, sorrindo e segurando com firmeza o braço do médico. – Estamos invadindo.

– Sensores de calor e fumaça: Ala Leste! – avisou um dos funcionários da sala de controle, pulando da frente de seu monitor.

Várias imagens das câmeras de segurança mostravam prisioneiros nos corredores, tornando-se cada vez mais agitados enquanto os guardas em menor número lutavam para conter a situação.

– Precisamos urgentemente de reforços! – transmitiu pelo rádio outro membro da equipe. – Todo o pessoal disponível para o pavilhão de celas imediatamente!

Abandonando a transmissão da imagem de Rouche sentado em frente a Andrea e sua equipe, o jovem abriu uma perspectiva alternativa do pavilhão de celas, que estava prestes a explodir numa onda de violência.

– Merda! – disse ele, olhando as telas. – A gente precisa de mais gente lá embaixo!

O estrondo da confusão dentro do edifício alcançou a sala de visitação, uma lembrança indesejável de uma das provações mais terríveis da vida de Rouche inevitavelmente voltando para sua mente. Nesta ocasião, porém, sentado em frente a Andrea e sua câmera de televisão, aquilo era exatamente o que ele queria ouvir. Ficou observando enquanto sua escolta deliberava sobre o que fazer e ouvindo as chamadas de rádio entre os guardas se tornarem mais frenéticas à medida que a comoção aumentava.

– Fica aqui. Eu já volto – disse o agente, já correndo para a porta.

Parecendo compreensivelmente ansiosos, Andrea e sua equipe esperavam com o equipamento pronto e ignoravam os gritos em seus ouvidos enquanto os produtores no estúdio exigiam saber por que não estavam transmitindo.

Rouche se levantou devagar.

– Acho que tá na hora.

Kelly e o médico haviam descido a escada da enfermaria e passado pela primeira porta à esquerda, que abriu apenas com o cartão de identificação. Eles avançaram por um corredor onde havia um alarme no meio do caminho. O som era ensurdecedor. Aproximaram-se de outra porta trancada, protegida por um sistema de senha.

– Pronto, doutor – gritou Kelly em meio ao ruído. – Agora é contigo.

A luz vermelha na fechadura ficou verde quando a porta se abriu, revelando primeiro o médico perplexo e depois o rosto marcado e enrugado de seu sequestrador.

Rouche sorriu.

– Não tinha certeza se você vinha.

Kelly entregou a ele o bisturi enquanto trocavam de lugar. Desculpando-se, Rouche levou a lâmina perto do pescoço do médico.

– Kelly McLoughlin, conheça Andrea Hall. – Rouche os apresentou. – Pode confiar nela. Ela é uma de nós. Andrea Hall, este é Kelly McLoughlin, também conhecido como Eoghan Kendrick. Acho que vocês dois têm muito o que conversar e não muito tempo.

– Estamos prontos pra você – disse Andrea a Kelly.

Ele pareceu inseguro e se virou para Rouche.

– Você não tá me metendo em furada, tá?

– Não – disse Rouche com sinceridade. – Juro que não. Isso partiu da comandante da Polícia Metropolitana. Você está se colocando em perigo pra ajudar a pegar um assassino. Estamos em dívida com você por isso, e essa é uma posição muito boa pra se estar.

Ele acenou com a cabeça, permitindo que Andrea o conduzisse até os outros.

– Ei, Kelly! – gritou Rouche.

O colega de cela fez uma pausa e olhou para trás.

Rouche sorriu e disse:

– Taca fogo em tudo!

Capítulo 46

Segunda-feira, 1º de fevereiro de 2016
7h11

O sol ainda estava por nascer em mais uma manhã gelada.

A escuridão lá fora e uma dose extra de uísque comemorativo tinham persuadido Christian a apertar o botão "soneca" duas vezes. Soltando um gemido de ressaca, ele tateou às cegas em busca do celular quando o dispositivo começou a zumbir sem parar em cima da mesinha de cabeceira. Estreitando os olhos em direção à tela, ele se sentou, imediatamente acordado.

– Killian! A que devo a honra? – atendeu ele, acendendo um abajur, mas incapaz de disfarçar um traço de preocupação com a ligação num horário socialmente inadequado.

– Te acordei? – perguntou calmamente o influente criminoso.

– Não! Bom, sim. Mas eu estava quase me levantando, então não se preocupa.

– Eu não tô preocupado.

Sem saber como responder, Christian esperou que ele continuasse. Um suspiro longo e exasperado preencheu a pausa, apenas deixando-o ainda mais nervoso.

– Aquele homem de quem falamos... Eoghan Kendrick. Achei que você ia gostar de saber que encontramos ele.

– Que ótima notícia! Não é? – perguntou Christian, confuso diante do tom pessimista.

– É?

Mais uma vez ele esperou que o outro homem elaborasse melhor a réplica.

– Ele está, neste exato momento, numa transmissão de TV ao vivo direto do Presídio de Woodhill, contando absolutamente tudo sobre a minha operação, sobre você, o detetive morto *e* o dinheiro desaparecido.

A notícia atingiu Christian como um golpe físico. Ele quis vomitar, chorar e gritar ao mesmo tempo.

– No Presídio de Woodhill? – murmurou Christian, começando a juntar as peças e percebendo que tinha desempenhado um papel fundamental no plano de seus inimigos contra ele. – Como isso é possível? – perguntou ele, fingindo ignorância.

– Era o que eu estava me perguntando. – O tom calmo de Caine era aterrorizante. – Acontece que foi *você* quem marcou a entrevista. *Você* concedeu à repórter mais famosa do país o acesso ao presídio e, consequentemente, à *única* pessoa capaz de destruir nós dois. Em última análise, senhor comissário, a responsabilidade... é sua.

– Killian, eu...

– Nós entraremos em contato.

– Espera! Eu ainda posso dar um jeito nisso!

A linha ficou muda.

Em estado de choque, Christian ficou apenas sentado ali por um tempo, olhando para o celular em sua mão como se fosse uma corda de segurança cortada. Sentindo-se tonto, saiu da cama e vestiu o roupão por cima do pijama. Desceu correndo as escadas, onde o céu além das janelas altas havia ficado azul-escuro, as árvores abaixo completamente imóveis, silhuetas pretas inexpressivas como um cenário pintado em um palco. Atravessando a sala, pegou o controle remoto para ligar a enorme televisão, seu brilho artificial banhando-o de luz conforme passava os canais...

Ele reconheceu o homem imediatamente, mesmo com o hiato de trinta anos. Christian teve dificuldade para se manter de pé enquanto as lembranças o soterravam: o calor do fogo, o gemido do prédio desabando, o peso da arma em sua mão, a expressão nos olhos daquele mesmo homem quando o deixou para trás prestes a morrer de uma das piores maneiras imagináveis, apenas em nome da própria ganância.

Na tela, Kelly levantou a camiseta para revelar a marca do ferimento à bala, do ato que mais envergonhava Christian. Colocando as mãos no rosto, Christian riu amargamente e entendeu enfim como Killian Caine ficara sabendo das coisas que ele tinha feito.

– Acabou – anunciou uma voz grave de algum lugar dentro da sala, reverberando pelas vigas até o teto.

Christian não se virou imediatamente, abaixando a cabeça, derrotado.

– Como você o encontrou? – perguntou Christian.

– Não fui eu – admitiu Wolf, a voz mais próxima agora. – Foi o Edmunds... um tempo atrás.

Christian esfregou o rosto.

– A rede *inteira* do Caine não conseguiu encontrá-lo.

– Talvez eles devessem ter ido atrás da namorada dele.

– E como você convenceu o sujeito a falar?

– Mais uma vez, não fui eu. Foi o Rouche. Acha que foi por acaso que ele acabou caindo no Woodhill?

Assentindo, Christian desligou a televisão.

– A Srta. Hall? – perguntou ele.

– Não é exatamente a megera sem coração que a gente sempre pensou que fosse – respondeu Wolf.

– E a gravação?

– Encenada. Foi deletada assim que você ouviu.

Ele não entrou em detalhes, já que mal tinha entendido o complicado plano de Baxter e Andrea envolvendo "mensagens suicidas", celulares modificados e aplicativos de clonagem de mensagens.

– Você veio sozinho, pelo que tô vendo – disse Christian.

– Sozinho – assentiu Wolf, emergindo das sombras que desvaneciam à medida que o céu do lado de fora ficava mais claro a cada segundo.

Christian se virou para encará-lo.

– É difícil se livrar de hábitos antigos, imagino.

– Se eu fosse machucar você, já teria feito isso há muito tempo.

Ele jogou um par de algemas no sofá ao lado de Christian.

– Você sabe que eu nunca quis nada disso, né? – continuou Christian, sem dar nenhum sinal de que iria pegar as algemas. – Eu preferia ter *morrido* a ferir o Fin e a Maggie.

Wolf se aproximou dele.

– Não me importo. – Christian olhou na direção do tranquilo jardim. – Não me obrigue a ir atrás de você – alertou Wolf, parado no mesmo lugar.

Christian sorriu, cansado.

– Você deveria saber melhor que ninguém, Will... todo mundo foge.

Virando o tabuleiro de xadrez ao saltar sobre a mesa de centro, Christian alcançou as portas de vidro e saiu pelo pátio, tropeçando no gramado congelado.

Vendo-o desaparecer pelo portão nos fundos do jardim, Wolf calmamente levou o telefone ao ouvido.

– Ele está indo na sua direção.

* * *

Christian se perguntou se ainda estava dormindo ao correr descalço por um tapete de folhas mortas. Enquanto o ar gelado rasgava seus pulmões, os primeiros raios de sol encontravam um caminho por entre as árvores da floresta congelada, uma paisagem de sonho surrealmente bela.

Num espaço de cinco minutos, sua vida mudara de maneira irreversível.

Tudo o que ele podia fazer era continuar correndo, para abandonar tudo e todos que vieram antes, para começar do zero, porque ele faria tudo muito diferente se tivesse outra chance – era a barganha irracional de um homem desesperado, a ilusão, provocada pelo medo, de que ele seria de fato capaz de desaparecer, a ideia da fuga consumindo tudo.

Ele caiu pesadamente, as mãos afundando na terra úmida sob os escombros descartados por uma floresta que trocava de pele.

Houve um farfalhar próximo...

Com um olhar apavorado, Christian observou as árvores. Um ruído alto veio de algum lugar...

Ele estava desorientado, sem saber de que direção tinha vindo, enquanto acalmava a respiração e ouvia atentamente: o barulho de passos correndo emergiu do silêncio, um vulto escuro apareceu e desapareceu entre as árvores. Lutando para ficar de pé, Christian foi tomado pelo medo quando avistou outra forma se aproximando do outro lado. Escolheu sua rota e começou a correr freneticamente, o som de seus perseguidores se intensificando ao seu redor à medida que mais outro se juntava à caçada.

Ele desabou outra vez, a exaustão e o pânico dificultando sua coordenação motora. Sem alternativa, ele se jogou no chão, saiu rastejando pela terra e se escondeu sob uma árvore caída. Observou quando duas silhuetas passaram direto por ele, sumindo tão rapidamente quanto haviam surgido na floresta iluminada pelo amanhecer. Uma terceira, porém, havia diminuído o ritmo para uma caminhada. Christian fechou os olhos, desejando que eles seguissem em frente, ouvindo impotente enquanto caminhavam pela floresta em busca dele. Ele se encolheu ainda mais...

O farfalhar se aproximou.

Ele prendeu a respiração.

Eles chegaram perto da árvore caída, fazendo com que folhas quebradiças despencassem no chão em espiral bem na frente de seu rosto...

Saindo de seu esconderijo, Christian correu às cegas até uma clareira e ouviu uma série de passos pesados vindo em sua direção.

O impacto o derrubou completamente quando alguém se jogou em cima dele.

– Aqui! – Wolf chamou os outros, uma expressão impiedosa em seus olhos enquanto Christian o encarava, completamente exausto.

Edmunds surgiu de repente à esquerda e Saunders, à direita. Minutos depois, Baxter apareceu mancando acima de sua cabeça, todos olhando para ele com o mesmo olhar impassível. Cercado por seus inimigos, Christian começou a rir.

– Isso nunca foi uma apreensão... não é? – perguntou ele, seu cabelo prateado sujo de terra e folhas. – Vocês me queriam aqui sozinho!

Wolf apertou ainda mais o prisioneiro relutante.

– Sem testemunhas, certo?! – gritou Christian loucamente, esticando-se para olhar para Baxter. – Acaba com isso, então! – sugeriu ele, incitando Wolf, ao encontrar seu olhar. – Vamos!

– Você não vai escapar assim tão fácil, cara – disse Saunders assim que o som das sirenes preencheu o ar da manhã.

Quando por fim aceitou seu destino, Christian deixou o corpo ficar mole, rendendo-se inteiramente a Wolf. Com as sirenes cada vez mais próximas, um por um de seus perseguidores se dispersaram, deixando-o sozinho com Wolf na clareira. Rolando-o de bruços, Wolf algemou os pulsos de Christian atrás de suas costas. E, então, saboreando cada uma das palavras tão aguardadas, ele leu ao comissário seus direitos.

– Christian Bellamy, você está sendo preso pelo homicídio do sargento Finlay Shaw. Você não é obrigado a se manifestar, mas sua defesa poderá ser prejudicada se, quando interrogado, não mencionar algo que posteriormente for usado durante seu julgamento. Qualquer coisa que disser pode ser utilizada como prova. Entendido?

Dominado pela emoção, Wolf puxou seu prisioneiro para ficar de pé e, com os olhos azuis brilhando, marchou com ele em direção às luzes dançantes à distância.

Capítulo 47

Segunda-feira, 1º de fevereiro de 2016
14h34

Edmunds estava atrasado.

A dura realidade do trabalho policial havia absorvido a maior parte do dia enquanto a equipe registrava meticulosamente as evidências, prestava depoimentos detalhados e era forçada a comparecer a uma reunião com o insuportável departamento de relações públicas; focados no controle de danos, parecia que haviam chegado com um esfregão e um balde para lidar com as consequências de uma explosão nuclear.

Esgueirando-se pelas portas, ele avistou Wolf encostado na parede enquanto uma Vanita radiante se dirigia ao público na coletiva de imprensa organizada às pressas. Edmunds se aproximou dele em silêncio.

– ... Embora obviamente não possamos discutir nenhum dos detalhes que cercam a investigação, que ainda está em andamento – disse Vanita com firmeza –, seria ingênuo fingir que vocês ainda não estão completamente cientes das acusações feitas contra Christian Bellamy e da seriedade com que nós as estamos tratando. Diante disso, estou assumindo por enquanto o cargo de comissária interina...

Alguns repórteres gritaram perguntas que Vanita não teria tido permissão de responder, mesmo que as tivesse ouvido.

– Ei – sussurrou Edmunds, espremendo-se ao lado de Wolf.

– Ei.

– Cadê todo mundo?

– Eles não vão vir.

Edmunds franziu a testa, confuso, já que tinha sido informado pelo próprio Wolf que era imperativo que ele comparecesse.

– ... E, nessa posição – prosseguiu Vanita –, gostaria de reconhecer o trabalho *absolutamente* inspirador e corajoso da equipe envolvida, tanto de civis quanto de oficiais da Polícia Metropolitana.

Virando-se para dar a Wolf e Edmunds um sorriso roteirizado, ela leu sua lista de nomes.

– Inspetora-chefe Emily Baxter, detetive Jake Saunders, ex-detetive Alex Edmunds, ex-sargento William Layton-Fawkes...

Wolf estremeceu.

– ... o ex-agente da CIA Damien Rouche e nossa amiga Andrea Hall.

A pedido de Vanita, a sala irrompeu em aplausos.

– Então, como está se sentindo? – perguntou Edmunds a Wolf, elevando a voz enquanto batiam palmas. – O homem que desmascarou o comissário da Polícia Metropolitana!

– Até chorei um pouco – admitiu Wolf.

Edmunds acenou com a cabeça, julgando só um pouquinho.

– É compreensível.

– Eu *precisava* prender ele, tinha que ser eu – declarou Wolf, baixando a voz enquanto os aplausos diminuíam. – *Essa* parte tinha que ser minha. O resto é *todo* seu – disse ele a Edmunds de maneira enigmática enquanto Vanita voltava ao microfone.

– Vou deixar vocês agora com um membro dessa equipe, que vai responder às perguntas *pré-aprovadas* sobre a investigação...

Wolf se afastou da parede, indo na direção dos holofotes aos quais estava tão acostumado. Então se virou para Edmunds, dando-lhe um tapa afetuoso nas costas.

– Você consegue. Fica tranquilo – disse ele com um sorriso antes de sair casualmente.

A expressão de Vanita espelhou a de Edmunds, mas ela se recuperou depressa.

– ... É... Senhoras e senhores, o ex-detetive da Polícia Metropolitana e agora investigador particular... Alex Edmunds! – anunciou ela, conduzindo novos aplausos relutantes.

Com câmeras piscando em meio a um coro de perguntas ininteligíveis, Edmunds tropeçou em direção ao pódio, quase chutando uma câmera de televisão no caminho. Tornando-se imediatamente o rosto da equipe responsável por expor o maior escândalo dos últimos anos, ele apertou a mão de Vanita com entusiasmo antes de se dirigir ao microfone.

Ele pigarreou.

– Boa tarde... Alguma pergunta?

Capítulo 48

Quarta-feira, 3 de fevereiro de 2016
16h49

A prisão de Christian parecia um encerramento, mas com o corpo de Finlay detido até depois do julgamento, ainda demoraria um pouco mais para que ele tivesse um enterro adequado. No entanto, Maggie queria fazer alguma coisa. Convidando apenas as pessoas mais chegadas ao marido, ela organizou um velório informal em seu jardim e insistiu que seria uma ocasião feliz, uma chance para todos finalmente se despedirem. Cronometrado para coincidir com o fugaz crepúsculo do inverno, Wolf, Baxter, Edmunds, Saunders e Andrea se juntaram a alguns outros em volta da fogueira para compartilhar suas histórias favoritas à luz de velas.

Quando "Stand by Me", de Ben E. King, começou a tocar, Wolf esticou a mão para Maggie, substituindo seu marido enquanto dançavam a música favorita de Finlay.

Sexta-feira, 21 de maio de 2010
Aniversário do Finlay
23h58

Wolf estava desmaiado no sofá do pequeno chalé onde ele e Andrea moravam, em Stoke Newington, com a bênção de não saber que tinha arruinado completamente a festa de aniversário de Finlay. Ele havia aborrecido Maggie, quebrado um dos dentes do namorado de Baxter e provocado uma grande briga entre os dois. Mais importante que tudo isso, entretanto, ele havia deixado de lado a esposa, que passou meia hora chorando na cama, desejando que ele se importasse o suficiente para ir ver como ela estava.

Houve um estrondo no corredor.

Wolf caiu do sofá e saiu tropeçando nos próprios pés. Ainda vestindo a camisa amarrotada e a gravata, ele entrou no corredor bem a tempo de receber uma sapatada na cabeça.

– Cacete! – reclamou ele, segurando a testa de dor enquanto via suas coisas espalhadas por toda a escada. – Que porra é essa?! – perguntou a Andrea, que estava de pé no patamar com outra leva de roupas.

– Você está saindo de casa – informou ela com a maquiagem borrada. – Esta noite.

– Aham – concordou Wolf. – Mas só uma coisa... Vou voltar a dormir.

O segundo sapato doeu ainda mais que o primeiro.

– Você pode, por favor... parar... de jogar as coisas em mim?

– Vai embora!

– Não.

Andrea desapareceu por um momento. Wolf não tinha certeza se aquilo era bom ou ruim. Seu instinto dizia que era ruim...

Ela voltou para o topo da escada segurando sua Fender Telecaster.

– Vai embora – repetiu ela.

– Olha só, não vamos nos precipitar – disse ele, sorrindo.

– Vai embora!

Ela balançou a guitarra acima da escada.

– Você... não... ouse!

Ela abriu a mão, soltando a guitarra azul que se espatifou escada abaixo.

– Qual é o seu problema?! – gritou ele.

– Você! Tô de saco cheio de você! De saco cheio dela! De saco cheio dessa situação de merda! Só quero que isso acabe!

– Essa casa é *minha* também! – berrou Wolf, jogando as coisas de volta em cima dela, mas parecendo um pouco assustado quando de repente ela desceu as escadas em sua direção.

– Vai embora! – esbravejou ela, empurrando-o em direção à porta.

– Andie...

Ela abriu a porta da frente, levando-o para fora, a noite amena iluminada pelas luzes piscantes do carro da polícia estacionado na frente da casa.

– E o que vocês querem aqui?! – gritou Wolf para os dois policiais que passaram correndo pelo portão.

– Senhor, preciso que se acalme – disse um deles. – Poderia se afastar da senhora, por favor?

– Essa é a minha casa! – retrucou ele, dando de ombros e voltando para dentro.

– Senhor!

O policial agarrou o ombro dele.

Wolf girou no mesmo lugar e acertou o homem no rosto, sabendo imediatamente que havia cometido um erro.

Caindo no choro, Andrea voltou correndo para dentro de casa.

– Não aguento mais isso!

– Andie! – ele a chamou quando a porta da frente bateu. Acalmando-se tarde demais, ele se virou para o policial com o lábio ensanguentado: – Desculpa... Imagino que não tenha nada que eu possa fazer pra te convencer a não me prender.

– Nada mesmo.

– Que maravilha.

Quarta-feira, 3 de fevereiro de 2016
17h20

Um casal mais velho havia se juntado a Wolf e Maggie, que balançavam no ritmo da música. Pegando seu chocolate quente, Baxter foi ficar com Andrea, que passava pelas fotos penduradas em torno do jardim.

– Emily.

– Andrea.

– Lindo, né?

– Sim... é, sim.

Elas ficaram em silêncio por um momento olhando para a foto de Finlay e Wolf bebendo em sua festa de 55 anos, cerca de uma hora antes de tudo dar tão terrivelmente errado.

– Você sabia que ele foi preso naquela noite? – perguntou Andrea, com um suspiro.

– Sim, fiquei sabendo.

– Bancando o babaca, como sempre – disse ela, sorrindo ao vê-lo girar Maggie perigosamente próximo ao frágil casal de idosos, que agora pareciam se agarrar um ao outro apenas para ficar de pé. – Eu ensinei esse passo a ele – contou Andrea, orgulhosa. – Como tá o Rouche?

– Não faço a menor ideia. Depois de coordenar uma minifuga no presídio e sequestrar o médico de lá, eles não me deixam vê-lo – explicou ela, parecendo preocupada.

– Fica firme na sua história – assegurou Andrea. – Eles não têm nada contra o Rouche e sabem disso. É a sua palavra contra a deles.

Baxter assentiu.

– E o Will?

– Vai ser preso – respondeu Baxter com naturalidade. – Mas vai pra um lugar tranquilo. E não vai ser por muito tempo. A Vanita parece estar cumprindo o que prometeu.

Embora um pouco engessada, a conversa estava indo incrivelmente bem para os padrões delas.

– E... – Andrea hesitou e perguntou-se se estava ultrapassando o limite – Alguma decisão sobre aquele *outro* assunto?

Baxter olhou ao redor para se certificar de que ninguém estava ouvindo.

– O Thomas me devolveu o anel de noivado.

– E?

– E o quê?

– Você aceitou?

– Não. Ainda não. Mas vou aceitar.

– Sério?

– Sério.

Andrea sorriu e deu um abraço desajeitado nela.

– Parabéns! Tô muito feliz por você. E – ela olhou para Wolf enquanto ele fazia Maggie gargalhar – você está fazendo a escolha sensata. Então, quando vai contar pro Thomas?

– Hoje à noite. Tem só uma coisa que eu preciso fazer primeiro.

Sábado, 22 de maio de 2010
1h42

Deitado no colchão da cela da delegacia, Wolf desejou ser capaz de desligar seu cérebro, só por um momento, com milhares de pensamentos diferentes passando na sua cabeça ao mesmo tempo.

Ele ainda estava em choque depois do que havia acontecido, com a intensidade da fúria de Andrea, com a profundidade da infelicidade dela:

sentimentos não verbalizados fermentados por tempo demais. Eles já haviam tido brigas antes, é claro, brigas grandes, mas nenhuma como aquela. Recentemente, parecia que ele não conseguia acertar em nada que dizia respeito a ela, mas havia uma sensação de término naquele momento, que era ao mesmo tempo um alívio e uma desolação.

Ele não sabia nem dizer ao certo em qual delegacia estava, mas um dos policiais o havia reconhecido, proporcionando a ele o conforto de sua própria cela e a possibilidade de contatar quem ele quisesse.

Uma porta bateu e, em seguida, um conjunto de passos tranquilos se aproximou.

– Seu idiota, seu idiota de merda – cumprimentou uma voz rouca.

Puxando uma cadeira, Finlay se sentou do outro lado das grades.

– Sim – respondeu Wolf, sentando-se. – Eu sei. Eu sei. O que você tá fazendo aqui?

– Bom, um idiota teve uma briga tão feia com a esposa que os vizinhos chamaram a polícia... Aí ele decidiu agredir os policiais e depois *me* colocar como seu contato de emergência... No meu aniversário... que ele já havia estragado.

Wolf se levantou.

– Primeiro, eu não esperava que fossem ligar pra você *esta noite*. Segundo, obrigado por vir mesmo assim. E, terceiro, eu *tinha* que fazer alguma coisa na festa. Você viu como aquele cara agarrou a Baxter, não viu?

Finlay parecia um pouco bêbado e cansado. Ele bocejou.

– Vi um cara bacana pegar gentilmente o braço da namorada porque ele não queria que ela fosse embora.

– Bom, você tá velho – argumentou Wolf. – Seus olhos não funcionam direito.

– Você só estava atrás de uma desculpa, Will – disse Finlay, irritado. – Se não fosse a história do braço, teria sido outra coisa. Quem quer que tivesse aparecido com a Emily lá hoje à noite acabaria apanhando.

Wolf fez um gesto de desdém, descartando a teoria do amigo.

– Olha – continuou Finlay, sem ânimo para uma discussão –, já acertei tudo com o oficial de custódia e isso não vai ter nenhum desdobramento porque o colega em quem você bateu concordou em te oferecer alguma cortesia profissional... De nada.

– Vamos embora então.

– Ah. Você vai passar a noite aqui mesmo assim – disse Finlay. – A sugestão foi minha. Acho que precisa pensar um pouco.

Wolf caiu bêbado na cama.

– Realmente eu não tenho pra onde ir. Acho que eu e a Andrea terminamos.

– Você ainda pode consertar as coisas.

Wolf balançou a cabeça.

– E se eu não quiser?

– Ela é sua esposa!

– Nós não somos como você e Maggie! Vocês dois foram predestinados a ficar juntos. Vai ver que eu e a Andrea, nós... não fomos.

Finlay esfregou o rosto cansado.

– Você e a Emily seriam uma tragédia. Todo mundo acha isso. Você tem uma esposa. Precisa pelo menos tentar. É o mínimo que deve a ela.

– O que você quer dizer com "todo mundo"? – perguntou Wolf com a voz arrastada.

– Todo mundo, ué! *Todos* nós vemos vocês implicarem um com o outro o dia inteiro, todo santo dia. Vocês não são exatamente discretos. E a Andrea também tem sido obrigada a ver isso.

– Então, se eu sou um cara tão *merda* assim, o que você ainda tá fazendo aqui?

– Quer saber? Era exatamente o que eu estava me perguntando – disse Finlay, levantando-se e saindo.

Quarta-feira, 3 de fevereiro de 2016
17h23

Baxter apoiou seu chocolate quente em um toco da cerca e caminhou até Maggie e Wolf.

– Se importa se eu pegar ele emprestado? – perguntou ela.

– Fique à vontade! – disse Maggie, rindo. – Ele já pisou no meu pé demais pra uma noite só.

Conduzindo Wolf até os fundos do jardim, Baxter se empoleirou no muro entre duas velas tremeluzentes.

– Preciso te dizer... – começou, mudando abruptamente de assunto para ganhar um pouco mais de tempo. – A Maggie parece feliz... Bem, não exatamente feliz, mas...

– Ela está. Na medida do possível. – Ele olhou em volta para confirmar se estavam sozinhos. – Ela fez o primeiro exame no hospital ontem, e não deu nada – sussurrou ele com um sorriso. – Não contou pra ninguém porque queria que esta noite fosse só sobre o Finlay.

– Que ótima notícia – disse Baxter num tom um tanto sem emoção.

– O que houve? – perguntou ele, tomando um gole de cerveja.

– Nada. É só que... Ele não tá aqui pra ver, né? E estão dizendo todas essas coisas sobre ele no jornal.

Wolf concordou.

– Mas a questão não é essa, é? Acha que o Finlay ia se importar com as pessoas falando mal dele? A Maggie não tá bem agora por sorte, por obra do destino ou de Deus. Ela tá viva por causa *dele*, porque pra ela somente o *melhor* era suficiente, porque ele arriscou tudo pra salvá-la.

Baxter deu um sorriso triste.

– Você sempre foi bom em distorcer as coisas de acordo com as suas necessidades.

– E você sempre foi muito ruim nisso – disse ele.

– Só acho que às vezes as pessoas precisam admitir quando cometeram um erro... Como eu cometi naquela noite na capela. – Wolf franziu a testa enquanto Baxter respirava fundo. – O Thomas me pediu em casamento de novo.

– Ah.

– E eu vou aceitar. Fiquei confusa por um tempo com tudo o que estava acontecendo, com o pedido e com aquele bilhete idiota, mas eu sei o que quero agora.

– Bilhete? – perguntou Wolf, tremendo de frio, o brilho da fogueira no pátio insuficiente para aquecê-los.

– Isso não importa agora.

– Mas é claro que importa.

Baxter bufou.

– Encontrei um negócio que o Finlay escreveu no meio das coisas dele... Uma carta de amor, ou coisa do tipo, que ele não escreveu para Maggie. E a ideia de ele se sentir daquele jeito por outra mulher enquanto estava com a Maggie realmente me tocou e... – Ela fez uma pausa ao notar a expressão culpada de Wolf. – Ah, meu Deus! Você sabe pra quem ele escreveu aquilo, não sabe?

– Não sei do que você tá falando.

– Mentiroso!

– Acho melhor que algumas coisas fiquem no passado.

Sem aceitar aquela resposta, Baxter removeu o pedaço de cartão amassado do bolso, desdobrando-o para ler em voz alta.

– Não vai me dizer o nome? – Wolf não respondeu. Ela deu de ombros. – Talvez *isto* refresque a sua memória...

Sábado, 22 de maio de 2010
1h46

– Finlay, espera! – chamou Wolf, correndo até as grades.

Depois de deixá-lo se humilhar por um tempo, Finlay voltou lentamente.

– Me desculpa.

– Tudo bem – respondeu o escocês, já incomodado por todo aquele sentimentalismo.

– Antes de você chegar, eu estava deitado aqui... – Wolf começou a andar pela pequena cela, passando as mãos pelos cabelos enquanto lutava para verbalizar o que estava em sua cabeça – só pensando nisso tudo, nas coisas que eu queria dizer há muito tempo mas não conseguia... sobre como agora pode ser o momento certo de dizer. Você tem razão, eu e a Baxter somos um caos; eu e a Andrea somos um caos também. A situação toda tá um caos completo e alguma coisa tem que acontecer... Você pode mandar uma mensagem minha pra ela?

– Pra Andrea?

– Pra Baxter.

Finlay revirou os olhos.

– Você não ouviu uma única palavra do que eu disse?

– Só uma mensagem – balbuciou Wolf. – E, se ela não estiver interessada, eu vou ficar sabendo, não é? Vou ser capaz de tocar a minha vida de um jeito ou de outro.

– Por que eu? – resmungou Finlay.

– Você acha que ela vai querer falar comigo depois dessa noite?

– Não – admitiu ele.

Pegando a esferográfica emprestada do livro de visitantes, ele tirou um cartão de aniversário amassado do bolso de trás e o rasgou ao meio. Enquanto Wolf continuava a andar de um lado para outro, repassando as palavras que vinha treinando na cabeça, Finlay se sentou novamente, a caneta em punho.

– Então, qual é a mensagem?

Quarta-feira, 3 de fevereiro de 2016
17h27

– "Como você ainda não entendeu isso, *porra*?"

À luz das velas quase se apagando, Baxter leu as palavras que ela percebeu já estarem para sempre gravadas em sua memória.

– Baxter, eu…

– "Eu não só amo você. Eu amo você incondicionalmente, eternamente e irremediavelmente. *Você… é… minha.*"

– Baxter, preciso te contar uma coisa.

– "E nenhum desses desgraçados, nenhuma das merdas horríveis que aconteceram entre a gente, nem mesmo essa merda de prisão, vai nos separar…"

– Baxter! – gritou Wolf, arrancando o papel da mão dela e atirando no chão.

Ele hesitou e então lentamente se agachou para encontrar os olhos dela, tentando pegar a mão dela.

Ele respirou fundo.

– Porque ninguém nunca, *nunca* vai tirar você de mim.

A expressão irritada de Baxter gradualmente se suavizou. De início, ela pareceu confusa e irritada ao mesmo tempo, até aos poucos chegar ao choque absoluto.

– Ele nunca te entregou isso? – perguntou Wolf.

Sem palavras, Baxter apenas balançou a cabeça.

Wolf assentiu, nem um pouco surpreso.

– Ele sempre foi um sacana.

EPÍLOGO

Quinta-feira, 15 de dezembro de 2016
19h34

— O que a testemunha disse? – perguntou Baxter, o celular preso entre o ombro e a orelha enquanto procurava as chaves. – *Nããão!* E a perícia...? *Nããão!*

Ela havia saído correndo do trabalho para casa. No momento em que cruzou a soleira, gritou escada acima:

– Ela já tá dormindo?!

– Quase!

Ela jogou a bolsa na árvore de Natal, tirou as botas e subiu a escada, puxando a blusa pela cabeça em vez de perder valiosos segundos mexendo nos botões.

Colocou o telefone de volta no ouvido.

– De quem?! Não me diz que eram as impressões digitais do morto?! ... *Nããão!* ... O quê? Sim, eles ainda fazem... Não sei... No mercado? Vou comprar um pra você. Olha, eu acabei de voltar. Preciso ir... Tá... *Tá!* Eu tenho que ir... Vou desligar. Tchau!

– Ela tá começando a cochilar! – disse a voz quando ela chutou as calças e entrou no chuveiro.

– Então cutuca ela ou algo assim! – gritou Baxter de volta, vestindo seu pijama xadrez enquanto corria para o quarto.

– Bem na hora – disse Wolf, com um livrinho de história nas mãos.

– Cai fora! Você teve ela o dia todo pra você! – reclamou ela enquanto eles trocavam de lugar, estendendo a mão para o berço, onde Finlay Elliot Baxter estava quase dormindo, sua mãozinha agarrando a asa puída de Frankie, o Pinguim.

– Impressões digitais de que morto? – perguntou Wolf em um sussurro, entusiasmado.

Baxter franziu o cenho para ele.

– *Talvez* a gente devesse conversar sobre isso mais tarde – sugeriu ela.

– Era o Rouche?

– Sim. E parece que ele e o Edmunds pegaram um caso quentíssimo, sobre o qual vou te contar... *mais tarde.*

– Mas o que eles estão achando? Que simularam a morte ou que alguém arrancou os dedos do morto?

– *Caramba,* Wolf! Mais tarde! – Pegando delicadamente a filha no colo, Baxter parou de sorrir ao olhar para a obra do dia: – É... Wolf? – começou ela, no mesmo tom que normalmente reservava para palavras como "babaca". – O que houve com o papel de parede?

– Legal, né? – disse ele, orgulhoso. – Passei o dia todo nisso.

Baxter carregou a pequena Finlay até uma seção da parede onde a ilustração de um crocodilo parecia ter sido emendada com a bunda de uma girafa. Ela se virou para ele e fez uma cara feia.

– A questão é... ninguém espera que a gente encaixe essas coisas perfeitamente – argumentou ele.

– Cadê a cabeça desse elefante?

Ele olhou ao redor do quarto, com o elefante sem cabeça reconhecidamente parecendo um pouco mais aterrorizante naquele momento que à luz do dia.

– Ali – disse ele com um tom presunçoso, apontando para algum lugar acima da porta.

– É uma... – Ela murmurou a palavra "merda". – Refaz isso.

– Refaz *você*!

– Parece o pesadelo de um taxidermista!

– Que seja. Eu não via nada errado com os anjos que ficavam aqui antes.

– Eu não... gosto... de anjos! Quantas vezes vou ter que falar?!

A pequena Finlay começou a chorar. Baxter a embalou suavemente para dormir antes de colocá-la de volta no berço.

– Não vou fazer isso de novo. Fim de papo – sussurrou Wolf, cruzando os braços, desafiando-a.

– Aquela zebra ali tem cabeça de cobra e patas de leão. *Quase* parece que você juntou assim de propósito.

Os braços de Wolf foram se descruzando lentamente conforme ele olhava para aquela ofensiva abominação.

– Te lembra alguma coisa? – perguntou ela.

Ele suspirou pesadamente.

– Vou refazer.

– Obrigada. Onde você parou? – sussurrou ela, pegando o livro de histórias.

– Faz diferença? – indagou ele. Ela o fuzilou com o olhar. – Ele acabou de derrotar o monstro com a espada – informou, saindo do quarto. – Vou começar a preparar o jantar.

– Pato com molho de laranja?

– Espaguete com torrada.

– Te odeio! – disse ela com um sorriso.

– Te odeio mais!

Ela folheou as páginas finais do livro, semicerrando os olhos para ler as palavras enquanto o pequeno abajur-projetor lançava formas coloridas nas paredes.

– "Os portões se estilhaçaram e quebraram!… Os homens do rei estavam lá dentro! 'Corra!', a princesa disse ao cavaleiro enquanto o barulho das armaduras enchia a torre. 'Por favor, por mim. Corra!' O bravo cavaleiro não queria ir embora, mas fez o que sua princesa mandou, descendo da janela mais alta, da mais alta torre, para que um dia pudesse voltar para ela… Então ela esperou e esperou mais um pouco, e um dia, muitos, muitos meses depois… ele voltou."

Baxter virou a última página.

– "E eles viveram felizes para sempre."

Gostou de *Fim de jogo*?
Se você ainda não leu os livros anteriores da trilogia, veja aqui o que está perdendo:

Comece com *Boneco de Pano*...

Um corpo formado por partes de seis vítimas diferentes costuradas juntas é encontrado e apelidado pela imprensa de "Boneco de Pano".

Os responsáveis pela investigação desse caso chocante são o detetive William "Wolf" Fawkes, recentemente reintegrado à Polícia Metropolitana de Londres, e sua antiga parceira, a detetive Emily Baxter.

O assassino do caso Boneco de Pano provoca a polícia, divulgando para a mídia uma lista de nomes e as datas em que ele pretende assassinar todos eles. Com seis pessoas para salvar, conseguirão Fawkes e Baxter pegar um assassino enquanto o mundo está observando cada um de seus passos?

Devore *Marionete*...

Um corpo é encontrado pendurado na ponte do Brooklyn, com a palavra "ISCA" entalhada no peito.

Em Londres, um imitador começa a atacar – o assassino marca suas vítimas com a palavra "MARIONETE", forçando a inspetora-chefe Emily Baxter a formar uma incômoda parceria com os investigadores do caso, os agentes especiais Rouche, da CIA, e Curtis, do FBI.

Cada vez que chegam a um suspeito, o assassino se mostra um passo à frente deles. Enquanto a contagem de corpos aumenta em ambos os lados do Atlântico, será que eles vão aprender a confiar uns nos outros e identificar quem está manipulando as cordas antes que seja tarde demais?

Depois, conte para nós o que achou!

CONHEÇA OS LIVROS DE DANIEL COLE

Boneco de Pano

Marionete

Fim de jogo

Para saber mais sobre os títulos e autores da Editora Arqueiro,
visite o nosso site e siga as nossas redes sociais.
Além de informações sobre os próximos lançamentos,
você terá acesso a conteúdos exclusivos
e poderá participar de promoções e sorteios.

editoraarqueiro.com.br